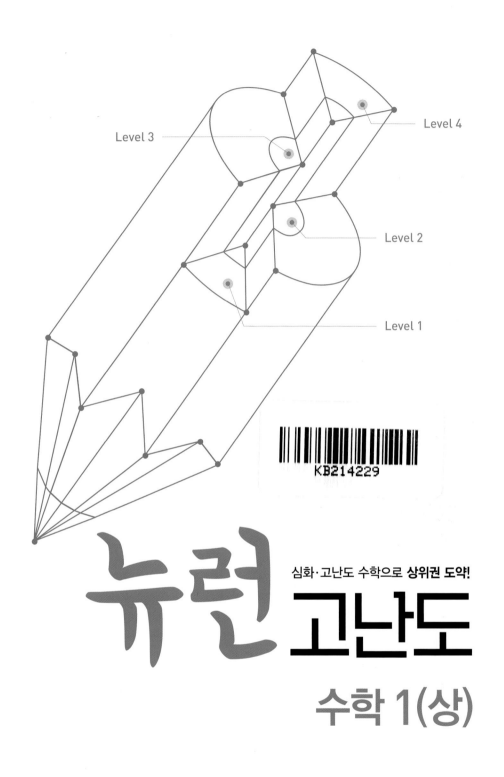

Level 3

Level 4

Level 2

Level 1

심화·고난도 수학으로 **상위권 도약!**

뉴런 고난도

수학 1(상)

KB214229

| 교재 내용 문의 | 교재 내용 문의는 EBS 중학사이트 (mid.ebs.co.kr)의 교재 Q&A 서비스를 활용하시기 바랍니다. | 교재 정오표 공지 | 발행 이후 발견된 정오 사항을 EBS 중학사이트 정오표 코너에서 알려 드립니다. 교재학습자료 ▶ 교재 ▶ 교재 정오표 | 교재 정정 신청 | 공지된 정오 내용 외에 발견된 정오 사항이 있다면 EBS 중학사이트를 통해 알려 주세요. 교재학습자료 ▶ 교재 ▶ 교재 선택 ▶ 교재 Q&A |

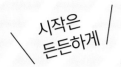
시작은
든든하게

예·비·중1·을·위·한
EBS중학
신 입 생
예비과정

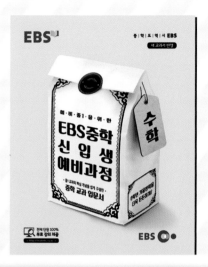

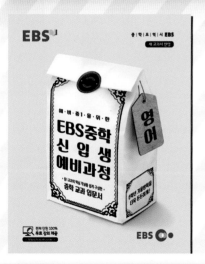

새 학년! 내신 성적 향상을 위한
최고의 **단기 완성 교재**와 함께 준비하자!

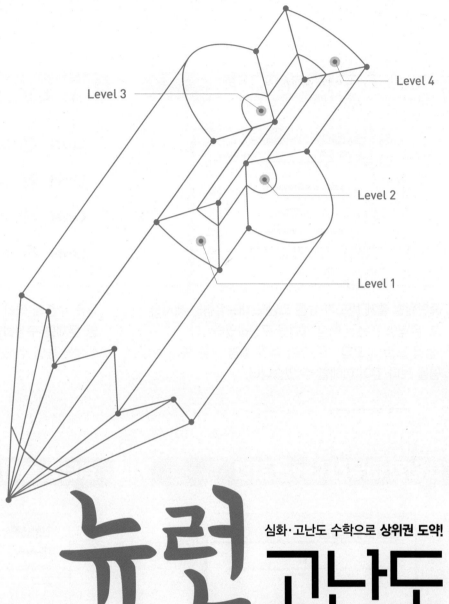

Level 3

Level 4

Level 2

Level 1

뉴런 고난도

심화·고난도 수학으로 **상위권 도약!**

수학 1(상)

Structure 구성 및 특징

고난도 대표유형·핵심개념

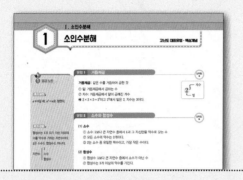

중단원별 출제 빈도가 높은 고난도 대표유형을 제시하고, 유형별 관련된 핵심 개념을 구성하였습니다.
1등급 노트의 오답노트, TIP, 추가 설명 등을 통해 개념을 보다 깊이 이해할 수 있습니다.

Level 1 - Level 2 - Level 3 - Level 4

Level ① 고난도 대표유형 연습

Level ② 유형별 응용 문항 학습

Level ③ 고난도 문제 집중 심화 연습

Level ④ 최고난도 문제를 통해 수학 최상위 실력 완성

목표 수준에 따라 체계적으로 학습할 수 있도록 단계별 문제를 구성하였습니다. 단계별 문항 연습을 통해 실력을 높일 수 있습니다.

대단원 마무리 Level 종합

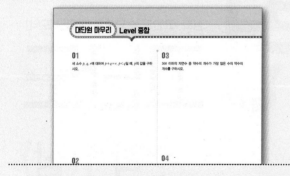

단원에서 학습한 내용을 토대로 종합적인 형태의 문제 해결 능력을 키울 수 있도록 구성하였습니다.

정답과 풀이

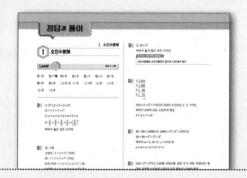

자세하고 친절한 풀이로 문제를 쉽게 설명하였습니다. 실수하기 쉬운 부분 짚어보기, 함정 피하기 등을 추가 구성하였고, Level 4에는 풀이전략을 함께 제시하였습니다.

Contents 이 책의 차례

1 소인수분해

고난도 대표유형 · 핵심개념

추가 설명

$a \neq 0$일 때, $a^1 = a$로 정한다.

추가 설명

합성수는 1과 자기 자신 이외의 수를 약수로 가지는 자연수이다. 1은 소수도 합성수도 아니다.

자연수 $\begin{cases} 1 \\ \text{소수} \\ \text{합성수} \end{cases}$

✓ **주의**

소인수분해한 결과는 반드시 소수들만의 곱으로 나타내야 한다. 또한 자연수를 소인수분해한 결과는 소인수들을 곱하는 순서를 생각하지 않으면 오직 한 가지 뿐이다.

추가 설명

자연수 N이
$N = a^m \times b^n$ (a, b는 서로 다른 소수, m, n은 자연수)으로 소인수분해될 때, 자연수 N의 소인수는 a, b이다.

유형 1 거듭제곱

난이도 ★

거듭제곱: 같은 수를 거듭하여 곱한 것

① 밑: 거듭제곱에서 곱하는 수
② 지수: 거듭제곱에서 밑이 곱해진 개수
㉸ $2 \times 2 \times 2 = 2^3$이고 2^3에서 밑은 2, 지수는 3이다.

유형 2 소수와 합성수

난이도 ★

(1) 소수

① 소수: 1보다 큰 자연수 중에서 1과 그 자신만을 약수로 갖는 수
② 모든 소수의 약수는 2개이다.
③ 2는 소수 중 유일한 짝수이고, 가장 작은 수이다.

(2) 합성수

① 합성수: 1보다 큰 자연수 중에서 소수가 아닌 수
② 합성수는 3개 이상의 약수를 가진다.

유형 3 소인수분해

난이도 ★★

(1) 소인수분해

① 소인수: 어떤 자연수의 약수 중에서 소수인 것
 ㉸ 12의 약수는 1, 2, 3, 4, 6, 12이고 이 중 소수는 2, 3이므로 12의 소인수는 2, 3이다.
② 소인수분해: 합성수를 그 소인수들만의 곱으로 나타내는 것

(2) 소인수분해하는 방법

① 나누어떨어지는 소수로 나눈다.
② 몫이 소수가 될 때까지 나눈다.
③ 나눈 소수들과 마지막 몫을 곱셈 기호 ×로 연결한다. 이때 같은 소인수의 곱은 거듭제곱으로 나타낸다.

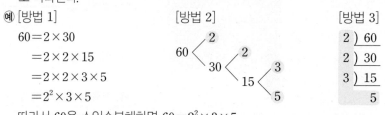

따라서 60을 소인수분해하면 $60 = 2^2 \times 3 \times 5$

제곱인 수 만들기   유형 4

제곱인 수 만들기

① 주어진 수를 소인수분해한다.

② 지수가 홀수인 소인수를 찾아 지수가 짝수가 되도록 적당한 수를 곱하거나 적당한 수로 나눈다.

㈎ $18 \times a = b^2$을 만족시키는 가장 작은 자연수 a, b의 값을 구하면

$18 = 2 \times 3^2$이므로 $a = 2$

$b^2 = 2 \times 3^2 \times 2 = 2^2 \times 3^2 = 36 = 6^2$이므로 $b = 6$

① 등급 노트

TIP

어떤 자연수의 제곱인 수는 소인수분해하였을 때 각 소인수들의 지수가 모두 짝수이다.

㈎ $6^2 = 36 = 2^2 \times 3^2$

$8^2 = 64 = 2^6$

소인수분해를 이용하여 약수 구하기   유형 5

자연수 N이

$N = a^m \times b^n$ (a, b는 서로 다른 소수, m, n은 자연수)

으로 소인수분해될 때, N의 약수는

(a^m의 약수) × (b^n의 약수)

㈎ 50을 소인수분해하면 $50 = 2 \times 5^2$이므로 50의 약수는 다음 표와 같다.

×	1	5	5^2
1	$1 \times 1 = 1$	$1 \times 5 = 5$	$1 \times 5^2 = 25$
2	$2 \times 1 = 2$	$2 \times 5 = 10$	$2 \times 5^2 = 50$

약수의 개수 구하기   유형 6

a, b, c는 서로 다른 소수이고 l, m, n은 자연수일 때

(1) a^l의 약수의 개수는 $l+1$

(2) $a^l \times b^m$의 약수의 개수는 $(l+1) \times (m+1)$

(3) $a^l \times b^m \times c^n$의 약수의 개수는 $(l+1) \times (m+1) \times (n+1)$

㈎ 12를 소인수분해하면 $12 = 2^2 \times 3$이므로

12의 약수의 개수는 $(2+1) \times (1+1) = 6$이다.

90을 소인수분해하면 $90 = 2 \times 3^2 \times 5$이므로

90의 약수의 개수는 $(1+1) \times (2+1) \times (1+1) = 12$이다.

TIP

a^l (a는 소수, l은 자연수)의 약수는 1, a, a^2, $\cdots$, a^l의 $(l+1)$개이다.

01

다음 중 옳은 것은?

① $3^3 = 9$

② $7 \times 7 \times 7 = 3^7$

③ $6 \times 6 \times 5 \times 5 \times 6 = 5^2 \times 6^3$

④ $a + a + a + a + a = a^5$

⑤ $\dfrac{2}{5} \times \dfrac{2}{5} \times \dfrac{2}{5} \times \dfrac{2}{5} = \dfrac{16}{5}$

02

다음은 고대 이집트의 "린드 파피루스"에 있는 글이다. 읽고 물음에 답하시오.

일곱 채의 집마다 일곱 마리의 고양이가 살고 있다. 각 고양이는 일곱 마리의 쥐를 먹었고 각 쥐는 일곱 개의 보리 이삭을 먹었다. 각 보리 이삭에는 일곱 톨의 보리알이 있었다.

보리알의 수를 거듭제곱을 사용하여 나타내시오.

03

50 이하의 자연수 중 약수가 2개인 수의 개수는?

① 12개　　　② 13개　　　③ 14개

④ 15개　　　⑤ 16개

04

다음 설명 중 옳은 것은?

① 가장 작은 소수는 3이다.

② 모든 짝수는 합성수이다.

③ 두 소수의 곱은 홀수이다.

④ 13의 배수 중 소수는 한 개뿐이다.

⑤ 자연수는 소수와 합성수로 이루어져 있다.

05

다음 중 소인수분해한 것이 옳지 <u>않은</u> 것은?

① $16=4^2$ ② $36=2^2\times3^2$

③ $63=3^2\times7$ ④ $160=2^5\times5$

⑤ $342=2\times3^2\times19$

07

30×60을 소인수분해하면 $2^a\times3^b\times5^c$이다. 이때 자연수 a, b, c에 대하여 $a+b+c$의 값은?

① 5   ② 6   ③ 7

④ 8   ⑤ 9

06

378의 모든 소인수의 합을 구하시오.

08

294에 자연수를 곱하여 어떤 자연수의 제곱이 되도록 할 때, 곱할 수 있는 가장 작은 자연수는?

① 2   ② 3   ③ 4

④ 5   ⑤ 6

09

360을 자연수 a로 나누어 어떤 자연수 b의 제곱이 되도록 할 수 있다. 나눌 수 있는 가장 작은 자연수 a와 이때의 b의 값에 대하여 $a-b$의 값은?

① 2   ② 3   ③ 4
④ 6   ⑤ 8

11

다음 중 180의 약수가 <u>아닌</u> 것은?

① 2^2 ② 2×3^2 ③ $3^2 \times 5$
④ $2 \times 3^2 \times 5$ ⑤ $2^3 \times 3 \times 5$

10

216에 자연수 x를 곱하여 어떤 자연수의 제곱이 되도록 할 때, 다음 중 x의 값이 될 수 있는 것을 모두 고르면? (정답 2개)

① 2   ② 3   ③ 6
④ 12   ⑤ 24

12

392의 약수 중에서 어떤 자연수의 제곱이 되는 수의 개수를 구하시오.

13

다음 중 약수의 개수가 나머지 넷과 다른 하나는?

① $2^2 \times 5^3$　　　　② $3^5 \times 7$　　　　③ 2^{11}

④ $2^2 \times 3 \times 5$　　⑤ $5^4 \times 7^3$

14

$2^3 \times 5^a$의 약수의 개수가 48일 때, 자연수 a의 값은?

① 10　　　　② 11　　　　③ 12

④ 13　　　　⑤ 14

15

자연수 $3^5 \times \square$의 약수가 24개일 때, 다음 중 $\square$ 안에 들어갈 수 있는 수는?

① 3　　　　② 6　　　　③ 8

④ 25　　　⑤ 27

16

1부터 100까지의 자연수 중 약수의 개수가 3인 수의 개수는?

① 1개　　　② 2개　　　③ 3개

④ 4개　　　⑤ 5개

01

어떤 세포 1개는 하루가 지나면 2개로 나누어지고, 2일, 3일, 4일, …후에는 각각 4개, 8개, 16개, …로 나누어진다. 이 세포 1개가 512개로 나누어지는 것은 며칠 후인지 구하시오.

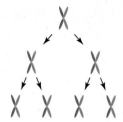

03

자연수 a보다 작거나 같은 소수가 6개일 때, 자연수 a가 될 수 있는 수의 개수를 구하시오.

04

다음 조건을 모두 만족시키는 자연수 n의 값 중 두 번째로 큰 수는?

> ㈎ n은 10보다 크고 50보다 작은 자연수이다.
> ㈏ n의 모든 약수의 합은 $n+1$이다.

① 42   ② 43   ③ 45
④ 47   ⑤ 48

02

$32 \times 343 = 2^a \times 7^b$일 때, 자연수 a, b에 대하여 $a \times b$의 값은?

① 4   ② 6   ③ 8
④ 12   ⑤ 15

05

자연수 28을 서로 다른 세 소수의 합으로 나타내는 방법 2가지를 쓰시오.

07

오른쪽은 50보다 큰 어떤 자연수 A를 소인수분해하는 과정이다. $B=D+E$를 만족시키는 A의 값을 구하시오.
（단, B, D, E는 10보다 작은 소수이다.）

06

각 자리의 숫자의 합이 7인 두 자리의 자연수 중에서 소수인 수의 총합은?

① 99　　　　② 100　　　　③ 102
④ 104　　　　⑤ 105

08

1 이상 10 미만의 자연수를 모두 곱하여 소인수분해하면 $2^a \times 3^b \times 5^c \times 7$일 때, $a-b+c$의 값은?

① 1　　　　② 2　　　　③ 3
④ 4　　　　⑤ 5

09

소인수가 2개이고, 두 소인수의 합이 9인 두 자리의 자연수 중 가장 큰 수를 구하시오.

10

1부터 9까지의 자연수를 모두 약수로 가지는 자연수 중에서 가장 작은 수는?

① 280   ② 420   ③ 840
④ 1680   ⑤ 2520

11

자연수의 맨 뒤에 연속되는 0의 개수를 구하려고 한다. 예를 들어 216000의 맨 뒤에 연속되는 0은 3개이다. 1에서 25까지의 자연수를 모두 곱하여 만든 수의 맨 뒤에 연속되는 0의 개수를 구하시오.

12

$2 \times 3^3 \times 5^2$의 약수 중 세 번째로 작은 수를 a, 두 번째로 큰 수를 b라 할 때, $a+b$의 값을 구하시오.

13

2016의 약수 중에서 자연수의 제곱이 되는 수의 개수를 구하시오.

14

$2^4 \times 3^2 \times 5^3 \times 7$의 약수 중에서 홀수의 개수는?

① 16개   ② 20개   ③ 24개

④ 36개   ⑤ 48개

15

$2^2 \times \square$는 약수의 개수가 9개일 때, $\square$ 안에 들어갈 수 있는 가장 작은 자연수를 구하시오.

16

자연수 n의 약수의 개수를 $[n]$으로 나타낼 때, $[n] \times [360] = 96$을 만족시키는 자연수 n 중에서 가장 작은 수를 구하시오.

01

3^{28}의 일의 자리의 숫자를 구하시오.

02

소수 중에서 3과 5, 5와 7, 11과 13과 같이 두 소수의 차가 2인 소수의 쌍을 쌍둥이 소수라고 한다. 100보다 작은 소수 중에서 가장 큰 쌍둥이 소수를 구하시오.

03

커다란 직육면체 모양의 찰흙을 칼로 잘라서 똑같은 크기의 105조각으로 나누려고 한다. 칼질의 횟수를 가장 적게 하려고 할 때, 그 횟수는?

① 10회   ② 12회   ③ 14회
④ 16회   ⑤ 18회

04

자연수 n을 소인수분해하였을 때, 소인수 2의 지수를 $\ll n \gg$이라 하자. 예를 들어 $36 = 2^2 \times 3^2$이므로 $\ll 36 \gg = 2$이다. 이때 $\ll x \gg = 3$을 만족시키는 100 이하의 자연수 x의 개수는?

① 4개   ② 5개   ③ 6개
④ 7개   ⑤ 8개

05

$f(x)$의 값은 자연수 x를 소인수분해하여 나온 모든 소수들의 합으로 정한다. 예를 들어 $36=2^2 \times 3^2$이므로 $f(36)=2+2+3+3=10$이다. 어떤 자연수 n을 소인수분해하면 서로 다른 세 개의 소인수가 나타나고, $f(n)=12$일 때, 이를 만족시키는 모든 n의 값의 합을 구하시오.

06

13, 29 등과 같이 두 자리의 소수를 ab와 같이 나타낸다고 하자. 이때 다섯 자리의 자연수 $abab0$의 약수의 개수를 구하시오.
(단, a, b는 한 자리의 자연수)

07

자연수 a의 약수의 개수를 $n(a)$라 할 때, $n(324) \times n(81) \times n(x)=750$을 만족시키는 가장 작은 자연수 x의 값을 구하시오.

01

$2^{99}+3^{100}+6^{197}$의 일의 자리의 숫자를 구하시오.

02

자연수 n은 서로 다른 두 소수의 곱으로 나타낼 수 있다. 자연수 n의 모든 약수의 합이 $n+22$일 때, n의 값을 구하시오.

03

다음 중 서로 다른 두 소수의 합으로 나타낼 수 없는 수의 개수를 구하시오.

| 101 | 102 | 103 | 104 | 105 | 106 | 107 |

04

다음 조건을 모두 만족시키는 자연수 N 중에서 가장 큰 수를 구하시오.

> (가) N은 90으로 나누어떨어진다.
> (나) N의 소인수는 3개이다.
> (다) N의 약수는 18개이다.

05

다음과 같은 규칙으로 수를 배열할 때, 4753은 몇 번 나타나는지 구하시오.

1	2	3	4	5	6	⋯
1	3	5	7	9	11	⋯
1	4	7	10	13	16	⋯
1	5	9	13	17	21	⋯
1	6	11	16	21	26	⋯
1	7	13	19	25	31	⋯
⋯	⋯	⋯	⋯	⋯	⋯	⋯

06

874의 배수 중에서 약수의 개수가 874개가 되는 자연수는 모두 몇 개인지 구하시오.

07

천의 자리 수와 백의 자리 수가 같고, 십의 자리 수와 일의 자리 수가 같은 네 자리의 자연수가 있다. 이 네 자리의 자연수는 10보다 작은 모든 소수를 곱한 수의 배수에 10보다 작은 모든 소수를 더한 수이다. 이때 이 네 자리의 자연수를 구하시오.

08

1번부터 100번까지 번호가 있는 사물함과 1번부터 100번까지의 학생이 있다. 먼저, 1번 학생이 모두 닫혀 있던 사물함의 문을 모두 열었다. 2번 학생은 번호가 2의 배수인 사물함의 문을 모두 닫았다. 이후에 n번 학생은 n의 배수인 번호인 사물함을 열린 것은 닫고 닫힌 것은 열도록 한다. 100명의 학생이 모두 이렇게 한 후에 열린 상태의 사물함은 모두 몇 개인지 구하시오.

2 최대공약수와 최소공배수

고난도 대표유형 · 핵심개념

---

1 등급 노트

추가 설명

공약수 중에서 가장 작은 수는 항상 1이므로 최소공약수는 생각하지 않는다.

TIP

서로 다른 두 소수는 항상 서로소이다.

참고

세 수 이상의 최대공약수를 구할 때도 두 수의 최대공약수를 구할 때와 같은 방법으로 구할 수 있다.

유형 1 공약수와 최대공약수

난이도 ★

(1) **공약수:** 두 개 이상의 자연수의 공통인 약수

(2) **최대공약수:** 공약수 중에서 가장 큰 수

(3) **최대공약수의 성질:** 두 개 이상의 자연수의 공약수는 그 수들의 최대공약수의 약수이다.

　예 18과 24의 최대공약수는 6이므로 18과 24의 공약수는 6의 약수인 1, 2, 3, 6이다.

(4) **서로소:** 최대공약수가 1인 두 자연수

　예 8과 9의 최대공약수는 1이므로 8과 9는 서로소이다.

유형 2 최대공약수 구하기

난이도 ★★

(1) **소인수분해를 이용하는 방법**

① 각각의 자연수를 소인수분해한다.

② 공통인 소인수를 모두 곱한다. 이때 소인수의 지수가 같으면 그대로, 다르면 지수가 작은 쪽을 택하여 곱한다.

$$30 = 2 \times 3 \times 5$$
$$84 = 2^2 \times 3 \times 7$$
$$\overline{\text{최대공약수: } 2 \times 3 = 6}$$

공통인 소인수만!

(2) **공약수로 나누어 구하는 방법**

① 1이 아닌 공약수로 각 수를 나눈다.

② 몫에 1 이외의 공약수가 없을 때까지 공약수로 계속 나눈다.

③ 나누어 준 공약수를 모두 곱한다.

```
2 ) 30  84
3 ) 15  42
     5  14
```
(최대공약수) = 2 × 3 = 6

추가 설명

공배수는 무수히 많으므로 최대공배수는 생각하지 않는다.

유형 3 공배수와 최소공배수

난이도 ★

(1) **공배수:** 두 개 이상의 자연수의 공통인 배수

(2) **최소공배수:** 공배수 중에서 가장 작은 수

(3) **최소공배수의 성질:** 두 개 이상의 자연수의 공배수는 그 수들의 최소공배수의 배수이다.

　예 12와 18의 최소공배수는 36이므로 12와 18의 공배수는 36의 배수인 36, 72, 108, …이다.

난이도 ★★

(1) 소인수분해를 이용하는 방법

① 각각의 자연수를 소인수분해한다.

② 소인수를 모두 곱한다. 이때 소인수의 지수가 같으면 그대로, 다르면 큰 것을 택하여 곱한다.

$$18=2 \times 3^2$$
$$28=2^2 \qquad \times 7$$
$$42=2 \times 3 \times 7$$

최소공배수: $2^2 \times 3^2 \times 7 = 252$

(2) 공약수로 나누어 구하는 방법

① 1이 아닌 공약수로 각 수를 나눈다.

② 세 수의 공약수가 없을 때는 두 수의 공약수로 나눈다. 이때 공약수가 없는 수는 그대로 아래로 내린다.

③ 나누어 준 공약수와 마지막 몫을 모두 곱한다.

```
2 ) 18  28  42
7 )  9  14  21
3 )  9   2   3
     3   2   1
```

$$(\text{최소공배수}) = 2 \times 7 \times 3 \times 3 \times 2 \times 1$$
$$= 252$$

난이도 ★★★

두 자연수 A, B의 최대공약수가 G이고 최소공배수가 L일 때,
$A = a \times G$, $B = b \times G$ (a, b는 서로소)
라 하면 다음이 성립한다.

(1) $L = a \times b \times G$

(2) $A \times B = G \times L$

등급 노트

추가 설명

$$A \times B = (a \times G) \times (b \times G)$$
$$= G \times (a \times b \times G)$$
$$= G \times L$$

최대공약수, 최소공배수의 활용　유형 6

난이도 ★★★

(1) 최대공약수를 활용하는 문제의 예

① 일정한 양을 가능한 많이 나누어 주는 문제

② 직사각형을 가장 큰 정사각형 또는 가장 적은 수의 정사각형 조각으로 빈틈없이 채우는 문제

③ 몇 개의 자연수를 동시에 나누는 가장 큰 자연수를 구하는 문제

(2) 최소공배수를 활용하는 문제의 예

① 움직이는 간격이 다른 두 물체가 같이 출발하여 다시 만나는 시점을 구하는 문제

② 일정한 크기의 직육면체를 쌓아 가장 작은 정육면체를 만드는 문제

③ 몇 개의 자연수로 동시에 나누어지는 가장 작은 자연수를 구하는 문제

TIP

'가능한 많은', '가장 큰', '최대의' 등의 표현이 포함된 문제는 최대공약수를 이용한다.

TIP

'가능한 적은', '가장 작은', '최소한', '다시 만나는' 등의 표현이 포함된 문제는 최소공배수를 이용한다.

01

두 자연수의 최대공약수가 32일 때, 다음 중 이 두 자연수의 공약수가 <u>아닌</u> 것은?

① 1　　　　　② 4　　　　　③ 6

④ 8　　　　　⑤ 16

03

두 수 54, $2^3 \times 3 \times 5$의 최대공약수는?

① 2×3　　　② 2×3^2　　　③ $2^3 \times 3$

④ $2^3 \times 3^2$　　⑤ $2 \times 3 \times 5$

02

다음 보기에서 두 수가 서로소인 것을 모두 고르시오.

┤보기├

ㄱ. 6, 15　　　ㄴ. 9, 16　　　ㄷ. 13, 52

ㄹ. 31, 48　　　ㅁ. 20, 27　　　ㅂ. 35, 42

04

다음 중 세 수 72, 90, 108의 공약수가 <u>아닌</u> 것은?

① 2　　　　　② 3　　　　　③ 2×3

④ 3^2　　　　⑤ $2^2 \times 3$

05

두 자연수 A, B의 최소공배수가 24일 때, A, B의 공배수 중 200 이하의 자연수의 개수를 구하시오.

06

두 수 $2^3 \times 7^2$, $2^2 \times 5 \times 7$의 최소공배수는?

① $2^2 \times 7$ ② $2^2 \times 7^2$ ③ $2^2 \times 5 \times 7$

④ $2^3 \times 5 \times 7$ ⑤ $2^3 \times 5 \times 7^2$

07

1000 이하의 자연수 중에서 세 수 16, 18, $2^3 \times 3$의 공배수의 개수는?

① 6개   ② 7개   ③ 8개

④ 9개   ⑤ 10개

08

세 자연수 $3 \times x$, $2^2 \times x$, $6 \times x$의 최소공배수가 $2^3 \times 3^2$일 때, 세 자연수의 최대공약수는?

① 4   ② 6   ③ 8

④ 12   ⑤ 15

09

세 자연수 14, 35, a의 최소공배수가 140일 때, 다음 중 a의 값이 될 수 있는 수는?

① $2^3 \times 3$ ② $2^3 \times 5$ ③ 2^6

④ $2 \times 5 \times 7$ ⑤ $2^2 \times 5 \times 7$

10

두 자연수 $2^a \times 3$, $2^3 \times 3^b \times 5$의 최대공약수는 $2^2 \times 3$이고, 최소공배수는 $2^3 \times 3^3 \times 5$일 때, $a+b$의 값은?

① 2   ② 3   ③ 4

④ 5   ⑤ 6

11

두 자연수 20과 A의 최대공약수가 4, 최소공배수가 180일 때, 자연수 A는?

① 12   ② 24   ③ 30

④ 36   ⑤ 42

12

초콜릿 32개, 쿠키 40개, 사탕 72개를 될 수 있는 대로 많은 상자에 똑같이 나누어 담으려고 한다. 몇 개의 상자에 나누어 담을 수 있는지 구하시오.

13

가로의 길이가 140 cm, 세로의 길이가 210 cm인 직사각형 모양의 벽면에 빈틈없이 정사각형 모양의 타일을 붙이려고 한다. 타일을 가능한 적게 사용하려고 할 때, 필요한 타일의 수는?

① 4   ② 6   ③ 7
④ 8   ⑤ 10

14

두 분수 $\dfrac{150}{n}$, $\dfrac{180}{n}$을 자연수가 되도록 하는 자연수 n의 값 중 가장 큰 수를 구하시오.

15

오른쪽 그림과 같이 가로, 세로의 길이가 각각 18 cm, 12 cm이고, 높이가 8 cm인 직육면체 모양의 벽돌을 같은 방향으로 빈틈없이 쌓아서 가능한 작은 정육면체를 만들려고 할 때, 정육면체의 한 모서리의 길이를 구하시오.

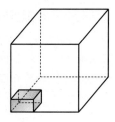

16

세 자연수 5, 6, 8 중 어느 것으로 나누어도 나머지가 3인 자연수 중에서 가장 작은 수를 구하시오.

01

두 자연수의 최대공약수가 150일 때, 이 두 수의 공약수의 개수는?

① 8개   ② 12개   ③ 15개

④ 16개   ⑤ 20개

02

다음 보기 중 옳은 것을 모두 고르시오.

┌─ 보기 ┐

ㄱ. 서로 다른 두 소수는 서로소이다.

ㄴ. 두 수가 서로소이면 둘 중 하나는 소수이다.

ㄷ. 서로소인 두 수는 모두 소수이다.

ㄹ. 서로 다른 두 홀수는 항상 서로소이다.

ㅁ. 서로소인 두 수의 공약수는 1뿐이다.

03

두 자연수 a, b에 대하여 $a \bigcirc b$를 a, b의 최대공약수라 할 때, $A \bigcirc 18 = 1$인 자연수 A의 개수를 구하시오. (단, $A < 30$)

04

오른쪽 그림과 같이 아래 두 칸에 적힌 수의 최대공약수를 구하면 위의 칸의 수가 된다. 이 규칙에 따라 빈칸 A에 알맞은 수를 써넣으시오.

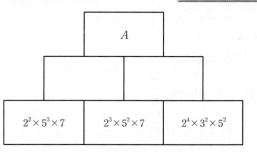

05

세 수 $2^4 \times 3$, $2^2 \times 3 \times 5$, $2^3 \times 3^2$의 공약수 중 세 번째로 큰 수는?

① 3   ② 4   ③ 6
④ 10   ⑤ 12

06

세 수 72, N, 216의 최대공약수가 36일 때, 다음 중 N의 값으로 적당하지 <u>않은</u> 것은?

① 36   ② 108   ③ 144
④ 180   ⑤ 252

07

두 자연수 a, b에 대하여 $L(a, b)$를 a, b의 최소공배수라 하면 $L(2, 3)=6$이다. 자연수 k에 대하여 $k=L(12, 3 \times 5 \times 7)$일 때, $L(2^2 \times 3^2 \times 5, k)$의 값은?

① $2 \times 3 \times 5 \times 7$ ② $2^2 \times 3 \times 5 \times 7$
③ $2 \times 3^2 \times 5 \times 7$ ④ $2^2 \times 3^2 \times 5 \times 7$
⑤ $2^2 \times 3^2 \times 5^2 \times 7$

08

어떤 자연수에 12를 곱하여 두 수 $2^4 \times 3$, 60의 공배수가 되게 하려고 한다. 이러한 자연수 중 가장 작은 것은?

① 12   ② 15   ③ 16
④ 18   ⑤ 20

09

252와 $20 \times \square$의 최대공약수가 36일 때, $\square$ 안에 들어갈 수 있는 가장 작은 자연수를 구하고, 그때 두 수의 최소공배수를 구하시오.

11

세 수 $2^a \times 3^4 \times 7$, $324 \times b$, 28×3^c의 최대공약수가 180이고, 최소공배수가 $2^2 \times 3^4 \times 5 \times 7$일 때, $a+b+c$의 값은?

① 4   ② 5   ③ 6

④ 7   ⑤ 8

12

다음 조건을 모두 만족시키는 50보다 작은 두 자연수 A, B를 각각 구하시오.

> ㈎ A와 B의 최대공약수는 1이다.
> ㈏ A와 B는 각각 약수의 개수가 3개이다.
> ㈐ $B-A=24$

10

세 자연수의 비가 2 : 3 : 4이고 세 자연수의 최소공배수가 360일 때, 세 자연수의 합을 구하시오.

13

가로의 길이가 120 m, 세로의 길이가 160 m인 직사각형 모양의 땅 둘레에 일정한 간격으로 나무를 심으려고 한다. 네 모퉁이에는 반드시 나무를 심을 때, 최소한 몇 그루의 나무가 필요한가?

① 8그루   ② 10그루   ③ 12그루
④ 14그루   ⑤ 16그루

14

진희와 석민이가 같은 헬스클럽을 다니는데 진희는 5일을 운동하고 하루를 쉬고 석민이는 7일을 운동하고 3일을 쉰다. 두 사람이 오늘부터 300일 동안 운동을 할 때, 두 사람이 동시에 운동을 시작하는 날은 총 며칠인지 구하시오.

15

세 분수 $\dfrac{14}{81}$, $\dfrac{35}{72}$, $\dfrac{49}{108}$의 어느 것에 곱하여도 그 곱이 자연수가 되는 가장 작은 기약분수를 $\dfrac{a}{b}$라 할 때, $a+b$의 값을 구하시오.

16

예로부터 우리 조상은 10개의 십간(十干)과 12개의 십이지(十二支)를 차례로 짝 지어 갑자년, 을축년, 병인년, … 등으로 한 해의 이름을 붙였다. 2020년은 경자년, 2021년은 신축년이다. 1909년의 해의 이름을 구하시오.

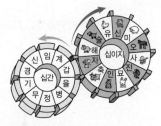

01

두 자연수 a, b에 대하여 $a \cdot b$를 a와 b의 최대공약수라 하자. n이 2 이상 300 미만인 자연수일 때, $12 \cdot n = 1$을 만족시키는 자연수 n의 개수를 구하시오.

02

$a = 2^5 \times 3^6 \times 7^3 \times 11$, $b = 2^6 \times 3^5 \times 5^2 \times 13$, $c = 2^3 \times 5^3 \times 7^4 \times 13^2$일 때, 세 수 a, b, c 중 어느 두 수의 공약수가 될 수 있는 자연수의 개수를 구하시오.

03

두 자리의 자연수 A, B의 최대공약수는 18, 최소공배수는 108이다. 이때 $A + B$의 값은?

① 36   ② 54   ③ 62
④ 72   ⑤ 90

04

서로 다른 두 자연수에 대하여 두 자연수의 합이 120이고 두 자연수의 최대공약수와 최소공배수의 곱이 32이다. 이때 두 자연수의 최대공약수와 최소공배수의 합을 구하시오.

05

어떤 수로 41을 나누면 1이 남고, 50을 나누면 2가 남고, 75를 나누면 3이 남는다. 어떤 수로 가능한 값을 모두 더하면?

① 8   ② 10   ③ 12
④ 14   ⑤ 15

06

어느 수련회에서 학생들이 짝짓기 게임을 하게 되었다. 짝짓기 게임은 사회자가 말하는 학생 수 대로 짝을 짓고, 짝을 짓지 못한 사람은 게임에서 빠지게 되는 게임이다. 다음과 같이 게임이 진행되었을 때, 게임에 참여한 학생의 수를 구하시오.

(단, 학생의 수는 500명 미만이다.)

> 1단계에서 4명씩 짝을 지어 1명이 빠지고
> 2단계에서 5명씩 짝을 지어 1명이 빠지고
> 3단계에서 6명씩 짝을 지어 1명이 빠지고
> 4단계에서 7명씩 짝을 지어 1명이 빠지게 되었다.

07

톱니의 개수가 각각 72개, 96개, 144개인 톱니바퀴가 그림과 같이 P, Q 지점에서 맞물린 채로 나란히 있다. 이 톱니바퀴가 각 회전축을 중심으로 회전을 시작하여 처음에 맞물린 톱니가 다시 P, Q의 위치에 오게 될 때, 반지름의 길이가 가장 작은 톱니바퀴의 회전 수를 구하시오.

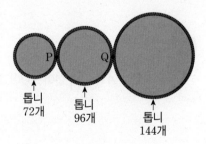

톱니
72개   톱니
96개   톱니
144개

01

합이 1313인 세 자연수가 있다. 이 세 자연수의 최대공약수 중 가장 큰 수를 구하시오.

02

세 수 142, 226, 352 중 어느 것을 나누어도 나머지가 같아지는 가장 큰 자연수를 구하시오.

03

서로소가 아닌 두 자연수에 대하여 두 자연수의 합이 56이고 최소공배수는 105이다. 이때 두 자연수의 차를 구하시오.

04

두 자연수 A와 B의 합이 8899이고 A와 B의 최소공배수를 최대공약수로 나눈 몫이 130일 때, $A-B$의 값을 구하시오.

(단, $A>B$)

05

선생님이 학생들에게 나누어 줄 간식을 200개 미만으로 준비하였다. 그중에서 $\frac{1}{3}$은 귤, $\frac{1}{4}$은 초콜릿, $\frac{1}{5}$은 사탕, $\frac{1}{7}$은 쿠키이고 $\frac{1}{9}$은 음료수이다. 그런데 준비한 간식의 비율을 나타내는 분수들 중 어느 하나는 계산 착오로 틀린 것이다. 이때 준비한 간식의 총 수를 구하시오.

06

오른쪽 그림과 같이 가로, 세로의 길이가 각각 168 cm, 112 cm인 직사각형 모양의 벽 ABCD에 한 변의 길이가 7 cm인 정사각형 모양의 타일을 빈틈없이 붙였다. 이때 대각선 BD가 지나가는 타일의 개수를 구하시오.

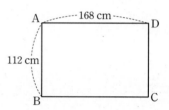

07

어느 국립공원에 정원이 25명인 케이블카와 모노레일이 각각 한 대씩 있다. 같은 출발지점에서 산 정상까지 올라가는 시간과 내려오는 시간이 각각 케이블카는 6분씩, 모노레일은 9분씩 걸린다. 케이블카와 모노레일이 동시에 출발하여 430명의 승객이 산 정상까지 올라가는 데 걸리는 최소 시간을 구하시오. (단, 케이블카와 모노레일을 타고 내리는 데 걸리는 시간은 무시한다.)

08

2의 배수도 아니고 3의 배수도 아니고 5의 배수도 아닌 자연수를 작은 수부터 차례로 나열하였을 때, 100번째의 수를 구하시오.

01

세 소수 p, q, r에 대하여 $p+q=r$, $p<q$일 때, p의 값을 구하시오.

02

$600 \times k$가 어떤 자연수의 제곱이 되도록 하는 모든 두 자리의 자연수 k의 값의 합을 구하시오.

03

300 이하의 자연수 중 약수의 개수가 가장 많은 수의 약수의 개수를 구하시오.

04

자연수 a에 대하여 $D(a)$는 a의 약수의 개수라 하면 $D(4)=3$이다. 자연수 b에 대하여 $b=D(540)$일 때, $D(b)$의 값을 구하시오.

05

약수의 개수가 8인 가장 작은 자연수는 24이다. 약수의 개수가 8인 세 번째로 작은 수를 구하시오.

06

세 자연수 $45 \times a$, $54 \times a$, $135 \times a$의 최소공배수가 810일 때, 세 자연수의 최대공약수를 구하시오.

07

자연수 A와 36의 최대공약수는 12이고 A와 64의 최대공약수는 16이다. 세 수 A, 36, 64의 최소공배수가 2880일 때, 자연수 A의 값을 구하시오.

08

사과 34개와 귤 32개를 포장을 위해 몇 개의 상자에 나누어 담았다. 각 상자에 들어 있는 사과와 귤의 수를 각각 같게 하려고 하였으나 마지막 한 상자는 다른 상자보다 사과는 2개 적고 귤은 2개 많다고 할 때, 다음 중 옳지 <u>않은</u> 것은?

① 최대 6개의 상자를 사용할 수 있다.
② 상자의 개수를 3개로 하면 각 상자에는 22개씩 들어간다.
③ 상자의 개수를 최대로 하면 마지막 상자에는 총 11개가 들어간다.
④ 상자의 개수를 최대로 하면 마지막 상자에는 사과 4개, 귤 7개가 들어간다.
⑤ 상자의 개수를 최대로 하면 마지막 상자를 제외하고 한 상자에 사과가 5개씩 들어간다.

3 정수와 유리수

고난도 대표유형 · 핵심개념

유형 1   양수와 음수

(1) **양의 부호와 음의 부호**: 서로 반대가 되는 성질을 갖는 수량을 나타낼 때, 기준점이 되는 수를 0으로 하고 한쪽을 양의 부호 +로 나타내면 다른 한쪽은 음의 부호 −로 나타낼 수 있다.

(2) **양수와 음수**
   ① 양수: 0이 아닌 수에 양의 부호 +가 붙은 수
   ② 음수: 0이 아닌 수에 음의 부호 −가 붙은 수

유형 2   정수

(1) **정수**
   ① 양의 정수: 자연수에 양의 부호 +를 붙인 수
   ② 음의 정수: 자연수에 음의 부호 −를 붙인 수
   ③ 양의 정수, 0, 음의 정수를 통틀어 정수라고 한다.

(2) **수직선 위에 정수 나타내기**

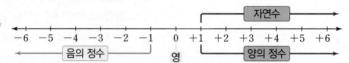

유형 3   유리수

(1) **유리수**
   ① 양의 유리수: 분자, 분모가 자연수인 분수에 양의 부호 +를 붙인 수
   ② 음의 유리수: 분자, 분모가 자연수인 분수에 음의 부호 −를 붙인 수
   ③ 양의 유리수, 0, 음의 유리수를 통틀어 유리수라고 한다.

(2) **유리수의 분류**

$$유리수 \begin{cases} 정수 \begin{cases} 양의 정수(자연수) & +1, +2, +3, \cdots \\ 0 \\ 음의 정수 & -1, -2, -3, \cdots \end{cases} \\ 정수가 아닌 유리수 & -0.5\left(=-\dfrac{1}{2}\right), \dfrac{2}{5}, -\dfrac{8}{3}, \cdots \end{cases}$$

(3) **수직선 위에 유리수 나타내기**

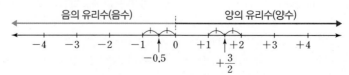

(1) 절댓값

수직선 위에서 0을 나타내는 점과 어떤 수를 나타내는 점 사이의 거리를 그 수의 절댓값이라 하며, 기호 | |를 사용하여 나타낸다.

㉠ -3의 절댓값 $|-3|=3$
  $+3$의 절댓값 $|+3|=3$

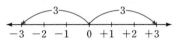

다른 설명

절댓값이 가장 작은 수는 0이다.

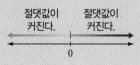

(2) 절댓값의 성질

① 양수, 음수의 절댓값은 그 수에서 $+$, $-$부호를 떼어낸 수와 같다.
② 0의 절댓값은 0이다.
③ 0을 나타내는 점에서 멀리 떨어질수록 절댓값이 더 크다.

TIP

절댓값이 a $(a>0)$인 수는 $-a$, $+a$의 2개가 있다.

TIP

두 수의 크기 비교
(1) 부호가 다른 두 수
  → (음수)<(양수)
(2) 부호가 같은 두 수
  → 절댓값을 비교한다.

(1) 수의 대소 관계

① 수를 수직선 위에 나타내었을 때, 오른쪽에 있는 수가 왼쪽에 있는 수보다 크다.
② 양의 정수는 0보다 크고, 음의 정수는 0보다 작다.
③ 양의 정수는 음의 정수보다 크다.
④ 양의 정수끼리는 절댓값이 큰 수가 더 크다.
⑤ 음의 정수끼리는 절댓값이 큰 수가 더 작다.

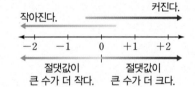

(2) 두 수의 크기 비교

부호가 다른 두 분수는 (음수)<(양수)임을 이용하여 대소를 비교하고, 부호가 같은 두 분수는 통분한 후 절댓값의 크기를 비교하여 두 수의 크기를 비교한다.

㉠ $-\dfrac{1}{2}$, $-\dfrac{1}{4}$ $\xrightarrow{\text{통분}}$ $-\dfrac{2}{4}$, $-\dfrac{1}{4}$ $\xrightarrow{\text{절댓값 비교}}$ $\dfrac{2}{4}>\dfrac{1}{4}$ $\xrightarrow{\text{수의 크기 비교}}$ $-\dfrac{1}{2}<-\dfrac{1}{4}$

부등호의 사용

$a>b$	$a<b$	$a\geq b$	$a\leq b$
a는 b보다 크다. a는 b 초과이다.	a는 b보다 작다. a는 b 미만이다.	a는 b보다 크거나 같다. a는 b보다 작지 않다. a는 b 이상이다.	a는 b보다 작거나 같다. a는 b보다 크지 않다. a는 b 이하이다.

오답노트

(크지 않다.)=(작거나 같다.)
       =(이하)
(작지 않다.)=(크거나 같다.)
       =(이상)

01

다음 진희의 일기에서 밑줄 친 부분을 양의 부호 + 또는 음의 부호 −를 사용하여 나타낸 것으로 옳지 <u>않은</u> 것은?

어제는 꽃샘추위로 낮 최고 기온이 ① <u>영하 2 ℃</u>였는데, 오늘은 ② <u>영상 10 ℃</u>로 따뜻했다. ③ <u>3일 후</u>에는 ④ <u>20일 전</u>부터 가족들과 약속한 여행을 간다. 가족 여행 첫째 날 이용할 놀이공원의 자유이용권을 예매했는데, 요금이 작년보다 ⑤ <u>5 % 올랐</u>다고 한다.

① -2 ℃ ② $+10$ ℃ ③ $+3$일
④ -20일 ⑤ -5 %

02

다음 수 중에서 양의 정수의 개수를 a, 음의 정수의 개수를 b라 할 때, $a-b$의 값을 구하시오.

$$-3.2, \quad 17, \quad -\frac{11}{2}, \quad \frac{18}{9}, \quad 5, \quad -14, \quad \frac{3}{8}$$

03

다음은 세 학생이 어떤 수에 대해 이야기한 내용이다. 이 대화 내용을 모두 만족시키는 수는?

진희: 이 수는 유리수야.
석민: 맞아! 그리고 음수이기도 해.
동주: 그런데 정수는 아니야.

① $-\dfrac{12}{4}$ ② -2 ③ -0.14
④ 0 ⑤ $\dfrac{5}{3}$

04

수직선에서 $-\dfrac{10}{3}$에 가장 가까운 정수를 a, $\dfrac{19}{4}$에 가장 가까운 정수를 b라 할 때, a, b의 값을 각각 구하시오.

05

다음 수들이 대응하는 수직선 위의 점이 나타내는 문자를 차례로 쓰시오.

$$-0.5, \quad \frac{5}{2}, \quad -\frac{3}{2}, \quad -3.5$$

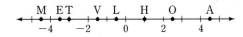

06

수직선에서 두 수를 나타내는 두 점 사이의 거리가 12이고, 두 점으로부터 같은 거리에 있는 점이 나타내는 수가 2일 때, 두 수 중 작은 수를 구하시오.

07

다음 수직선 위에서 점 A에 대응하는 수는 -7이고, 점 C에 대응하는 수는 $+3$이다. 네 점 A, B, C, D 사이의 거리가 모두 같을 때, 점 D에 대응하는 수는?

① $+6$ ② $+7$ ③ $+8$
④ $+9$ ⑤ $+10$

08

두 수 a, b에 대하여 a의 절댓값이 x, b의 절댓값이 3이다. $a+b$의 가장 큰 값이 8일 때, 다음 중 a의 값이 될 수 있는 것은?

① -5 ② -3 ③ 3
④ 8   ⑤ 10

09

다음 중 옳지 <u>않은</u> 것은?

① $a < 0$이면 $|a| = a$이다.

② 절댓값이 가장 작은 수는 0이다.

③ $+\dfrac{1}{6}$과 $-\dfrac{1}{6}$의 절댓값은 모두 $\dfrac{1}{6}$이다.

④ 절댓값이 클수록 그 수가 나타내는 점은 0을 나타내는 점에서 멀리 떨어져 있다.

⑤ 수직선 위에서 어떤 수를 나타내는 점과 0을 나타내는 점 사이의 거리가 그 수의 절댓값이다.

10

두 수 x, y의 절댓값이 같고, 수직선에서 x, y를 나타내는 두 점 사이의 거리가 $\dfrac{14}{5}$이다. 이때 $|x|$의 값을 구하시오.

11

다음 수를 절댓값이 큰 수부터 차례대로 나열할 때, 네 번째에 오는 수를 구하시오.

$$\frac{17}{4}, \quad -11, \quad 0, \quad -1.4, \quad 3, \quad -3\frac{1}{5}$$

12

절댓값이 3.7보다 작은 정수의 개수는?

① 3개   ② 4개   ③ 5개

④ 6개   ⑤ 7개

13

다음 중 대소 관계가 옳은 것은?

① $-11 > -2$

② $-3.2 < -5.6$

③ $-\dfrac{2}{3} < -\dfrac{4}{5}$

④ $\left|-\dfrac{7}{4}\right| > \dfrac{2}{5}$

⑤ $|-2.7| < \dfrac{5}{4}$

15

$|a|$는 3보다 작거나 같은 정수이고, b는 $-5 < b \leq 3$인 정수일 때, b의 값 중에서 a의 값이 될 수 없는 수를 구하시오.

14

다음 조건을 만족시키는 서로 다른 세 정수 a, b, c의 대소 관계를 부등호를 사용하여 나타내시오.

⑺ b의 절댓값은 -6의 절댓값과 같다.

⑻ b와 c는 -6보다 크다.

⑼ a는 6보다 크다.

⑽ c는 b보다 -6에 더 가깝다.

16

$-\dfrac{1}{3}$과 $\dfrac{8}{5}$ 사이에 있는 수 중에서 분모가 15인 기약분수는 모두 몇 개인가?

① 12개

② 13개

③ 14개

④ 15개

⑤ 16개

01

정오를 기준으로 오후 2시를 +2, 오전 10시를 −2로 나타낸다고 할 때, 오후 4시를 기준으로 오전 10시를 나타내시오.

02

유리수 x에 대하여

$$<x> = \begin{cases} 0 \ (x\text{가 자연수}) \\ 1 \ (x\text{가 자연수가 아닌 정수}) \\ 2 \ (x\text{가 정수가 아닌 유리수}) \end{cases}$$

일 때, 다음을 계산하시오.

$$\left\langle -\frac{5}{3} \right\rangle + <3.14> - \left\langle \frac{120}{8} \right\rangle + <0>$$

03

다음 중 옳은 것을 모두 고르면? (정답 2개)

① 0은 유리수이다.
② 정수 중에는 유리수가 아닌 것도 있다.
③ 유리수는 자연수와 정수로 나누어진다.
④ 모든 자연수는 유리수이다.
⑤ $-\frac{5}{4}$와 $\frac{14}{6}$ 사이에 있는 양의 정수는 3개이다.

04

수직선 위에 있는 네 점 A, B, C, D가 다음 조건을 모두 만족시킨다고 한다.

> ㈎ 점 B는 점 A보다 6만큼 왼쪽에 있다.
> ㈏ 점 C는 점 B의 왼쪽에 있고, 점 D는 점 A와 점 B로부터 같은 거리에 있다.
> ㈐ 이웃하는 두 점 사이의 거리가 모두 같다.

네 개의 점 A, B, C, D 중에서 가장 멀리 떨어져 있는 두 점 사이의 거리를 구하시오.

05

다음 조건을 모두 만족시키는 수 b의 값을 구하시오.

> (가) $a > b$
> (나) $|a| = |b|$
> (다) 수직선 위에서 a와 b를 나타내는 두 점 사이의 거리는 $\dfrac{16}{5}$이다.

06

서로 다른 유리수 a, b에 대하여
$$a \odot b = \begin{cases} |a| & (a > b) \\ |b| & (a < b) \end{cases}$$
라 할 때, $\left(-\dfrac{7}{3} \right) \odot \left(-\dfrac{13}{5} \right)$의 값을 구하시오.

07

1보다 $\dfrac{11}{3}$만큼 큰 수를 a, -3보다 4만큼 큰 수를 b라 할 때, $b < |x| \le a$를 만족시키는 정수 x의 개수는?

① 2개   ② 3개   ③ 4개
④ 5개   ⑤ 6개

08

서로 다른 네 정수 a, b, c, d가 다음 조건을 만족시킬 때, a, b, c, d의 대소 관계로 옳은 것은?

> (가) $c < 0$이고 $b < c$
> (나) d는 a, b, c, d 중 가장 작다.
> (다) a와 d를 나타내는 점은 원점으로부터의 거리가 같다.

① $d < c < b < a$ ② $d < c < a < b$
③ $d < b < c < a$ ④ $d < a < c < b$
⑤ $d < a < b < c$

01

두 정수 a, b에 대하여 $|a|=4$, $|b|=7$이다. 수직선에서 a와 b를 나타낼 때, 두 점 사이의 거리가 가장 멀 때의 거리를 M, 가장 가까울 때의 거리를 m이라 하자. 이때 $M-m$의 값을 구하시오.

02

오른쪽 그림과 같은 전개도를 접어서 정육면체를 만들 때, 서로 마주 보는 면에는 절댓값은 같고 부호가 반대인 두 수가 놓이도록 수를 써넣었다. A, B, C에 알맞은 수를 구하시오.

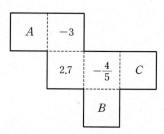

03

절댓값이 ☐ 이하인 정수가 23개일 때, ☐ 안에 들어갈 수로 알맞은 것을 모두 고르면? (정답 2개)

① 10   ② 10.5   ③ 11
④ 11.5   ⑤ 12

04

두 수 a, b에 대하여 $M(a, b)$를 a, b 중 절댓값 큰 수라 하고, $m(a, b)$를 a, b 중 절댓값 작은 수라 하자. 유리수 k에 대하여 $k=m\left(-\dfrac{7}{3}, 3\right)$일 때, $M\left(-\dfrac{11}{4}, k\right)$의 값을 구하시오.

05

정수 n에 대하여

$$\left|\frac{n}{5}\right| \leq 1, \; -\frac{13}{3} < n \leq 7$$

일 때, 이를 만족시키는 정수 n의 개수는?

① 6개   ② 7개   ③ 8개

④ 9개   ⑤ 10개

06

수직선 위의 세 점 A, B, C에 대응하는 수를 각각 a, b, c라 할 때, 세 수 a, b, c는 다음 조건을 만족시킨다. 이때 $b+c$의 값을 구하시오.

> ㈎ 점 A와 점 B 사이의 거리는 15이다.
> ㈏ $|a| = |c|$이고 $a < 0 < c < b$
> ㈐ 두 점 B, C 사이의 거리는 두 점 A, C 사이의 거리의 2배이다.

07

서로 다른 두 수 a, b에 대하여

$a \circ b = (a, b$ 중 작은 수$)$, $a \bullet b = (a, b$ 중 절댓값이 작은 수$)$라 약속할 때,

$\left(\frac{15}{4} \circ 4\right) \bullet \left\{(-3) \circ \left(-\frac{18}{5}\right)\right\}$의 값을 구하시오.

01

다음과 같은 유리수를 나열할 때, −0.5와 값이 같은 5번째 유리수까지의 수는 모두 몇 개인지 구하시오.

$$-\frac{1}{1},\ -\frac{1}{2},\ -\frac{2}{2},\ -\frac{1}{3},\ -\frac{2}{3},\ -\frac{3}{3},\ -\frac{1}{4},\ -\frac{2}{4},\ -\frac{3}{4},\ -\frac{4}{4},\ \cdots$$

02

수직선 위의 정수에 대응하는 6개의 점 A, B, C, D, E, F가 다음 조건을 모두 만족시킬 때, 점 B와 점 F 사이에 있는 정수의 개수는?

> (가) 점 D는 점 B보다 3만큼 오른쪽에 있다.
> (나) 점 E는 점 D보다 8만큼 오른쪽에 있고, 점 A보다 3만큼 왼쪽에 있다.
> (다) 점 C는 점 F보다 5만큼 오른쪽에 있고, 점 E보다 2만큼 왼쪽에 있다.

① 3개   ② 4개   ③ 5개
④ 6개   ⑤ 7개

03

$a > b$인 두 정수 a, b에 대하여 a와 b의 절댓값의 합이 4가 되도록 하는 a, b의 값을 $(a,\ b)$의 꼴로 나타낼 때, $(a,\ b)$의 개수는?

① 6개   ② 7개   ③ 8개
④ 9개   ⑤ 10개

04

$[x]$는 x보다 크지 않은 최대의 정수를 나타낸다고 한다. $[-3.8]$의 절댓값을 a, $[-6]$의 절댓값을 b, $[2.5]$의 절댓값을 c라 할 때, $a+b+c$의 값을 구하시오.

05

다음 조건을 모두 만족시키는 두 정수 m, n을 (m, n)으로 나타낼 때, (m, n)의 개수를 구하시오.

> (가) $3<|m|\leq 5$, $2\leq|n|<4$
> (나) $m<n$

06

유리수 a, b, c, d, -1, 0, 1이 다음 그림과 같이 수직선에 대응될 때, $\dfrac{1}{a}$, $\dfrac{1}{b}$, $\dfrac{1}{c}$, $\dfrac{1}{d}$을 작은 수부터 차례로 나열하시오.

07

오른쪽 그림에서 규칙을 찾아 A에 알맞은 수를 구하시오.

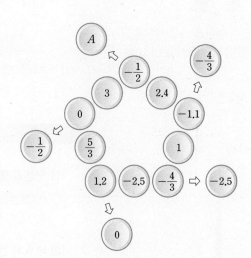

4 정수와 유리수의 계산

고난도 대표유형 · 핵심개념

추가 설명

(1) 두 분수의 덧셈은 분모를 통분하여 계산하고 소수와 분수의 덧셈은 소수를 분수로 고치거나 분수를 소수로 고쳐서 계산한다.

(2) 세 수의 덧셈에서는 결합법칙이 성립하므로 $(a+b)+c$ 또는 $a+(b+c)$를 괄호를 사용하지 않고 $a+b+c$와 같이 나타낸다.

TIP

부호를 바꾸는 방법
$-(+□)=+(-□)$
$-(-□)=+(+□)$

참고

뺄셈에서는 교환법칙과 결합법칙이 성립하지 않는다.

유형 1 덧셈

난이도 ★

(1) 부호가 같은 두 수의 덧셈: 두 수의 절댓값의 합에 공통인 부호를 붙인다.

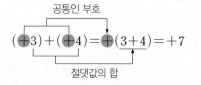
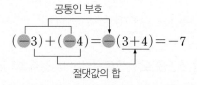

(2) 부호가 다른 두 수의 덧셈: 두 수의 절댓값의 차에 절댓값이 큰 수의 부호를 붙인다.

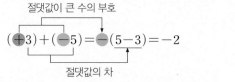
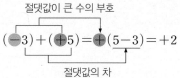

(3) 덧셈의 계산 법칙: 세 수 a, b, c에 대하여

① 교환법칙: $a+b=b+a$ ② 결합법칙: $(a+b)+c=a+(b+c)$

유형 2 뺄셈

난이도 ★

유리수의 뺄셈: 빼는 수의 부호를 바꾸어 더한다.

$$(-5)-(+3)=(-5)+(-3)=-(5+3)=-8$$

덧셈으로 바꾼다 / 부호를 바꾼다

$$(-2)-(-5)=(-2)+(+5)=+(5-2)=+3$$

덧셈으로 바꾼다 / 부호를 바꾼다

유형 3 덧셈과 뺄셈의 혼합 계산

난이도 ★

(1) 덧셈과 뺄셈의 혼합 계산

① 뺄셈을 모두 덧셈으로 고친다.

② 덧셈의 교환법칙과 결합법칙을 이용하여 양수는 양수끼리, 음수는 음수끼리 모아서 계산한다.

(2) 부호가 생략된 수의 혼합 계산: +부호가 생략된 것으로 보고 +부호를 붙여서 계산한다.

예 $\dfrac{3}{4}-1+\dfrac{3}{5}=\left(+\dfrac{3}{4}\right)-(+1)+\left(+\dfrac{3}{5}\right)=\left(+\dfrac{3}{4}\right)+(-1)+\left(+\dfrac{3}{5}\right)$

$\qquad\qquad =\left(-\dfrac{1}{4}\right)+\left(+\dfrac{3}{5}\right)=\dfrac{7}{20}$

난이도 ★★

(1) 부호가 같은 두 수의 곱셈: 두 수의 절댓값의 곱에 양의 부호 +를 붙인다.

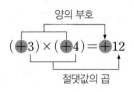

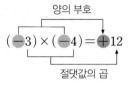

(2) 부호가 다른 두 수의 곱셈: 두 수의 절댓값의 곱에 음의 부호 −를 붙인다.

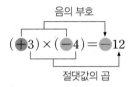

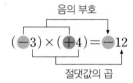

(3) 곱셈의 계산 법칙: 세 수 a, b, c에 대하여

① 교환법칙: $a \times b = b \times a$

② 결합법칙: $(a \times b) \times c = a \times (b \times c)$

③ 분배법칙: $a \times (b+c) = a \times b + a \times c$, $(a+b) \times c = a \times c + b \times c$

난이도 ★★

(1) 유리수의 나눗셈

① 부호가 같은 두 수의 나눗셈: 절댓값의 나눗셈의 몫에 양의 부호 +를 붙인다.

② 부호가 다른 두 수의 나눗셈: 절댓값의 나눗셈의 몫에 음의 부호 −를 붙인다.

(2) 역수를 이용한 나눗셈

① 역수: 어떤 두 수의 곱이 1일 때, 한 수를 다른 수의 역수라고 한다.

② 역수를 이용한 나눗셈: 나누는 수의 역수를 곱하여 계산한다.

例 $4 \div \left(-\dfrac{2}{3}\right) = 4 \times \left(-\dfrac{3}{2}\right) = -\left(4 \times \dfrac{3}{2}\right) = -6$

난이도 ★

덧셈, 뺄셈, 곱셈, 나눗셈의 혼합 계산

① 거듭제곱이 있으면 거듭제곱을 계산한다.

② 괄호가 있는 식은 소괄호 ( ) → 중괄호 { } → 대괄호 [ ]의 순서로 괄호 안을 계산한다.

③ 곱셈, 나눗셈을 먼저 계산한다.

④ 덧셈, 뺄셈을 계산한다.

1등급 노트

추가 설명

(1) 수 a에 대하여
$a \times 0 = 0 \times a = 0$

(2) 세 수 a, b, c에 대하여
$(a \times b) \times c$와 $a \times (b \times c)$의
결과가 같으므로 이를 보통
괄호 없이 $a \times b \times c$로 나타
낸다.

참고

음수의 거듭제곱의 부호

$\underbrace{(-) \times (-) \times \cdots \times (-)}_{\text{짝수 개}} = (+)$

$\underbrace{(-) \times (-) \times \cdots \times (-)}_{\text{홀수 개}} = (-)$

TIP

유리수의 나눗셈의 부호

$+ \div + \rightarrow +$

$- \div - \rightarrow +$

$+ \div - \rightarrow -$

$- \div + \rightarrow -$

참고

(1) 어떤 수를 0으로 나누는 것
은 생각하지 않는다.

(2) 0에 어떤 수를 곱해도 1이
될 수 없으므로 0은 역수를
갖지 않는다.

풀이전략

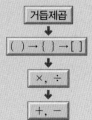

01

$A=\left(-\dfrac{1}{2}\right)+\left(-\dfrac{2}{3}\right)$일 때, $\dfrac{4}{9}$보다 A만큼 큰 수는?

① $-\dfrac{13}{18}$ ② $-\dfrac{7}{6}$ ③ $\dfrac{13}{18}$

④ $\dfrac{17}{12}$ ⑤ $\dfrac{11}{6}$

03

오른쪽 그림에서 삼각형의 세 변에 놓인 세 수의 합이 각각 0일 때, $a+b+c$의 값을 구하시오.

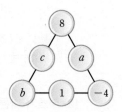

02

다음 중 계산 결과를 수직선 위에 나타낼 때, 가장 오른쪽의 점에 대응하는 것은?

① $(-0.4)-(+0.2)$ ② $(+5.1)+(-6.2)$

③ $\left(-\dfrac{3}{4}\right)-(-2)$ ④ $\left(+\dfrac{1}{2}\right)-\left(-\dfrac{1}{3}\right)$

⑤ $\left(-\dfrac{4}{5}\right)-\left(-\dfrac{3}{4}\right)$

04

$\dfrac{1}{6}-\dfrac{3}{8}+\dfrac{1}{3}-\dfrac{7}{12}$ 을 계산하면?

① $-\dfrac{1}{2}$ ② $-\dfrac{11}{24}$ ③ $-\dfrac{1}{3}$

④ $\dfrac{1}{2}$ ⑤ $\dfrac{7}{12}$

05

어떤 유리수에서 $-\dfrac{2}{3}$ 를 빼야 할 것을 잘못하여 더했더니 $-\dfrac{3}{4}$ 이 되었다. 바르게 계산한 값을 구하시오.

06

다음 그림과 같은 수직선에서 점 A가 나타내는 수를 구하시오.

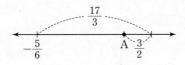

07

다음 중 계산 결과가 옳지 <u>않은</u> 것은?

① $(-6) \times (-2) = 12$ ② $\left(-\dfrac{1}{4}\right) \times \dfrac{2}{9} = -\dfrac{1}{18}$

③ $\left(-\dfrac{1}{2}\right) \div 2 = -1$ ④ $\left(-\dfrac{9}{8}\right) \times 0 = 0$

⑤ $\left(-\dfrac{2}{3}\right) \div \left(-\dfrac{3}{2}\right) = \dfrac{4}{9}$

08

네 유리수 $\dfrac{1}{3}$, -6, 3, $-\dfrac{5}{2}$ 중에서 서로 다른 세 수를 골라 곱했을 때, 나올 수 있는 가장 작은 값은?

① -12 ② -6 ③ -3

④ 3 ⑤ 6

09

다음 중 옳지 <u>않은</u> 것은?

① $-(-1)^6 = -1$ ② $(-2)^3 = -8$

③ $(-3)^4 = 81$ ④ $-\left(-\dfrac{1}{3}\right)^3 = -\dfrac{1}{27}$

⑤ $\left(-\dfrac{1}{2}\right)^4 = \dfrac{1}{16}$

10

0.6의 역수를 x, $-\dfrac{1}{8}$의 역수를 y, $-\dfrac{12}{5}$의 역수를 z라 할 때, $x \div y \div z$의 값을 구하시오.

11

다음을 계산하시오.

$$\dfrac{12}{5} \div \left(-\dfrac{15}{4}\right) \div \dfrac{4}{3} \div \left(-\dfrac{6}{5}\right)$$

12

두 유리수 a, b에 대하여

$$a \times \left(-\dfrac{7}{4}\right) = -\dfrac{21}{16}, \quad \left(-\dfrac{1}{7}\right) \div b = \dfrac{8}{21}$$

일 때, $a \div b$의 값은?

① -2 ② -1 ③ $-\dfrac{1}{2}$

④ $\dfrac{1}{2}$ ⑤ 2

13

세 정수 a, b, c에 대하여 $a \times b = 6$, $a \times (b+c) = -15$일 때, $a \times c$의 값은?

① -25 ② -21 ③ -9

④ 15 ⑤ 18

15

다음 □ 안에 알맞은 수를 구하시오.

$$\left(-\frac{4}{3}\right) \div \left(-\frac{6}{5}\right) \times \square = -\frac{20}{9}$$

14

0이 아닌 세 유리수 a, b, c가

$a \times b > 0$, $a \div c < 0$, $a < c$

를 만족시킬 때, a, b, c의 부호를 각각 정하시오.

16

$-5^2 + \left\{ (-9) \div \frac{3}{5} - (-2)^3 \times \frac{1}{8} + 8 \right\}$을 계산하면?

① -31 ② -19 ③ 9

④ 12 ⑤ 19

01

절댓값이 $\dfrac{3}{4}$인 수를 a, 절댓값이 $\dfrac{2}{3}$인 수를 b라 할 때, 다음 중 $a+b$의 값이 될 수 <u>없는</u> 것은?

① $-\dfrac{17}{12}$ ② $-\dfrac{1}{12}$ ③ $\dfrac{1}{12}$

④ $\dfrac{5}{12}$ ⑤ $\dfrac{17}{12}$

02

오른쪽 그림과 같은 정육면체 모양의 주사위에서 마주 보는 면에 적혀 있는 두 수는 서로의 역수이다. 이때 보이지 않는 세 면에 적혀 있는 수들의 합을 구하시오.

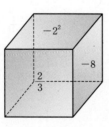

03

절댓값이 각각 6, 7인 두 정수의 곱이 음의 정수이고 합은 양의 정수일 때, 두 정수의 차는?

① 1 ② 7 ③ 9
④ 11 ⑤ 13

04

다음 수 중에서 절댓값이 가장 작은 수를 a, 절댓값이 가장 큰 수를 b라 할 때, $a-b$의 값은?

$$-\dfrac{10}{3}, \quad \dfrac{9}{2}, \quad 2\dfrac{1}{5}, \quad 1.5, \quad -\dfrac{5}{4}$$

① -2 ② $-\dfrac{16}{5}$ ③ $-\dfrac{23}{4}$
④ $\dfrac{16}{3}$ ⑤ $\dfrac{32}{5}$

05

두 수 a, b에 대하여 a는 $\frac{3}{2}$보다 $\frac{7}{3}$만큼 작은 수이고, $b=|a+2|$일 때, $a-b$의 값을 구하시오.

06

다음 그림과 같은 수직선에서 두 점 P, Q는 두 점 A, B 사이를 삼등분하는 점이다. 두 점 P, Q가 나타내는 수를 각각 p, q라 할 때, $p+q$의 값을 구하시오.

07

진희와 석민이가 같은 위치의 계단에서 가위바위보 놀이를 하는데, 이기면 3칸 올라가고 지면 2칸 내려가기로 하였다. 처음의 위치를 0으로 생각하고 1칸 올라가는 것을 $+1$, 1칸 내려가는 것을 -1이라 하자. 가위바위보를 10번 하여 비기는 경우 없이 진희가 8번 이겼을 때, 진희의 위치의 값에서 석민이의 위치의 값을 뺀 값을 구하시오.

08

서로 다른 세 음의 정수의 곱은 -32이고, 그중 한 음의 정수의 절댓값은 8이다. 세 정수의 합은?

① -15 ② -14 ③ -13
④ -10 ⑤ -9

09

n이 짝수일 때, $(-1)^n - (-1)^{n+1} + (-1)^{n+2}$의 값을 구하시오.

10

여섯 개의 유리수 $+2$, $+\dfrac{3}{2}$, -3, $-\dfrac{1}{2}$, $+\dfrac{4}{3}$, -1.2 중에서 두 수를 뽑아 각각 a, b라 할 때, $a \div b$의 값이 될 수 있는 가장 작은 값을 구하시오.

11

어떤 유리수를 -6으로 나누어야 할 것을 잘못하여 곱하였더니 그 결과가 15가 되었다. 바르게 계산한 답은?

① $-\dfrac{5}{12}$ ② $-\dfrac{5}{2}$ ③ $\dfrac{5}{2}$

④ $\dfrac{1}{6}$ ⑤ $\dfrac{5}{12}$

12

세 유리수 a, b, c에 대하여 $a - b < 0$, $\dfrac{b}{a} < 0$, $\dfrac{c}{b} > 0$일 때, 다음 중 나머지 넷과 부호가 다른 하나는?

① a ② $-b$ ③ $-a + b \times c$
④ $a \times c$ ⑤ $-c$

13

다음을 계산하시오.

$$\left(\frac{2}{3}-\frac{1}{2}\right)\div\left\{-\frac{2}{3}+\left(-3+\frac{1}{2}\right)^2\times\frac{1}{5}\right\}-\left(-\frac{5}{7}\right)$$

14

다음 두 수 A, B에 대하여 $A-B$의 값은?

$$A=\left(-\frac{1}{3}\right)^3\times(-3)-\frac{2}{3}\div 0.5$$
$$B=\frac{1}{2}+\left(-\frac{1}{2}\right)^2\div\left(\frac{5}{6}-\frac{4}{3}\right)-2$$

① -2 ② $-\frac{11}{9}$ ③ $\frac{7}{9}$

④ $\frac{11}{9}$ ⑤ 2

15

다음과 같이 작동하는 계산 기계 A, B, C가 있다. -12를 A 기계에 넣어 나온 수를 B기계에 넣고 B기계에서 나온 수를 C 기계에 차례로 넣었을 때, C기계에서 나온 수는 얼마인지 구하시오.

A기계: 들어온 수에 $-\frac{2}{3}$를 곱한 다음 2를 더한다.

B기계: 들어온 수를 $\frac{4}{5}$로 나눈 다음 $-\frac{3}{2}$을 뺀다.

C기계: 들어온 수에 $-\frac{2}{7}$를 곱한 다음 그 수의 역수를 구한다.

16

두 유리수 a, b에 대하여 $a\circ b=\dfrac{a-2\times b}{2\times a+b}$일 때, $2\circ\{(-1)\circ 3\}$의 값을 구하시오.

01

다음 조건을 모두 만족시키는 세 정수 a, b, c에 대하여 $a-b-c$의 값을 구하시오.

(개) $a+b+c=12$ (내) $|b|=5$

(대) $|a|=|b+7|$ (래) $a>|c|$

02

다음과 같이 규칙적으로 수를 나열하였을 때, 처음부터 500번째 수까지의 합을 구하시오.

$$-3, \ -4, \ 3, \ -3, \ -3, \ -3, \ -3, \ -4, \ 3, \ -3, \ -3, \ -3, \ -3, \ -4, \ 3, \ \cdots$$

03

두 수 $19^{2021}-19^{2020}$, 19^{2020}의 크기를 비교하시오.

04

다음 식의 계산 결과가 -5일 때, ☐ 안에 알맞은 수를 구하시오.

$$7-[☐+(-8)\div\{5\times(-3)+11\}]\times(-6)$$

05

세 수 $2\dfrac{2}{7}$, $-\dfrac{5}{3}$, 1.5에서 두 수를 선택하여 곱하고 나머지 수로 나눈 값 중에서 가장 큰 값을 $\dfrac{a}{b}$라 할 때, $|a-b|$의 값을 구하시오. (단, $|a|$, $|b|$는 서로소)

06

$A=-(-3)^2+\{1-12\times(-2)\div(-3)\}$, $B=\dfrac{3}{2}\div\left\{-2-\left(\dfrac{1}{2}-\dfrac{4}{3}\right)\times4+\left(-\dfrac{1}{2}\right)^3\right\}$일 때, 수직선에서 $A\div B$에 가장 가까운 정수를 구하시오.

07

두 정수 a, b에 대하여 $a\times|a-b|=5$가 성립할 때, $a+b$의 값 중 가장 큰 값을 구하시오.

01

오른쪽 그림에서 각각의 작은 삼각형의 세 변 위에 놓인 세 수의 합이 모두 같도록 ㉠에 알맞은 수를 구하시오.

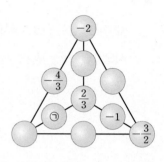

02

다음 조건을 모두 만족시키는 서로 다른 세 정수 a, b, c에 대하여 $a-b-c$의 값 중 가장 큰 값을 구하시오.

(가) $\lvert a-5 \rvert = \lvert b+1 \rvert$	(나) $\lvert b-4 \rvert = 2$
(다) $\lvert a \rvert + \lvert c \rvert = 12$	(라) c는 a보다 b에 더 가깝다.

03

다음 □ 안에 부호 + 또는 −를 넣어 식이 성립하게 하려고 한다. +부호를 최대한 많이 사용하려고 할 때, 사용한 −부호의 개수는?

$$\square\,1\,\square\,2\,\square\,3\,\square\,4\,\square\,\cdots\,\square\,20=94$$

① 3개   ② 4개   ③ 5개
④ 6개   ⑤ 7개

04

0이 아닌 임의의 두 정수 a, b에 대하여 $A=\dfrac{|a|}{a}+\dfrac{|b|}{b}+\dfrac{|a\times b|}{a\times b}$일 때, A의 값으로 가능한 것을 모두 고르면? (정답 2개)

① -1 ② 0 ③ 1

④ 2 ⑤ 3

05

$n\neq0$, $n\neq-1$일 때, $\dfrac{1}{n\times(n+1)}=\dfrac{1}{n}-\dfrac{1}{n+1}$임을 이용하여 $\dfrac{1}{4}+\dfrac{1}{12}+\dfrac{1}{24}+\dfrac{1}{40}+\cdots+\dfrac{1}{4900}$의 값을 소수로 나타내시오.

06

두 유리수 a, b에 대하여 ■, □, ▣을

$$a ■ b=a\div2-b\times\dfrac{2}{5}, \qquad a□b=a\times\dfrac{1}{3}+b, \qquad a▣b=a-3\times b$$

로 약속할 때, $\left(-\dfrac{1}{2}\right)■\left[\dfrac{3}{2}▣\left\{\dfrac{1}{3}□\left(-\dfrac{1}{6}\right)\right\}\right]$의 값을 구하시오.

07

오른쪽과 같이 $\dfrac{32}{47}$를 나타내었을 때, $100\times a+10\times b+c$의 값을 구하시오.

(단, a, b, c는 2 이상의 자연수이다.)

$$\dfrac{32}{47}=1-\cfrac{1}{a-\cfrac{1}{b-\cfrac{1}{c-\cfrac{9}{11}}}}$$

01

수직선에서 절댓값이 12인 수에 대응하는 두 점 사이의 거리를 3등분하는 두 점 중에서 작은 수에 대응하는 점과 4등분하는 세 점 중에서 가장 큰 수에 대응하는 점 사이의 거리를 구하시오.

02

두 유리수 $-\dfrac{15}{4}$와 $\dfrac{4}{3}$ 사이에 있는 모든 정수들의 절댓값의 합을 구하시오.

03

다음 그림과 같이 A 지점을 출발하여 화살표를 따라 두 수 중에서 큰 수 쪽으로 이동할 때, 마지막에 도착하는 지점의 수는?

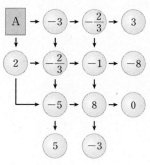

① -8 ② -3 ③ 0
④ 3 ⑤ 5

04

기호 $[a]$는 a보다 크지 않은 최대의 정수를 나타낸다. $\dfrac{k}{15}$가 기약분수일 때, $\left[\dfrac{k}{15}\right]=1$을 만족시키는 정수 k의 개수를 구하시오.

05

다음 중 계산 결과가 가장 큰 것은?

① $3-5-\dfrac{1}{2}$

② $-\dfrac{4}{3}+7+\dfrac{5}{3}$

③ $11.5-9+1.5$

④ $-\dfrac{5}{2}-\dfrac{11}{6}+\dfrac{7}{3}$

⑤ $1+\dfrac{15}{8}-\dfrac{1}{4}$

06

$a<0$일 때, 다음 중 음수인 것은 모두 몇 개인지 구하시오.

$(-a)^2,\quad -a^6,\quad -a^2\times(-1)^5$

$-(-a)^3,\quad (-a)^2\times(-1)^5\times(-1)^6\times(-1)^7$

07

오른쪽 그림과 같은 전개도를 접어 정육면체를 만들었을 때, 서로 마주 보는 면에 적혀 있는 두 수의 곱이 1이라 한다. 이때 $a\times b$의 역수를 구하시오.

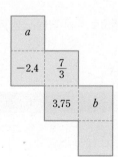

08

다음을 계산하시오.

$$\left(+\dfrac{1}{2}\right)\div\left(-\dfrac{2}{3}\right)\div\left(+\dfrac{3}{4}\right)\div\cdots\div\left(-\dfrac{98}{99}\right)\div\left(+\dfrac{99}{100}\right)$$

09

두 유리수 a, b에 대하여

$a\blacktriangle b=(a+2\times b)\div b\ (b\neq0)$

$a\triangle b=|a-b-1|$

이라 할 때, $x\triangle(8\blacktriangle12)=\dfrac{8}{3}$을 만족시키는 모든 x의 값의 합을 구하시오.

5 문자의 사용과 식의 계산

고난도 대표유형·핵심개념

---

① 등급 노트

추가 설명

자주 쓰이는 수량 관계
① (거리)＝(속력)×(시간),

$(속력)=\dfrac{(거리)}{(시간)}$,

$(시간)=\dfrac{(거리)}{(속력)}$

② (소금물의 농도)

$=\dfrac{(소금의 양)}{(소금물의 양)}×100(\%)$

③ ($a\%$ 할인된 가격)

$=(정가)-\dfrac{a}{100}×(정가)$

오답노트

$0.1×a=0.a$ (×)

$0.1×a=0.1a$ (○)

✔ 주의

덧셈 뺄셈 기호는 생략할 수 없다.

오답노트

$a÷1=\dfrac{a}{1}$ (×) $\Rightarrow a$

$a÷(-1)=\dfrac{a}{-1}$ (×) $\Rightarrow -a$

✔ 주의

(1) 문자에 음수를 대입할 때에는 반드시 괄호를 사용한다.
(2) 분모에 분수를 대입할 때는 나눗셈 기호를 다시 써서 나눗셈으로 나타낸 후 역수의 곱셈을 이용하여 계산한다.

유형 1　문자를 사용한 식

난이도 ★

문자의 사용: 문자를 사용하면 수량 사이의 관계를 간단한 식으로 나타낼 수 있다.

① 문제의 뜻을 파악하여 수량 사이의 관계 또는 규칙을 찾는다.
② 문자를 사용하여 ①에서 찾은 관계를 식으로 세운다.

유형 2　곱셈 기호의 생략

난이도 ★

(1) **(수)×(문자):** 곱셈 기호를 생략하고 수를 문자 앞에 쓴다.

(2) **1×(문자), (−1)×(문자):** 곱셈 기호와 1을 생략한다.

(3) **(문자)×(문자):** 곱셈 기호를 생략하고 보통 알파벳 순서로 쓴다.

(4) **같은 문자의 곱:** 거듭제곱을 사용하여 나타낸다.

(5) **괄호가 있는 식과 수의 곱:** 곱셈 기호를 생략하고 수를 괄호 앞에 쓴다.

유형 3　나눗셈 기호의 생략

난이도 ★

(1) 나눗셈 기호 ÷를 생략하고 분수 꼴로 나타낸다.

(2) 나눗셈은 역수를 이용하여 곱셈으로 바꾼 다음 곱셈 기호 ×를 생략한다.

유형 4　식의 값

난이도 ★★★

(1) **대입:** 문자를 사용한 식에서 문자 대신 수를 넣는 것

(2) **식의 값:** 문자를 사용한 식에서 문자 대신 수를 대입하여 계산한 값

(3) **식의 값의 활용**

① 문자를 사용한 식에서 특정한 값을 구할 때 문자에 수를 대입하여 식의 값을 구한다.
② 주어진 상황을 문자를 사용한 식으로 나타내고 구한 식의 문자에 수를 대입하여 식의 값을 구한다.

 난이도 ★★

(1) 항과 계수

① 항: 수 또는 문자의 곱으로 이루어진 식
② 상수항: 수로만 이루어진 항
③ 계수: 수와 문자의 곱으로 이루어진 항에서 문자에 곱해진 수

(2) 다항식과 단항식

① 다항식: 한 개의 항 또는 두 개 이상의 항의 합으로 이루어진 식
② 단항식: 한 개의 항으로만 이루어진 다항식

(3) 일차식

① 차수: 항에서 어떤 문자의 곱해진 개수
② 다항식의 차수: 다항식에서 차수가 가장 큰 항의 차수
③ 일차식: 차수가 1인 다항식

일차식과 수의 곱셈, 나눗셈 유형 6

 난이도 ★★★

(1) 단항식과 수의 곱셈, 나눗셈

① (단항식) × (수), (수) × (단항식): 수끼리 곱하여 수를 문자 앞에 쓴다.
② (단항식) ÷ (수): 나누는 수의 역수를 곱하거나 분수 꼴로 고쳐서 계산한다.

(2) 일차식과 수의 곱셈, 나눗셈

① (일차식) × (수), (수) × (일차식): 분배법칙을 이용하여 일차식의 각 항에 수를 곱한다.
② (일차식) ÷ (수): 분배법칙을 이용하여 나누는 수의 역수를 곱하거나 분수 꼴로 고쳐서 계산한다.

일차식의 덧셈, 뺄셈 유형 7

난이도 ★★

(1) 동류항: 문자와 차수가 각각 같은 항

(2) 동류항의 덧셈, 뺄셈: 분배법칙을 이용하여 동류항의 계수끼리 더하거나 뺀 후 문자 앞에 쓴다.

(3) 일차식의 덧셈, 뺄셈: 분배법칙을 이용하여 괄호를 푼 후 동류항끼리 모아 계산한다.

(4) 복잡한 일차식의 덧셈, 뺄셈

① 괄호가 있는 경우: (   ) ➡ {   } ➡ [   ]의 순서로 풀어준다.
② 계수가 분수인 경우: 분모의 최소공배수로 통분한다.
③ 계수에 소수와 분수가 섞여 있는 경우: 소수를 분수로 고친다.

---

① 등급 노트

실수 피하기

다항식에서 항의 계수를 말할 때에는 숫자 앞의 부호까지 포함한다.

예를들어 $-5x + \dfrac{1}{3}$에서 x의 계수는 -5이다.

참고

$\dfrac{1}{x}$, $\dfrac{3}{x+5}$은 다항식이 아니다.

공식

분배법칙
$a(b+c) = ab + ac$
$(a+b)c = ac + bc$

TIP

일차식에 음수를 곱하면 각 항의 부호가 바뀐다.

TIP

상수항끼리는 항상 동류항이다.

오답노트

$x + 5 = 5x$ (×)
$2x + 5 = 7x$ (×)
$2x + 3y = 5xy$ (×)

TIP

괄호 앞에 $+$가 있으면 괄호 안의 부호를 그대로
$\Rightarrow A + (B - C) = A + B - C$
괄호 앞에 $-$가 있으면 괄호 안의 부호를 반대로
$\Rightarrow A - (B - C) = A - B + C$

01

영미는 집 앞 마트에서 정가가 a원인 음료수를 15 % 할인된 가격으로 b개를 사고 5000원을 냈다. 영미가 받아야 하는 거스름돈을 문자를 사용한 식으로 간단히 나타내면?

① $(0.15ab-5000)$원   ② $(0.85ab-5000)$원

③ $(5000-0.15ab)$원   ④ $(5000-0.85ab)$원

⑤ $(5000+0.85ab)$원

02

다음 그림과 같이 'ㄹ'자 모양을 세로로 한 번 자르면 4조각, 두 번 자르면 7조각, 세 번 자르면 10조각이 된다. 이와 같이 'ㄹ'자 모양을 x번 자르면 몇 조각이 되는지 문자를 사용한 식으로 간단히 나타내시오.

03

다음 표는 대한중학교 독서 동아리에 속해 있는 학생들의 학년별 평균 독서 시간을 조사하여 나타낸 것이다. 이 독서 동아리 전체 학생들의 평균 독서 시간을 문자를 사용한 식으로 나타내시오.

	평균 독서 시간(분)	학생 수(명)
1학년	x	20
2학년	y	16
3학년	z	14

04

미진이가 집에서 출발하여 시속 3 km의 속력으로 x km 떨어진 공원까지 산책을 하는 데 도중에 20분간 휴식을 취했다. 미진이가 집을 출발하여 공원에 도착할 때까지 걸린 시간을 문자를 사용한 식으로 나타내었을 때, x의 계수와 상수항을 차례로 구하면?

① x의 계수: $\dfrac{1}{3}$, 상수항: $\dfrac{1}{3}$

② x의 계수: $\dfrac{1}{3}$, 상수항: 1

③ x의 계수: $\dfrac{1}{3}$, 상수항: 20

④ x의 계수: 3, 상수항: $\dfrac{1}{3}$

⑤ x의 계수: 3, 상수항: 1

05

수 523761137의 7배에서 259를 뺀 후 다시 700으로 나눈 수는?

① 523411   ② 523611   ③ 523711

④ 5237611   ⑤ 5237637

06

$ax+b$에 $-\dfrac{1}{3}$을 곱하면 $-x+5$가 되고, $-x+5$에 $-\dfrac{1}{3}$을 곱하면 $cx+d$가 될 때, $a+b-c+d$의 값은?

(단, a, b, c, d는 상수)

① -18 ② -16 ③ -14

④ -12 ⑤ -10

07

$x=-5$, $y=1$일 때,
$$2x-3[x+3y-\{x-2y-(x+5y)\}]$$
의 값은?

① -33 ② -31 ③ -29

④ -27 ⑤ -25

08

다음 식을 간단히 하시오.

$$(-1)^{50}\times\frac{a+3}{4}+(-1)^{51}\times\frac{2a-4}{3}$$

09

$\left(\dfrac{2x-1}{3} - \dfrac{x-6}{5}\right) \div \dfrac{1}{15}$ 을 간단히 하여 $ax+b$의 꼴로 나타 낼 때, $a-b$의 값은? (단, a, b는 상수)

① -8 ② -6 ③ -4

④ 4 ⑤ 6

10

다음 표에서 가로, 세로, 대각선에 있는 수나 식의 합이 모두 같 도록 (1) ~ (4)에 알맞은 식을 써넣으시오.

(1)	$-4x-1$	(2)
$2x+5$	$-2x+1$	$-6x-3$
$-5x-2$	(3)	(4)

11

다음 그림에서 아랫줄의 식은 윗줄의 이웃한 두 식을 더한 것이 다. (1) ~ (3)에 알맞은 식을 각각 구하시오.

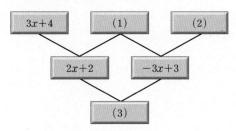

12

정민이는 간식으로 초콜릿 $(12x+40)$개를 받았다. 첫째 날에 는 전체 개수의 $\dfrac{1}{4}$, 둘째 날에는 남은 개수의 $\dfrac{2}{3}$를 먹었다. 남은 초콜릿의 개수를 $ax+b$라 할 때, $a-b$의 값은?

(단, a, b는 상수)

① -9 ② -8 ③ -7

④ -6 ⑤ -5

13

학교 앞 A 문방구와 B 문방구에서는 1개의 가격이 x원인 볼펜을 팔고 있다. A 문방구는 12개 한 다스를 구입하면 2개를 더 주고, B 문방구는 12개 한 다스를 구입하면 20%를 할인해 준다. 볼펜 한 다스를 구입할 때, 볼펜 1개당 구입 가격의 차는?

① $\frac{1}{70}x$원　　② $\frac{1}{35}x$원　　③ $\frac{3}{70}x$원

④ $\frac{2}{35}x$원　　⑤ $\frac{1}{14}x$원

14

다음 그림과 같이 가로, 세로의 길이가 각각 $2a$, $3b$인 직사각형 모양의 종이 20장을 직사각형의 두 대각선이 만나는 점에 다음 직사각형의 한 꼭짓점이 오고, 두 대각선이 만나는 점은 일직선 위에 있도록 포개었다. 이 도형의 넓이를 문자를 사용한 식으로 간단히 나타내시오.

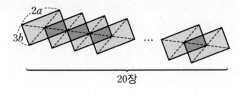

15

다음 그림과 같이 한 변의 길이가 x cm인 정삼각형 ABC와 한 변의 길이가 y cm인 정사각형 ADEF가 겹쳐져 있다. 정삼각형과 정사각형이 겹쳐진 도형이 사다리꼴 ABEF가 될 때, 사다리꼴 ABEF의 둘레의 길이를 문자를 사용한 식으로 간단히 나타내시오. (단, 두 선분 BD와 DC의 길이는 같다.)

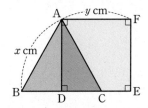

16

다음 그림은 한 변의 길이가 8 cm인 정사각형에서 가로의 길이와 세로의 길이를 각각 2 cm, $(x+3)$ cm만큼 줄여서 만든 직사각형이다. 이 직사각형의 둘레의 길이와 넓이를 문자를 사용한 식으로 간단히 나타내시오.

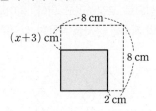

01

다음 표는 두부와 닭고기의 100 g당 단백질 함량을 나타낸 것이다. 민수가 두부 x g, 닭고기 y g을 섭취하였을 때 민수가 섭취한 단백질의 양을 문자를 사용한 식으로 간단히 나타내면?

식품	단백질(g/100 g)
두부	8
닭고기	25

① $\left(\dfrac{1}{25}x+\dfrac{1}{8}y\right)$ g

② $\left(\dfrac{1}{25}x+\dfrac{1}{4}y\right)$ g

③ $\left(\dfrac{1}{25}x+\dfrac{1}{2}y\right)$ g

④ $\left(\dfrac{2}{25}x+\dfrac{1}{4}y\right)$ g

⑤ $\left(\dfrac{2}{25}x+\dfrac{1}{2}y\right)$ g

02

다음 그림과 같이 정육각형 모양과 정사각형 모양의 종이를 일부가 겹치게 압정으로 고정하려고 한다. 종이의 개수가 $2x$일 때, 필요한 압정의 개수를 문자를 사용한 식으로 간단히 나타내시오.

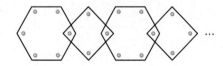

03

x의 계수가 $-\dfrac{3}{2}$인 x에 대한 일차식의 $x=3$일 때의 식의 값은 A이고 $x=-1$일 때의 식의 값은 B이다. 이때 $A-B$의 값은?

① -6 ② -4 ③ -2

④ 2 ⑤ 4

04

아래 그림과 같이 한 변의 길이가 x cm인 정삼각형 25개를 밑변이 2 cm씩 겹쳐지도록 일렬로 붙여놓았다. 다음 물음에 답하시오.

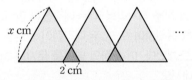

(1) 위의 방법으로 정삼각형 25개를 붙였을 때의 도형의 둘레의 길이를 문자를 사용한 식으로 나타내시오.

(2) 정삼각형의 한 변의 길이가 7 cm일 때, (1)의 도형의 둘레의 길이를 구하시오.

05

x에 대한 어떤 일차식에 $-\dfrac{3}{5}$을 곱해야 할 것을 잘못하여 나누었더니 $-15x+25$가 되었다. 바르게 계산한 식을 구하시오.

06

$m:n=2:5$일 때, $\dfrac{m-4n}{m+4n}$의 값은? (단, $mn\neq0$)

① $-\dfrac{9}{11}$ 　　② $-\dfrac{6}{11}$ 　　③ $-\dfrac{3}{11}$

④ $\dfrac{6}{11}$ 　　⑤ $\dfrac{9}{11}$

07

$\dfrac{2(3x-1)}{5}-\dfrac{3(-x+1)}{2}$을 계산하였을 때 x의 계수를 a라 하고, $0.2(-2x+3)+\dfrac{-2x+4}{3}$를 계산하였을 때 상수항을 b라 하자. 이때 $\dfrac{a}{3}-\dfrac{b}{2}$의 값은?

① $-\dfrac{1}{10}$ 　　② $-\dfrac{1}{15}$ 　　③ $-\dfrac{1}{30}$

④ $\dfrac{1}{15}$ 　　⑤ $\dfrac{1}{10}$

08

다음 표에서 가로, 세로, 대각선에 있는 세 식의 합이 모두 같다. (1) ~ (3)에 들어갈 식을 구하시오.

$-2x-2$		(2)
	$2x+1$	(3)
$-3x-2$	(1)	

09

다음 [보기]와 같은 규칙으로 블록을 쌓고 있다. (1) ~ (3)에 알맞은 식을 구하시오.

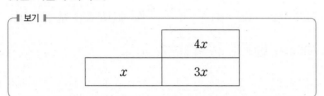

보기

	$4x$
x	$3x$

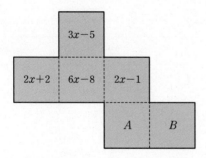

			(3)
		(2)	
	(1)		
$-4x+11$	$x-5$	$6x-1$	$-3x-2$

10

다음 그림과 같은 전개도로 만든 정육면체에서 마주 보는 세 쌍의 면에 적혀 있는 식의 합이 모두 같다. $2A-B$를 간단히 나타내면?

```
          ┌───────┐
          │ 3x-5  │
  ┌───────┼───────┼───────┐
  │ 2x+2  │ 6x-8  │ 2x-1  │
  └───────┼───────┼───────┤
          │   A   │   B   │
          └───────┴───────┘
```

① $4x+1$ ② $4x+2$ ③ $4x+3$
④ $6x+2$ ⑤ $6x+3$

11

n이 자연수일 때, 다음 식을 간단히 하면?

$$(-1)^{2n} \times \frac{3x-2}{4} + (-1)^{2n-1} \times \frac{2x-5}{3}$$

① $\dfrac{x+7}{24}$ ② $\dfrac{x+14}{24}$ ③ $\dfrac{x+7}{7}$

④ $\dfrac{x+14}{12}$ ⑤ $\dfrac{2x+7}{12}$

12

어느 동물원의 입장료는 다음과 같다. 이 동물원에 지난주 입장한 어린이의 수는 x명, 청소년의 수는 어린이의 수의 3배보다 8명이 적었고, 어른의 수는 어린이의 수의 2배보다 13명이 많았다. 지난주의 동물원의 입장료 총액을 문자를 사용한 식으로 간단히 나타내시오.

동물원 입장료 어른	5,000원
동물원 입장료 청소년	3,000원
동물원 입장료 어린이	2,000원

13

다음 그림은 2002년 5월의 달력이다. 이 달력에서 [표] 모양으로 5개의 서로 다른 수를 선택할 때, 5개의 수를 어떤 곳에서 선택하든 그 수들의 합은 항상 가운데 ★에 있는 수의 x배가 된다. 자연수 x의 값은?

일	월	화	수	목	금	토
			1	2	3	4
5	6	7	8	9	10	11
12	13	14	15	16	17	18
19	20	21	22	23	24	25
26	27	28	29	30	31	

① 4   ② 5   ③ 6
④ 7   ⑤ 8

14

그림과 같이 은석이가 학교에서 집으로 가는 직선 도로 위에 문방구, 편의점, 할머니 댁이 차례로 있다. 학교에서 집까지의 거리는 $(25x+13)$ km, 학교에서 할머니 댁까지의 거리는 $(23x+7)$ km, 문방구에서 할머니 댁까지의 거리는 $(13x+5)$ km, 편의점에서 집까지의 거리는 $(11x-5)$ km 일 때, 학교－문방구, 문방구－편의점, 편의점－할머니 댁, 할머니 댁－집 사이의 거리를 차례로 구하시오.

학교   문방구   편의점   할머니 댁   집

15

다음 그림에서 색칠한 부분의 넓이를 문자를 사용한 식으로 간단히 나타내면?

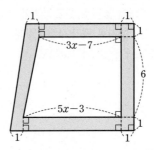

① $4x+2$ ② $4x+4$ ③ $4x+6$
④ $8x+3$ ⑤ $8x+6$

16

다음 도형의 넓이를 문자를 사용하여 간단히 나타내시오.

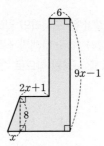

01

A, B, C가게에서는 정가가 x원인 같은 제품을 각각 다른 할인 행사를 통해 팔고 있다. A가게에서는 처음부터 30 % 할인을 해서 팔았고 B가게에서는 처음에 20 % 할인을 해서 팔다가 주변 가게와 가격을 맞추기 위해 4월 1일부터 판매하던 가격의 10 %를 추가 할인해서 팔기로 했고 C가게에서는 처음에 10 % 할인해서 팔다가 마찬가지로 4월 1일부터 판매하던 가격의 20 %를 추가 할인해서 팔기로 했다. 4월 1일에 A, B, C가게에서 정가가 x원인 이 제품을 각각 1개씩 구매했을 때, 총 구매 금액을 x를 사용한 식으로 간단히 나타내시오.

02

오른쪽 그림은 다섯 종류의 정사각형을 붙여 만든 정사각형이다. 정사각형 A의 한 변의 길이를 a라고 할 때, 정사각형 B의 둘레의 길이와 정사각형 C의 둘레의 길이의 합을 a를 사용하여 나타내시오.

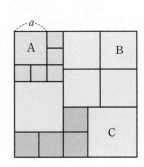

03

오른쪽 그림과 같이 한 모서리의 길이가 5 cm인 정육면체를 옆면에 평행한 평면으로 x번 잘라 $(x+1)$개의 직육면체로 만들었다. 이때 직육면체의 겉넓이의 총합을 x를 사용한 식으로 간단히 나타내시오.

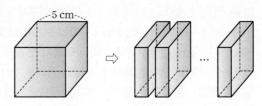

04

$x=-1$일 때, $ax+2x^2+3ax^3+4x^4+5ax^5+\cdots+99ax^{99}+100x^{100}$을 a를 사용한 식으로 간단히 나타내시오.

05

$x \star y = x - 2y + 3$으로 약속할 때, $2(x \star y) - 5\{(2x \star y) + 2\}$를 간단히 나타내시오.

06

$A = 2x - 6$, $B = -y + \dfrac{1}{3}$일 때, $\dfrac{A - 9B}{3} - \dfrac{3A + 12B}{4}$를 간단히 하면 $ax + by + c$이다. 이때 abc의 값을 구하시오.

(단, a, b, c는 상수)

07

한국중학교 작년 신입생 중 남학생의 수는 x명이고, 여학생의 수는 남학생보다 25명이 적었다. 올해 한국중학교에 입학한 남학생 수는 작년보다 20 % 감소했고, 여학생 수는 작년보다 15 % 증가했다고 한다. 한국중학교의 올해 신입생 수를 x를 사용한 식으로 간단히 나타내시오.

08

오른쪽 그림과 같이 정사각형 모양의 색종이를 [그림1]과 같이 7조각으로 잘라 [그림2]와 같은 모양을 만들었다. [그림2]의 둘레의 길이를 구하시오.

[그림 1]

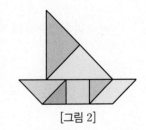

[그림 2]

01

어느 가게의 오늘 매출은 어제보다 $a\ \%$ 증가했고 이틀 전보다 $b\ \%$ 감소했다. 이 가게의 어제의 매출액은 이틀 전보다 몇 $\%$ 감소했는지 구하시오.

02

자연수 n에 대하여

$$A=1+\frac{1}{2}+\frac{1}{3}+\cdots+\frac{1}{2n},\ B=\frac{1}{1\times 2n}+\frac{1}{2\times(2n-1)}+\cdots+\frac{1}{n(n+1)}$$

일 때, A는 B의 몇 배인지 구하시오.

03

m, n이 자연수일 때, $\dfrac{(-1)^{m}(8x-1)+(-1)^{n}(6x-5)}{2\times(-1)^{m+n}}$ 를 간단히 나타내시오.

04

다음 조건을 모두 만족시키는 계산 규칙이 있다.

> (개) $A(1)=\dfrac{3}{5}$
>
> (내) $A(x+y)=A(x)+A(y)$ (단, x, y는 상수)

이때 자연수 a에 대하여 $A(a)+A\left(\dfrac{a}{2}\right)+A\left(\dfrac{a}{4}\right)$를 a에 대한 식으로 간단히 나타내시오.

05

농도가 $x\,\%$인 소금물 $200\,g$과 $y\,\%$인 소금물 $100\,g$을 섞어 $a\,\%$의 소금물을 얻었다. 또한 농도가 $x\,\%$인 소금물 $100\,g$과 $y\,\%$인 소금물 $200\,g$을 섞어 $b\,\%$의 소금물을 얻었다. $a+2b$를 x, y를 사용하여 간단히 나타내시오.

06

농도가 $x\,\%$인 용액 $200\,g$과 $y\,\%$인 용액 $300\,g$이 있다. 농도가 $x\,\%$인 용액 $200\,g$에서 $100\,g$을 덜어 내고 농도가 $y\,\%$인 용액 $100\,g$을 넣었을 때의 용액의 농도를 $a\,\%$라 하고 농도가 $y\,\%$인 용액 $300\,g$에서 $100\,g$을 덜어 내고 농도가 $x\,\%$인 용액 $100\,g$을 넣었을 때의 용액의 농도를 $b\,\%$라 할 때, $a+b$를 x, y를 사용하여 간단히 나타내시오.

07

밑변의 길이가 $5\,m$이고 높이가 $h\,m$인 삼각형의 밑변의 길이와 높이를 모두 $20\,\%$씩 늘여 또 다른 삼각형을 만들었다. 두 삼각형을 오른쪽 그림과 같이 겹쳐 놓았을 때, 색칠한 부분의 넓이를 문자 h를 사용하여 간단히 나타내시오.

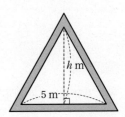

6 일차방정식

고난도 대표유형·핵심개념

유형 1 등식, 방정식, 항등식   난이도 ★

(1) **등식**: 등호(=)를 사용하여 두 수나 두 식이 서로 같음을 나타낸 식

(2) **방정식**: 미지수의 값에 따라 참이 되기도 하고, 거짓이 되기도 하는 등식
　　① 방정식의 해 또는 근: 방정식을 참이 되게 하는 미지수의 값
　　② 방정식을 푼다: 방정식의 해를 구하는 것

(3) **항등식**: 미지수가 어떤 값을 갖더라도 항상 참이 되는 등식

TIP

$ax+b=cx+d$가 x에 대한 항등식이면 $a=c$, $b=d$

유형 2 등식의 성질   난이도 ★

등식의 성질

① 등식의 양변에 같은 수를 더하여도 등식은 성립한다. 즉, $a=b$이면 $a+c=b+c$
② 등식의 양변에서 같은 수를 빼도 등식은 성립한다. 즉, $a=b$이면 $a-c=b-c$
③ 등식의 양변에 같은 수를 곱하여도 등식은 성립한다. 즉, $a=b$이면 $ac=bc$
④ 등식의 양변을 0이 아닌 같은 수로 나누어도 등식은 성립한다. 즉, $a=b$이면 $\dfrac{a}{c}=\dfrac{b}{c}\,(c\neq 0)$

추가 설명

(1) $a=b$이면 $\dfrac{a}{c}=\dfrac{b}{c}$
　: 분모는 0이 될 수 없으므로 $c\neq 0$이라는 조건이 필요
(2) $ac=bc$이면 $a=b$
　: 0으로 나눌 수 없으므로 $c\neq 0$이라는 조건이 필요

유형 3 일차방정식   난이도 ★★

(1) **이항**: 등식의 성질을 이용하여 한 변에 있는 항을 부호를 바꾸어 다른 변으로 옮기는 것

(2) **일차방정식**: 방정식에서 우변에 있는 모든 항을 좌변으로 이항하여 동류항끼리 정리하였을 때, (x에 대한 일차식)=0, 즉 $ax+b=0\,(a, b$는 상수, $a\neq 0$) 꼴이 되는 방정식

오답노트

이항은 항 전체를 옮기는 것이며, 계수를 이항하는 것이 아니다.
예) $5x=15$에서
　$x=15-5$ (×)

유형 4 일차방정식의 풀이   난이도 ★★

일차방정식의 풀이

① 괄호가 있으면 분배법칙을 이용하여 괄호를 풀어 정리한다.
② 미지수 x를 포함한 항은 좌변으로, 상수항은 우변으로 이항한다.
③ 양변을 정리하여 $ax=b\,(a\neq 0)$의 꼴로 고친다.
④ 양변을 x의 계수 a로 나누어 해를 구한다.

TIP

구한 값이 해가 되는지 확인해 보려면 방정식에 구한 값을 대입하여 등식이 참이 되는지 확인한다.

여러 가지 일차방정식의 풀이 　유형 5

(1) **계수가 분수인 경우:** 양변에 분모의 최소공배수를 곱하여 계수를 정수로 고친 후 푼다.

(2) **계수가 소수인 경우:** 양변에 10, 100, … 등 10의 거듭제곱을 곱하여 계수를 정수로 고친 후 푼다.

(3) **방정식이 비례식으로 주어진 경우:** 비례식의 성질을 이용하여 푼다.

일차방정식의 활용 문제 　유형 6

일차방정식의 활용 문제 풀이 순서

① 문제의 뜻을 파악하고 구하려는 값을 미지수 x로 놓는다.
② 문제의 뜻에 맞게 x에 대한 일차방정식을 세운다.
③ 일차방정식을 푼다.
④ 구한 해가 문제의 뜻에 맞는지 확인한다.

일차방정식의 활용 예시 　유형 7

(1) **수에 대한 문제**
　① 연속하는 두 정수: x, $x+1$ 또는 $x-1$, x
　② 연속하는 두 짝수(홀수): x, $x+2$ 또는 $x-2$, x
　③ 연속하는 세 정수: x, $x+1$, $x+2$ 또는 $x-1$, x, $x+1$

(2) **원가, 정가에 대한 문제**
　① 원가가 x원인 물건에 a %의 이익을 붙인 정가: $\left(1+\dfrac{a}{100}\right)x$원
　② 정가가 x원인 물건을 a % 할인한 판매 가격: $\left(1-\dfrac{a}{100}\right)x$원
　③ (이익)＝(판매 가격)－(원가)

(3) **거리, 속력, 시간에 대한 문제**
$$(속력)=\frac{(거리)}{(시간)}, \ (시간)=\frac{(거리)}{(속력)}, \ (거리)=(속력)\times(시간)$$

(4) **농도에 대한 문제**
　① $(소금물의 농도)=\dfrac{(소금의 양)}{(소금물의 양)}\times100(\%)$
　② $(소금의 양)=\dfrac{(소금물의 농도)}{100}\times(소금물의 양)$

(5) **일에 대한 문제:** 전체 일의 양을 1로 생각하고 단위 시간(1일, 1시간, 1분 등) 동안 한 일의 양을 구한다.

실수 피하기

일차방정식의 계수를 정수로 고치기 위해 양변에 수를 곱할 때는 반드시 모든 항에 곱해야 한다.

TIP

구한 해를 문제의 상황에 대입하여 맞는지 확인한다.

TIP

소금물에 물을 더 넣거나 물을 증발시켜도 소금의 양은 변하지 않는다는 것을 이용하여 일차방정식을 세운다.

01

등식 $ax + \dfrac{b}{2} = \dfrac{2x-5}{3}$가 x의 값에 관계없이 항상 성립할 때, $a-b$의 값은? (단, a, b는 상수)

① 1   ② 2   ③ 3
④ 4   ⑤ 5

02

평형을 이루고 있는 접시저울이 2개 있다. 빨간색 추 한 개의 무게는 같은 무게의 노란색 추 5개의 무게의 합과 같고, 파란색 추 한 개의 무게는 같은 무게의 노란색 추 8개의 무게의 합과 같다. 파란색 추 한 개의 무게가 빨간색 추 a개와 노란색 추 b개의 무게의 합과 같을 때, $a+b$의 값을 구하시오.

(단, a, b는 자연수)

03

x에 대한 일차방정식 $15 - 4x = a$의 해가 자연수일 때, 가능한 자연수 a의 값을 모두 구하시오.

04

x에 대한 일차방정식 $\dfrac{a-x}{2} = \dfrac{20-x}{5}$의 해가 자연수가 되도록 하는 가장 작은 자연수 a의 값은?

① 9   ② 11   ③ 13
④ 15   ⑤ 17

05

x에 대한 두 일차방정식 $\dfrac{x+6a}{5}+\dfrac{3x-1}{4}=-1$과

$2x-1=-x+b$의 해가 모두 $x=3$일 때, a, b의 값은?

(단, a, b는 상수)

① $a=-3$, $b=4$ 　　② $a=-3$, $b=6$

③ $a=-3$, $b=8$ 　　④ $a=3$, $b=6$

⑤ $a=3$, $b=8$

06

x에 대한 두 일차방정식 $\dfrac{4x-1}{2}=2.1x-\dfrac{3}{5}$과

$-(x+1)=2(a+4x)$의 해가 같을 때, 상수 a의 값은?

① -5 　　　② -4 　　　③ -3

④ -2 　　　⑤ -1

07

x에 대한 두 일차방정식

$$0.3+0.7x=0.6(x-1) \qquad \cdots\cdots ㉠$$

$$\frac{3x+10}{6}=\frac{x-a}{3} \qquad \cdots\cdots ㉡$$

에서 ㉡의 해는 ㉠의 해의 $\dfrac{2}{3}$배일 때, 상수 a의 값은?

① -2 　　　② -1 　　　③ 1

④ 2 　　　⑤ 3

08

어떤 수와 그 수보다 3만큼 큰 수의 비가 6 : 7일 때, 어떤 수를 구하시오.

09

어느 중학교의 올해 1학년 학생 수는 작년보다 4 % 감소하여 192명이다. 이 학교의 작년 1학년 학생 수는?

① 194명   ② 196명   ③ 198명
④ 200명   ⑤ 202명

11

강물이 시속 4 km의 일정한 속력으로 흐르는 강에서 배를 타고 60 km를 거슬러 올라가는 데 1시간 30분이 걸렸다. 흐르지 않는 강에서의 이 배의 속력은?

① 시속 40 km   ② 시속 41 km
③ 시속 42 km   ④ 시속 43 km
⑤ 시속 44 km

10

주은이는 집에서 도서관까지 가는 데 시속 12 km로 자전거를 타고 가면 시속 4 km로 걸어가는 것보다 20분 빨리 도착한다고 한다. 주은이네 집에서 도서관까지의 거리를 구하시오.

12

둘레의 길이가 800 m인 운동장이 있다. 이 운동장의 트랙을 정민이와 동생이 같은 출발점에서 동시에 출발하여 서로 반대 방향으로 걸어갔다. 정민이는 분속 90 m의 속력으로, 동생은 분속 70 m의 속력으로 걸을 때, 두 사람이 처음으로 만나는 것은 출발한 지 몇 분 후인지 구하시오.

13

영준이는 소설책을 읽기 시작했는데 첫째 날에는 전체 쪽수의 $\frac{1}{4}$, 둘째 날에는 전체 쪽수의 $\frac{2}{5}$, 셋째 날에는 전체 쪽수의 $\frac{2}{7}$를 읽었더니 18쪽만 남았다. 이 소설책의 전체 쪽수를 구하시오.

15

정해진 분량을 인쇄를 하는데 복사기 A를 사용하면 45분이 걸리고, 복사기 B를 사용하면 36분이 걸린다고 한다. 두 복사기 A, B를 동시에 사용하면 정해진 분량을 인쇄하는 데 몇 분이 걸리는지 구하시오.

14

종이접기 동아리반 학생들에게 색종이를 나누어 주려고 한다. 한 학생에게 5장씩 나누어 주면 8장이 남고, 6장씩 나누어 주면 4장이 부족하다고 할 때, 이 종이접기 동아리반 학생 수는?

① 11명　　　② 12명　　　③ 13명

④ 14명　　　⑤ 15명

16

다음 그림과 같은 사각형의 넓이가 29일 때, x의 값을 구하시오.

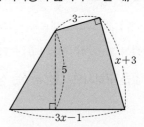

01

x에 대한 일차방정식 $3(1-a)-2x=5$에서 상수 a의 부호를 잘못 보고 풀었더니 해가 $x=8$이었다. 이때 주어진 방정식의 해를 바르게 구하면?

① $x=-10$ ② $x=-8$ ③ $x=-6$
④ $x=-4$ ⑤ $x=-2$

02

x에 대한 일차방정식 $3-ax=5(x+b)-7$의 해가 $x=-3$일 때, $b-\dfrac{3}{5}a$의 값을 구하시오. (단, a, b는 상수)

03

x에 대한 일차방정식 $ax-1=3bx+15$의 해는 일차방정식 $3(x-2)-4=4(x-3)$의 해의 2배일 때, $a-3b$의 값은?

(단, a, b는 상수)

① 3 ② 4 ③ 5
④ 6 ⑤ 7

04

x에 대한 두 일차방정식
$\dfrac{3x-8}{2}=1.5+\dfrac{1+x}{3}$와 $3-2x=2(x+a)$의 해의 비가
$10:3$일 때, 상수 a의 값은?

① $-\dfrac{3}{2}$ ② $-\dfrac{1}{2}$ ③ $\dfrac{1}{2}$
④ $\dfrac{3}{2}$ ⑤ $\dfrac{5}{2}$

05

어떤 가게에서 물건의 원가에 30 %의 이윤을 붙여 정가를 매겼더니 물건이 모두 팔리지 않아서, 재고를 처리하기 위해 정가에서 240원을 할인하여 팔았더니 물건 한 개에 300원의 이윤이 남았다. 이 물건의 원가를 구하시오.

06

일정한 속력으로 달리는 기차가 목적지까지 가는데 2개의 터널을 통과한다. 첫 번째 터널의 길이는 3.6 km이고 이 터널을 완전히 통과하는 데 50초, 두 번째 터널의 길이는 6.8 km이고 이 터널을 완전히 통과하는 데 90초가 걸린다고 한다. 이 기차의 길이를 구하시오.

07

다음 그림의 각 선의 중앙에 있는 수는 선으로 연결된 두 원판에 적혀 있는 수의 합과 같다. 각 원판에 적혀 있는 수를 각각 구하시오.

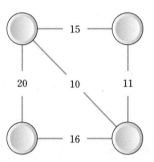

08

다음 그림에서 직사각형 A와 정사각형 B의 둘레의 길이가 서로 같을 때, 두 도형의 넓이의 합을 구하시오.

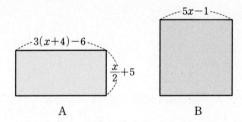

A   B

01

x에 대한 두 일차방정식 $0.72x - 0.14a = \dfrac{11}{25}$, $\dfrac{4x-3}{8} + \dfrac{x+2}{4} = a$의 해의 비가 2 : 5일 때, 상수 a의 값을 구하시오.

02

x에 대한 일차방정식 $\dfrac{a-(3x+1)}{5} = 2$의 해가 음의 정수가 되도록 하는 가장 작은 자연수 a의 값을 구하시오.

03

어느 농장에서 작년에 총 900마리의 소와 돼지를 키우고 있었다. 올해는 작년에 비하여 소의 수는 8 % 감소하고 돼지의 수는 4 % 증가하여 이 농장에서 키우는 소와 돼지는 전체 15마리 감소했다고 한다. 올해 키우고 있는 소는 몇 마리인지 구하시오.

04

어느 지하철역에서 비가 오는 날 자유롭게 우산을 빌려가고 양심적으로 반납을 하는 양심우산 제도를 운영하고 있다. 어느 비가 오는 날 지하철역에 비치된 우산의 $\dfrac{1}{6}$을 빌려가고 다음 날 5개의 우산이 돌아왔다. 다음 비가 오는 날 현재 있는 우산의 $\dfrac{1}{4}$을 빌려가고 다음 날 7개의 우산이 돌아왔다. 우산의 개수를 세어 보니 처음에 있던 우산의 개수보다 5개가 줄었다. 이 지하철역에 처음 비치되어 있던 우산의 개수를 구하시오.

05

삼형제가 목공예를 이용하여 식탁을 만들고 있다. 식탁을 만드는 데 혼자서 만들면 첫째는 12일, 둘째는 16일, 막내는 18일이 걸린다. 12일 만에 식탁을 만들기 위해 첫째가 혼자서 만들다가 쉬고 이어서 6일 동안 둘째와 막내가 함께 식탁을 만든 후 나머지를 둘째가 혼자 만들었더니 예정보다 2일 빨리 식탁을 만들었다. 둘째는 며칠 동안 혼자 식탁을 만들었는지 구하시오.

06

오른쪽 그림과 같이 바둑돌을 사용하여 일정한 규칙으로 바둑돌의 개수를 늘려 나갔다. 바둑돌 25개로 만든 것은 몇 단계인지 구하시오.

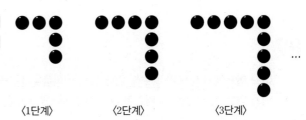

〈1단계〉   〈2단계〉   〈3단계〉

07

오른쪽 그림은 정사각형 9개를 빈틈없이 이어 붙여 직사각형을 만든 것이다. 정사각형 B의 한 변의 길이는 8, 정사각형 C의 한 변의 길이는 9이다. 정사각형 A의 한 변의 길이를 x라 할 때, 다음 물음에 답하시오.

(1) 정사각형 D의 한 변의 길이를 x에 대한 일차식으로 나타내시오.
(2) 정사각형 9개를 이어 붙여 만든 직사각형의 둘레의 길이를 구하시오.

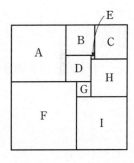

08

오른쪽 그림과 같은 달력의 ✖ 모양 안에 있는 수의 합은 75이다. 이 달력에서 같은 방법으로 5개의 수를 선택하고 그 수의 합을 구했더니 85일 때, 5개의 수를 모두 구하시오.

일	월	화	수	목	금	토
		1	2	3	4	5
6	7	8	9	10	11	12
13	14	15	16	17	18	19
20	21	22	23	24	25	26
27	28	29	30			

01

x에 대한 세 일차방정식

$$5x-7=3x+a,\ 2-6x=5b-3(x+3),\ 3x+b=7$$

의 해가 서로 같을 때, 상수 a, b에 대하여 $a+b$의 값을 구하시오.

02

어느 마트에서 마트의 홍보를 위해 특정한 상품을 정가의 10 % 할인하여 팔았더니 그래도 이 상품의 원가에 대해서 26 %의 이익을 얻는다. 이 상품의 원가가 8000원일 때, 원가의 몇 %의 이익을 붙여서 정가를 정했는지 구하시오.

03

4시 30분 이후 처음으로 시침과 분침이 이루는 각이 80°가 되는 시각을 구하시오.

04

예진이는 엄마의 심부름으로 마트를 다녀오는 데 자전거를 타고 시속 18 km의 속력으로 내리막길을 달린 후 시속 15 km의 속력으로 평탄한 길을 달려 마트까지 가는 데 30분이 걸렸다. 돌아올 때는 같은 길을 마트를 출발하여 시속 12 km의 속력으로 평탄한 길을 달린 후 시속 6 km의 속력으로 오르막길을 달려 집까지 오는 데 55분이 걸렸다. 이때 평탄한 길은 몇 km인지 구하시오.

05

길이는 같고 속력이 다른 두 기차 A, B가 운행하고 있다. A기차는 길이가 400 m인 다리를 완전히 건너는 데 15초가 걸리고, B기차는 길이가 2 km인 터널을 완전히 통과하는 데 44초가 걸린다. 이 두 기차가 10.8 km 떨어진 곳에서 마주 보고 동시에 달려 2분 만에 기차의 앞부분이 스쳤을 때, 기차 A, B의 속력을 각각 구하시오.

06

모양과 크기가 같은 두 유리병 중 한 병에는 농도가 6 %인 소금물 180 g, 다른 한 병에는 농도가 15 %인 소금물 120 g이 들어 있다. 두 유리병에서 각각 같은 양의 소금물을 덜어 내어 서로 바꾸어서 넣었더니 두 유리병 안의 소금물의 농도가 같아졌다. 서로 덜어 내어 바꾼 소금물의 양을 구하시오.

07

어떤 일을 하는 데 그 일의 장인이 혼자 하면 12시간이 걸리고 장인의 제자가 혼자 하면 15시간이 걸린다고 한다. 이 일을 가장 빠른 시간에 마치기 위해 장인과 그 제자가 일을 적당히 나누어 동시에 하기로 하였을 때, 제자가 한 일은 전체의 얼마인지 구하시오.

08

도서부 학생들이 도서관에 있는 책 200권을 점심시간을 이용해 정리하기로 했다. 어제 200권의 반이 안 되는 책을 정리하고 오늘 도서부원 4명이 남은 책의 각각 $\frac{1}{3}$, $\frac{1}{4}$, $\frac{1}{5}$, $\frac{1}{8}$을 정리하고 몇 권이 남았는데 점심시간이 다 되어 나머지는 사서 선생님께서 정리해 주기로 하셨다. 어제 도서부 학생들이 정리한 책과 오늘 도서부 학생들이 정리한 책, 오늘 사서 선생님께서 정리한 책은 각각 몇 권인지 구하시오.

01

오른쪽 그림과 같은 직사각형 ABCD에서 색칠한 부분의 넓이는?

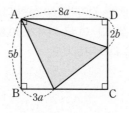

① $16ab$ ② $17ab$

③ $18ab$ ④ $19ab$

⑤ $20ab$

02

$(-1)^n \times (2x-1) - (-1)^{n+1} \times (5x+3)$에 대하여 n이 홀수일 때 식을 A, n이 짝수일 때 식을 B라 하자. 식 $A+2B$를 간단히 하면?

① $-14x-4$ ② $-7x-2$

③ $7x+2$ ④ $14x+4$

⑤ $21x+6$

03

다음 표에서 가로, 세로, 대각선에 놓인 세 다항식의 합이 모두 같을 때, ㉠에 들어갈 식을 구하시오.

$5x+2$	$3x-2$	
$6x-3$	㉠	

04

$x=-\dfrac{1}{2}$일 때, 다음 중 가장 작은 값은?

① $-\dfrac{1}{x}$ ② $-x$ ③ $-x^2$

④ $\dfrac{1}{x}$ ⑤ x^2

05

x에 대한 두 일차방정식

$$0.5(x+a)-0.1a=0.2, \quad \frac{x-5}{6}-\frac{1}{12}x=\frac{1+2x}{3}$$

의 해가 같을 때, 상수 a의 값은?

① 1   ② 2   ③ 3
④ 4   ⑤ 5

06

수학 동아리 학생들 전체가 운동장에 있는 긴 계단에 차례로 서서 기념촬영을 하려고 한다. 한 계단에 5명씩 서면 3명이 설 곳이 없고 한 계단에 6명씩 서면 마지막 계단에는 4명이 서고 완전히 빈 계단이 1개 남는다. 수학 동아리 학생은 모두 몇 명인가?

① 50명   ② 52명   ③ 54명
④ 56명   ⑤ 58명

07

다음은 그리스 '시화집'에 나온 글의 일부로 수학자 피타고라스는 제자가 몇 명이냐는 물음에 다음과 같이 대답했다고 한다.

> "제자의 절반은 수학을 공부하고, $\frac{1}{4}$은 철학을 배우고, $\frac{1}{7}$은 침묵의 기술을 배우며, 추가로 여자가 3명 있소."

피타고라스의 제자는 모두 몇 명인지 구하시오.

08

둘레의 길이가 1 km인 호수를 언니와 동생이 같은 지점에서 동시에 서로 반대 방향으로 출발하여 일정한 속력으로 돌았다. 이 호수를 한 바퀴 도는 데 언니는 16분, 동생은 24분이 걸린다. 두 사람이 5번째 만날 때까지 언니가 이동한 거리는?

① 2.5 km   ② 3 km   ③ 3.5 km
④ 4 km   ⑤ 4.5 km

09

소금물이 각각 200 g씩 들어 있는 두 개의 병 A, B가 있다. 병 A에 들어 있는 소금물의 농도는 28 %이고 병 B에서 소금물 60 g을 퍼내어 버린 후 병 A에서 소금물 60 g을 퍼내어 병 B에 넣고, 병 A에는 60 g의 물을 채워 넣는 작업을 2번 반복했더니 두 병 A, B의 소금물의 농도가 같아졌다. 처음 병 B의 소금물의 농도를 구하시오.

7 순서쌍과 좌표

고난도 대표유형·핵심개념

① 등급 노트

추가 설명

P(a)에서 a가 양수이면 점 P
는 원점으로부터 오른쪽으로
$|a|$만큼 떨어져 있고, a가 음수
이면 점 P는 원점으로부터 왼쪽
으로 $|a|$만큼 떨어져 있다.

참고

수직선을 그릴 때에는 양쪽으로
화살표를 그렸으나 좌표평면을
그릴 때에는 두 수직선 모두 한
쪽 방향으로만 화살표를 그리고
이때 화살표의 방향은 수가 커
지는 방향이다.

오답노트

$a \neq b$일 때
순서쌍 (a, b)와 (b, a)는 서로
다르다.

TIP

원점 O의 좌표는 $(0, 0)$이다.

유형 1 수직선 위의 점의 좌표

난이도 ★

(1) **수직선 위의 점의 좌표:** 수직선 위의 한 점에 대응하는 수를 그 점의 **좌표**라 하고 점 P에 대응하는 수가 a일 때, 기호 **P(a)**로 나타낸다.

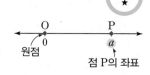

(2) **원점:** 좌표가 0인 점 O

유형 2 좌표평면

난이도 ★

두 수직선이 점 O에서 서로 수직으로 만날 때

(1) 가로의 수직선을 x**축**, 세로의 수직선을 y**축**이라 하고 x축과 y축을 **좌표축**이라고 한다.

(2) **원점:** 두 좌표축이 만나는 점 O

(3) **좌표평면:** 두 좌표축이 그려져 있는 평면

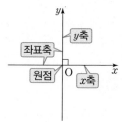

유형 3 좌표평면 위의 점의 좌표

난이도 ★★

(1) **순서쌍:** 순서를 생각하여 두 수를 짝 지어 나타낸 것

(2) 좌표평면 위의 한 점 P에서 x축, y축에 각각 내린 수선이 x축, y축과 만나는 점에 대응하는 수가 각각 a, b일 때, 순서쌍 (a, b)를 점 P의 좌표라 하고 기호 **P(a, b)**로 나타낸다.

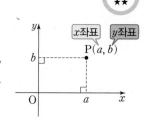

(3) 점 P(a, b)에서 a를 점 P의 x**좌표**, b를 점 P의 y**좌표**라 한다.

(4) x축 위의 모든 점들의 y좌표는 0이므로 x축 위의 점의 좌표는 **(x좌표, 0)**이다.
　　예) x축 위에 있고, x좌표가 -5인 점의 좌표: $(-5, 0)$

(5) y축 위의 모든 점들의 x좌표는 0이므로 y축 위의 점의 좌표는 **(0, y좌표)**이다.
　　예) y축 위에 있고, y좌표가 7인 점의 좌표: $(0, 7)$

(1) **사분면:** 좌표평면은 좌표축에 의하여 네 부분으로 나누어지는데 이들을 각각
제1사분면, 제2사분면, 제3사분면, 제4사분면
이라고 한다.

(2) **각 사분면의 좌표의 부호**

	제1사분면	제2사분면	제3사분면	제4사분면
x좌표의 부호	+	−	−	+
y좌표의 부호	+	+	−	−

(1) **변수:** x, y와 같이 여러 가지로 변하는 값을 나타내는 문자

(2) **그래프:** 서로 관계가 있는 두 변수 x, y의 순서쌍 (x, y)를 좌표로 하는 점을 좌표평면 위에 모두 나타낸 것

(3) **그래프의 해석**
　① 그래프는 증가와 감소, 주기적 변화 등을 쉽게 파악할 수 있다.
　② 주어진 상황을 그래프로 나타낼 때, 시간, 무게 등과 같은 변수는 음수의 값을 가질 수 없다.
　③ 그래프는 문제의 뜻을 파악한 후 x축과 y축이 각각 무엇을 나타내는지 확인하면 관계를 쉽게 파악할 수 있다.
　④ x의 값에 따라 y의 값이 어떻게 변하는지 확인한다.
　　－ 오른쪽 위로 향하는 그래프는 x의 값이 증가할 때, y의 값도 증가하는 관계를 나타낸다.
　　－ 오른쪽 아래로 향하는 그래프는 x의 값이 증가할 때, y의 값은 감소하는 관계를 나타낸다.
　　－ 같은 모양이 반복하여 나타나는 그래프는 주기적으로 변화하는 두 변수의 관계를 나타낸다.
　⑤ 그래프는 점, 직선, 곡선 등으로 나타날 수 있다.

① 등급 노트

TIP
원점과 좌표축 위의 점은 어느 사분면에도 포함되지 않는다.

풀이전략
$(-, +)$ $(+, +)$
$(-, -)$ $(+, -)$

추가 설명
변수와 달리 일정한 값을 갖는 수나 문자를 상수라고 한다.

01

점 A$(3-a, 2a+1)$이 x축 위에 있을 때, 점 A의 좌표는?

① $(0, 3)$ ② $(0, 7)$ ③ $(3, 0)$

④ $\left(\dfrac{7}{2}, 0\right)$ ⑤ $\left(\dfrac{9}{2}, 0\right)$

02

두 점 A$(a-b+2, 3a-6)$, B$(-a+b, b-7)$이 x축 위에 있고 점 C의 좌표는 (a, b)일 때, 삼각형 ABC의 넓이는?

① 26   ② 28   ③ 30

④ 32   ⑤ 34

03

세 점 A$(-2, 3)$, B$(-6, -1)$, C$(-2, -5)$와 한 점 D(a, b)에 대하여 사각형 ABCD가 정사각형이 될 때, $a+b$의 값은?

① 1   ② 2   ③ 3

④ 4   ⑤ 5

04

점 P(a, b)가 제2사분면 위에 있을 때, 다음 점들은 어느 사분면 위에 있는지 말하시오.

(1) A$(b, -a)$

(2) B$(-a, ab)$

(3) C$(a-b, a)$

(4) D$(a^2, b-a)$

05

다음 그림은 제주도의 어느 늦은 봄날 한 주간의 기온 변화를 그래프로 나타낸 것이다. 이 주간의 최고기온과 최저기온의 차는?

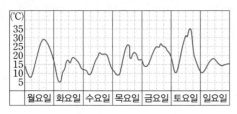

① 15℃　　　　② 20℃　　　　③ 25℃
④ 30℃　　　　⑤ 35℃

06

집에서 3 km 떨어져 있는 공원에 가는데 언니는 자전거를 타고 동생은 퀵보드를 타고 동시에 출발하였다. 다음 그림에서 그래프 ㉠과 ㉡은 각각 언니와 동생이 x분 동안 이동한 거리 y km 사이의 관계를 나타낸 그래프이다. 언니가 공원에 도착하고 몇 분 후에 동생이 도착하는가?

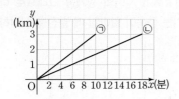

① 4분 후　　　　② 6분 후　　　　③ 8분 후
④ 10분 후　　　　⑤ 12분 후

07

다음 그림은 쌍둥이 자매인 민지와 민정이가 집에서 동시에 출발하여 2 km 떨어진 학교에 걸어서 등교할 때 x분 동안 이동한 거리 y km 사이의 관계를 나타낸 그래프이다. 물음에 답하시오.

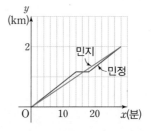

(1) 민지와 민정이가 동시에 출발하고 나서 몇 분 후 처음으로 만나는지 구하시오.

(2) 민정이는 걸어가던 중 길 잃은 고양이를 발견하고 고양이와 잠시 놀았다. 민정이가 멈춰 있던 시간을 구하시오.

08

민수는 엄마 심부름으로 자전거를 타고 마트에 가서 생필품 몇 가지를 사서 돌아왔다. 다음 그림은 민수가 집에서 출발하여 x분 후 집에서부터의 거리 y km 사이의 관계를 나타낸 그래프이다. 물음에 답하시오.

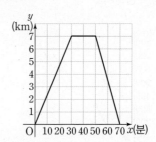

(1) 엄마의 심부름을 다녀오는 데 걸린 시간을 구하시오.

(2) 마트에 머문 시간을 구하시오.

(3) 마트에 갔다가 돌아올 때까지 이동한 거리를 구하시오.

09

다음 그림은 정아네 가족이 숲 체험을 하는 동안 걸린 시간 x분과 이동한 거리 y km 사이의 관계를 나타낸 그래프이다. 물음에 답하시오.

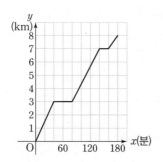

(1) 정아네 가족이 180분 동안 이동한 거리를 구하시오.

(2) 정아네 가족이 180분 동안 멈춰 있던 총 시간을 구하시오.

(3) 정아네 가족이 180분 동안 이동할 때 가장 빠른 속도로 이동한 시간을 구하시오.

10

체육시간에 A, B반에서 각 반의 대표 4명이 200 m씩 총 800 m를 이어달렸다. 다음 그림은 두 반의 대표가 동시에 출발한 후 각 반의 x초 후의 달린 거리 y m 사이의 관계를 나타낸 그래프이다. 물음에 답하시오.

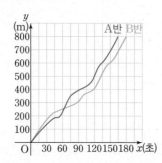

(1) 몇 번째 주자일 때 A반이 B반을 추월하였는지 구하시오.

(2) A반은 B반 보다 결승선에 몇 초 먼저 들어왔는지 구하시오.

11

유진이네 가족은 지난주 휴일과 이번 주 휴일에 집에서 5 km 떨어진 공원으로 피크닉을 다녀왔다. 다음 그림은 유진이네 가족이 집에서 떨어진 거리 y km를 시각 x시에 따라 나타낸 그래프이다. 물음에 답하시오.

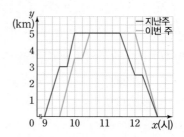

(1) 지난주 휴일과 이번 주 휴일에 집에서 출발한 시각을 각각 구하시오.

(2) 지난주 휴일에 공원까지 가는 데 걸린 시간을 구하시오.

(3) 이번 주 휴일에 공원에서 머문 시간을 구하시오.

(4) 이번 주 휴일에 공원에서 집에 돌아올 때 걸린 시간을 구하시오.

12

다음 그림은 대관령에 있는 어느 풍력 발전기의 풍속 x m/s에 따른 발전량 y kWh 사이의 관계를 그래프로 나타낸 것이다. 이 풍력 발전기는 풍속이 얼마일 때 발전을 시작하는가?

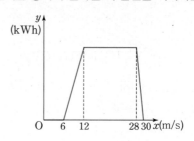

① 0 m/s   ② 6 m/s
③ 12 m/s   ④ 28 m/s
⑤ 30 m/s

13

다음은 해가 진 후 자정이 될 때까지 시간 x에 따른 기온 y℃ 를 그래프로 나타낸 것이다. 시간에 따라 기온이 어떻게 변화하였는지 설명하시오.

(1)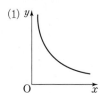

(2)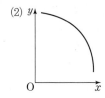

14

다음 그림과 같은 세 개의 꽃병 A, B, C가 있다.

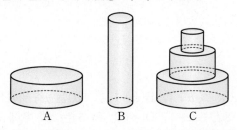

아래 그래프는 세 꽃병 A, B, C에 일정하게 물을 채울 때, 시간 x에 따른 꽃병에 채워지는 물의 높이 y의 관계를 나타낸 것이다. 각 꽃병에 알맞은 그래프를 찾아 바르게 연결한 것은?

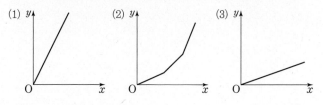

① A—(1), B—(2), C—(3)
② A—(1), B—(3), C—(2)
③ A—(2), B—(1), C—(3)
④ A—(3), B—(1), C—(2)
⑤ A—(3), B—(2), C—(1)

15

팝스 측정기간이 되어 왕복 오래달리기를 시범 측정하였다. 시범 측정을 위해 5번만 왕복하였다. 출발한 후 경과 시간 x에 따른 출발점으로부터의 떨어진 거리를 y라 할 때, x와 y 사이의 관계를 다음 좌표평면 위에 나타내시오.

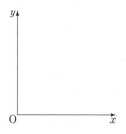

16

다음 그림과 같은 모양의 그릇에 매초 일정한 양의 물을 x초 동안 채울 때, 그릇에 담긴 물의 높이를 y cm로 하는 그래프를 그리시오.

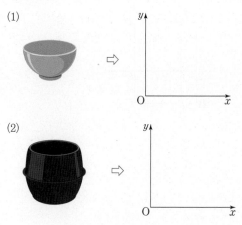

01

좌표평면 위의 두 점 A$(2a-1, a+3)$, B$(2-b, 2b+5)$는 각각 x축, y축 위의 점이다. 이때 a, b의 값을 각각 구하면?

① $a=-3$, $b=2$ ② $a=-3$, $b=4$

③ $a=-1$, $b=2$ ④ $a=-1$, $b=4$

⑤ $a=1$, $b=2$

02

다음 그림과 같이 사각형 ABCD의 변을 따라 점 P(a, b)가 움직이고 있다. 이때 $b-a$의 최댓값을 구하시오.
(단, 사각형 ABCD의 네 변은 좌표축과 평행하다.)

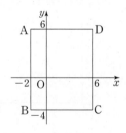

03

좌표평면 위의 세 점 A$(-2, 3)$, B$(5, 3)$, C$(1, a)$에 대하여 삼각형 ABC의 넓이가 14가 되도록 하는 a의 값을 모두 구하시오.

04

두 점 A$(a-3, b+4)$, B$(b+1, 1-2a)$는 y축 위에 있고, 두 점 C$(-3d, -c+4)$, D$(c+3, d-5)$는 x축 위에 있을 때, 사각형 ACBD의 넓이는?

① 79   ② 82   ③ 85

④ 88   ⑤ 91

05

$a-b>0$, $-\dfrac{b}{a}>0$일 때, 점 $(ab,\ b)$는 어느 사분면 위의 점인가?

① 제1사분면   ② 제2사분면
③ 제3사분면   ④ 제4사분면
⑤ 어느 사분면에도 속하지 않는다.

06

점 $\mathrm{A}(a+b,\ ab)$가 제4사분면 위의 점이고 $|a|>|b|$일 때, 점 $\mathrm{B}\left(-b,\ \dfrac{b}{a}\right)$는 어느 사분면 위의 점인가?

① 제1사분면   ② 제2사분면
③ 제3사분면   ④ 제4사분면
⑤ 어느 사분면에도 속하지 않는다.

07

어떤 사람이 번지 점프를 할 때, 번지점프대에서 뛰어내린 후 경과 시간 x초 후의 지면으로부터의 높이를 y m라 하자. 이때 x와 y 사이의 관계를 그래프로 나타내시오.

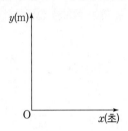

08

x와 y 사이 관계의 그래프가 다음과 같을 때, 어떤 상황에서 나올 수 있는 그래프인지 예를 들어 설명하시오.

(1)
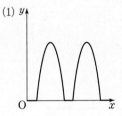

(2)
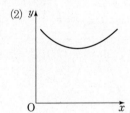

09

물탱크 A, B, C에 들어 있는 물을 빼고 있다. 다음 그림은 세 개의 물탱크에 들어 있는 물을 빼는 동안 시간과 남아 있는 물의 양 사이의 관계를 나타낸 그래프이다. 이것을 보고 세 물탱크 A, B, C에서 물을 빼는 상황을 설명하시오.

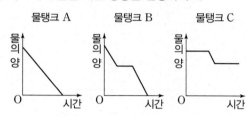

10

다음 그림과 같은 모양의 비커에 시간당 일정한 양의 물을 채울 때, 시간에 따른 물의 높이 사이의 관계를 그래프로 나타내시오.

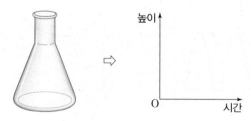

11

다음 그림과 같이 계단이 있는 미니 수영장에 물이 가득 채워져 있는데 배수구를 열어 수영장의 물을 빼려고 한다. 배수구로 시간당 일정한 물이 빠져나갈 때, 시간에 따른 물의 높이의 변화를 그래프로 나타내시오.

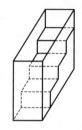

12

다음 그림은 선미가 일정한 속력으로 자전거를 탈 때와 걸어갈 때 이동한 시간 x분에 따른 이동 거리 y m를 그래프로 나타낸 것이다. 이러한 속력으로 3 km 떨어진 곳을 이동할 때, 자전거를 타고 가면 걸어갈 때보다 몇 분 먼저 도착하는가?

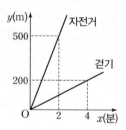

① 45분   ② 48분   ③ 51분
④ 54분   ⑤ 57분

13

언니와 동생이 둘레의 길이가 400 m인 운동장을 일정한 속력으로 5바퀴 뛰려고 한다. 다음 그림은 언니와 동생의 시간에 따른 이동 거리의 변화를 일부만 나타낸 그래프이다. 동생이 운동장을 5바퀴 뛴 후 몇 분을 기다려야 언니가 도착하는가?

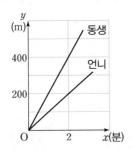

① 6분   ② 7분   ③ 8분
④ 9분   ⑤ 10분

14

초콜릿 공장에서 A, B 두 대의 기계를 가동하여 초콜릿 2400개를 만들기 시작하여 만든 지 4분이 되었을 때, B 기계가 고장이 나서 A 기계로만 초콜릿을 만들었다. 다음은 초콜릿을 만드는 시간과 생산된 초콜릿의 개수의 관계를 나타낸 그래프이다. B 기계를 수리하여 처음부터 B 기계만 사용하여 초콜릿 2400개를 만든다면 몇 분이 걸리겠는가?

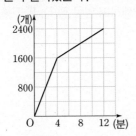

① 6분   ② 8분   ③ 10분
④ 12분   ⑤ 14분

15

미진이는 집을 출발하여 서점에 가다가 집 쪽에 있는 문방구로 돌아와 노트를 사고 문방구를 출발하여 서점에 가서 책을 구입하고 집으로 돌아왔다. 다음 그림은 미진이의 x분 후 집으로부터의 거리 y m를 그래프로 나타낸 것이다. 미진이가 이동한 총 거리는?

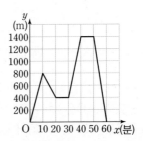

① 3.6 km   ② 3.8 km   ③ 4.0 km
④ 4.2 km   ⑤ 4.4 km

16

진선이는 집에서 1 km 떨어진 공원을 왕복하며 운동을 하고 이것을 매일 그래프로 기록을 하고 있다. 시간 x분에 따른 집에서부터 떨어진 거리 y km를 나타내는 다음의 그래프를 보고 진선이가 각각 어떻게 운동을 했는지 설명하시오.

(1)
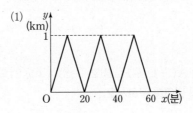

(2)
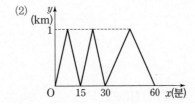

(3)
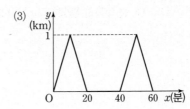

01

좌표평면 위의 네 점 $A(0, 5)$, $B(-4, -4)$, $C(-1, -4)$, $D(3, -1)$을 꼭짓점으로 하는 사각형 ABCD의 변 위를 움직이는 점 $P(a, b)$에 대하여 $a+b$의 최솟값을 구하시오.

02

좌표평면 위의 네 점 A, B, C, D가 다음 조건을 모두 만족시킬 때, 점 D의 좌표를 구하시오.

> - 점 $A(a-7, b-1)$은 x축 위의 점이다.
> - 점 $B(a-5, 2b+1)$은 y축 위의 점이다.
> - 점 C의 좌표는 $(5b-1, a-2)$이다.
> - 사각형 ABCD는 평행사변형이다.

03

점 $A(b+1, a+4)$는 x축 위의 점이고, 점 $B(b-2, a)$는 y축 위의 점이고, 점 $C(a+b, c-1)$과 점 $D(a+3, d-3)$은 어느 사분면에도 속하지 않는다. 이때 $a+b+c+d$의 값을 구하시오.

04

좌표평면 위의 세 점 $A(-1, -1)$, $B(2, -1)$, $C(1, 2)$의 x좌표, y좌표를 각각 3배하여 얻은 점 D, E, F를 세 꼭짓점으로 하는 삼각형 DEF의 넓이를 구하시오.

05

좌표평면 위의 네 점 $A(a, 5)$, $B(-2, b)$, $C(c, -3)$, $D(d, e)$를 꼭짓점으로 하는 직사각형 ABCD의 두 변 AB와 CD는 y축과 평행하고, 두 변 AD와 BC는 x축과 평행하다. 직사각형 ABCD의 넓이가 40일 때, $a+b+c+d+e$의 값을 구하시오.

(단, $c>0$)

06

다음은 서준이가 학교 운동장에서 달리기를 할 때, x분의 시간이 지났을 때의 속력 y m/분 사이의 관계를 그래프로 나타낸 것이다. (1)~(4)의 그래프는 서준이가 어떻게 운동을 할 때 나타날 수 있는 그래프인지 예를 들어 설명하시오.

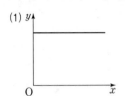 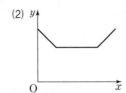 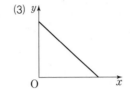 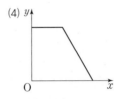

(1) (2) (3) (4)

07

정은이는 수영장 레인을 왕복하며 자유형 연습을 하고 있다. 오른쪽 그림은 정은이가 출발점을 출발하여 자유형으로 움직이기 시작한 지 x초 후 출발점과 정은이 사이의 거리를 y m라 하였을 때, x와 y 사이의 관계를 그래프로 나타낸 것이다. 다음 물음에 답하시오.

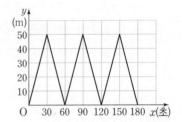

(1) 정은이가 수영하는 수영장은 왕복 몇 m인지 구하시오.

(2) 정은이가 1번 왕복하는 데 걸리는 시간을 구하시오.

(3) 정은이가 150초 동안 움직인 거리를 구하시오.

08

부피가 모두 같고 높이가 다른 직육면체 모양의 그릇 A, B, C가 있다. 높이가 각각 12 cm, 24 cm, 36 cm인 그릇 A, B, C에 초당 같은 양의 물을 넣을 때, 그릇 B에 대해 x초 후 그릇 안의 물의 높이 y cm를 그래프로 나타내면 오른쪽 그림과 같다. 물을 넣기 시작한 후 5초가 지났을 때, 그릇 A, C의 높이를 각각 구하시오.

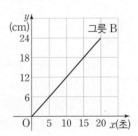

01

$ab<0$, $a-b>0$인 두 정수 a, b에 대하여 좌표평면 위의 세 점 $A(a, 3)$, $B(b, 3)$, $C(0, -5)$를 꼭짓점으로 하는 삼각형 ABC의 넓이가 20일 때, $a+b$의 최댓값을 구하시오.

02

좌표평면 위의 두 점 A, B에 대하여 $A(0, 7)$, $B(4, 7)$이고 점 P는 원점 O에서 출발하여 매초 0.5의 속력으로 x축의 양의 방향으로 이동한다. 사각형 AOPB의 넓이가 56이 되는 것은 점 P가 원점 O을 출발하고 나서 몇 초 후인지 구하시오.

03

네 점 $A(0, 9)$, $B(0, -1)$, $C(15, -1)$, $D(15, 9)$를 꼭짓점으로 하는 직사각형 ABCD가 있다. 두 점 P, Q가 각각 원점 O에서 동시에 출발하여 직사각형 ABCD의 변을 따라 점 P는 매초 5의 속력으로 시곗바늘이 도는 방향으로, 점 Q는 매초 3의 속력으로 시곗바늘이 도는 반대 방향으로 움직인다. 다음 물음에 답하시오.

⑴ 두 점 P와 Q가 처음으로 만나는 것은 원점 O를 출발하고 나서 몇 초 후인지 구하시오.

⑵ 두 점 P와 Q가 처음으로 만나는 곳의 좌표를 구하시오.

04

오른쪽 그림과 같은 직사각형 ABCD에서 점 P가 점 A를 출발하여 일정한 속도로 점 B, C를 지나 점 D까지 변을 따라 움직인다. 점 P가 점 A를 출발한 지 x초 후의 삼각형 APD의 넓이를 y라 할 때, x와 y 사이의 관계를 좌표평면 위에 나타내시오.

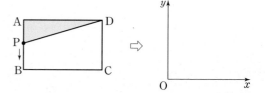

05

오른쪽 그림은 두 사람 A, B가 똑같은 일을 혼자 끝내는 데 걸리는 시간을 그래프로 나타낸 것이다. A는 쉬지 않고 일을 해서 일을 끝냈고 B는 일을 하다가 3시간을 놀고 쉬기 전과 같은 속도로 다시 일을 하여 일을 끝마쳤다. 똑같은 일을 두 사람이 함께 하다가 A가 혼자 1시간을 더해서 일을 끝냈다. 이때 두 사람이 함께 일한 시간을 구하시오.

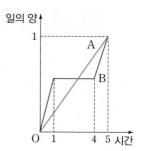

06

마스크를 5040개 만들기 위해 처음 20분 동안은 A 기계만 사용하다가 더 빨리 생산하기 위해 A, B의 두 기계를 모두 사용하여 마스크를 만들었다. 오른쪽 그림은 기계를 사용하기 시작한 지 x분 후에 만든 마스크의 수 y개 사이의 관계를 나타낸 그래프의 일부이다. 다음 물음에 답하시오.

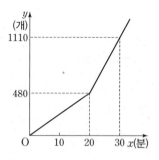

⑴ A, B 기계가 1분 동안 만들 수 있는 마스크의 개수를 각각 구하시오.

⑵ 처음부터 A 기계만 사용하여 마스크를 모두 만든다고 할 때, 걸리는 시간을 구하시오.

⑶ 처음부터 A, B 두 기계를 모두 사용하여 마스크를 만든다고 할 때, 걸리는 시간을 구하시오.

07

오른쪽 그림은 물탱크에 일정한 속도로 물을 넣기 시작한 지 x분 후에 물탱크에 들어간 물의 양 y m³ 사이의 관계를 나타낸 그래프이다. 부피가 60 m³인 물탱크에 처음에는 A, B 두 수도꼭지를 모두 이용하여 동시에 물을 넣다가 30분 후에 B 수도꼭지를 잠갔다. 다음 물음에 답하시오.

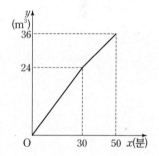

⑴ A, B 두 수도꼭지에서 1분 동안 나오는 물의 양을 각각 구하시오.

⑵ A, B 두 수도꼭지를 이용하여 동시에 물을 넣기 시작하여 30분 후에 B 수도꼭지를 잠그고 A 수도꼭지만 틀어 놓은 채로 물을 넣을 때, 물탱크에 물을 가득 채울 때까지 걸리는 총 시간을 구하시오.

⑶ 만약 처음부터 A 수도꼭지만 틀어 이 물탱크를 가득 채울 때 걸리는 시간을 구하시오.

08

다음 그림과 같이 높이가 각각 10 cm, 20 cm인 2개의 칸막이가 있는 수조의 ㉮쪽에서 매초 50 cm³의 물을 넣으면서 자로 물의 높이를 확인하였다. ㉮, ㉯, ㉰칸의 바닥의 넓이가 차례로 30 cm², 40 cm², 70 cm²일 때, 물을 x초 동안 넣을 때 자로 재는 물의 높이 y cm 사이의 관계를 그래프로 나타내시오.

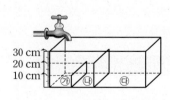 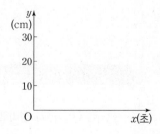

8 정비례와 반비례

고난도 대표유형·핵심개념

예시

정비례 관계
① 정다각형의 한 변의 길이와 둘레의 길이
② 일정한 속력으로 달린 시간과 거리
③ 농도가 일정할 때, 소금물의 양과 소금의 양

참고

정비례 관계식 변형
0이 아닌 상수 a, b에 대하여
$\dfrac{x}{y}=a$, $\dfrac{y}{x}=a$,
$ax=by$, $ax+by=0$

추가 설명

$y=ax\,(a\neq0)$의 그래프는 a의 절댓값이 작을수록 x축에 가깝고, a의 절댓값이 클수록 y축에 가깝다.

유형 1 정비례

난이도 ★

(1) **정비례:** 변하는 두 양 x, y에서 x의 값이 2배, 3배, 4배, …가 될 때, y의 값이 2배, 3배, 4배, …가 되는 관계가 있으면 y는 x에 정비례한다고 한다.

(2) **정비례 관계식:** 두 변수 x, y에 대하여 y가 x에 정비례하면 $y=ax\,(a\neq0)$

유형 2 정비례 관계 $y=ax\,(a\neq0)$의 그래프

난이도 ★

	$a>0$일 때	$a<0$일 때
그래프	 	
그래프의 모양	원점을 지나고 오른쪽 위로 향하는 직선	원점을 지나고 오른쪽 아래로 향하는 직선
지나는 사분면	제1사분면, 제3사분면	제2사분면, 제4사분면
증가·감소 상태	x의 값이 증가하면 y의 값도 증가	x의 값이 증가하면 y의 값은 감소

유형 3 정비례 관계식 구하기

난이도 ★

(1) **점 $(p,\,q)$가 정비례 관계 $y=ax\,(a\neq0)$의 그래프 위에 있을 때**
$y=ax\,(a\neq0)$에 $x=p$, $y=q$를 대입하면 등식이 성립한다.

(2) **그래프가 원점을 지나는 직선일 때**
x와 y는 정비례 관계이므로 그래프의 식은 $y=ax\,(a\neq0)$이다.

난이도
★★

반비례 유형 4

(1) **반비례**: 변하는 두 양 x, y에서 x의 값이 2배, 3배, 4배, …가 될 때, y의 값이 $\dfrac{1}{2}$배,

$\dfrac{1}{3}$배, $\dfrac{1}{4}$배, …가 되는 관계가 있으면 y는 x에 반비례한다고 한다.

(2) **반비례 관계식**: 두 변수 x, y에 대하여 y가 x에 반비례하면 $y = \dfrac{a}{x}$ $(a \neq 0)$

난이도
★★

반비례 관계 $y = \dfrac{a}{x}$ $(a \neq 0)$의 그래프 유형 5

	$a > 0$일 때	$a < 0$일 때
그래프		
그래프의 모양	좌표축에 점점 가까워지면서 한없이 뻗어 나가는 한 쌍의 매끄러운 곡선	
지나는 사분면	제1사분면, 제3사분면	제2사분면, 제4사분면

난이도
★★★

반비례 관계식 구하기 유형 6

(1) **점 (p, q)가 반비례 관계 $y = \dfrac{a}{x}$ $(a \neq 0)$의 그래프 위에 있을 때**

$y = \dfrac{a}{x}$ $(a \neq 0)$에 $x = p$, $y = q$를 대입하면 등식이 성립한다.

(2) **그래프가 원점에 대하여 대칭인 한 쌍의 곡선일 때**

x와 y는 반비례 관계이므로 그래프의 식은 $y = \dfrac{a}{x}$ $(a \neq 0)$이다.

난이도
★★★

두 그래프가 만나는 점 유형 7

정비례 관계 $y = ax$ $(a \neq 0)$의 그래프와 반비례 관계 $y = \dfrac{b}{x}$ $(b \neq 0)$의 그래프가

점 (p, q)에서 만날 때 $y = ax$와 $y = \dfrac{b}{x}$에 $x = p$, $y = q$를 대입하여 a, b의 값을 구한다.

---

1 등급 노트

예시

반비례 관계
① 넓이가 일정한 삼각형의 밑변의 길이와 높이
② 넓이가 일정한 직사각형의 가로의 길이와 세로의 길이
③ 일정한 거리를 움직일 때, 걸린 시간과 속력

참고

반비례 관계식 변형
0이 아닌 상수 a, b에 대하여
$xy = a$, $x = \dfrac{a}{y}$, $y = \dfrac{a}{bx}$

추가 설명

$y = \dfrac{a}{x}$ $(a \neq 0)$의 그래프는
a의 절댓값이 작을수록 원점에 가깝고 a의 절댓값이 클수록 원점에서 멀리 떨어진다.

TIP

$y = \dfrac{a}{x}$ $(a \neq 0)$의 그래프를 그릴 때, x, y의 값이 모두 정수가 되는 점을 구하여 좌표평면에 나타낸 후 점들을 매끄러운 곡선으로 연결한다.

01

식 $y=ax$를 그래프로 나타내면 두 점 $(-6, 4)$, $(-4, b)$를 지날 때, $a+b$의 값은? (단, a는 상수)

① 1   ② 2   ③ 3
④ 4   ⑤ 5

02

좌표평면 위의 두 점 $\left(\dfrac{2}{5}, \dfrac{4}{3}\right)$, (p, q)가 원점을 지나는 한 직선 위의 점일 때, $10p-3q$의 값은?

① -2 ② -1 ③ 0
④ 1 ⑤ 2

03

오른쪽 그림과 같이 두 점 A, B가 각각 정비례 관계 $y=-x$, $y=\dfrac{2}{5}x$의 그래프 위의 점이고 두 점의 y좌표가 모두 4일 때, 삼각형 OAB의 넓이를 구하시오. (단, O는 원점이다.)

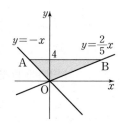

04

오른쪽 그림과 같이 두 점 A, B는 각각 정비례 관계 $y=3x$, $y=ax$의 그래프 위의 점이고 두 점 A, B의 x좌표는 3이다. 삼각형 OAB의 넓이가 $\dfrac{21}{2}$일 때, 상수 a의 값을 구하시오.
(단, $0<a<3$이고 O는 원점이다.)

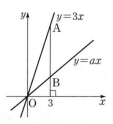

05

반비례 관계 $y = -\dfrac{24}{x}$ 의 그래프 위의 한 점 P에서 좌표축에 수선을 그어 x축, y축과 만나는 점을 각각 A, B라 할 때, 사각형 OBPA의 넓이를 구하시오. (단, O는 원점이다.)

07

오른쪽 그림은 반비례 관계 $y = \dfrac{a}{x}$ 의 그래프이다. 점 A의 좌표가 $(-2, 0)$ 이고, 그래프 위의 점 P에 대하여 직사각형 OAPB의 넓이가 16일 때, 상수 a의 값은?

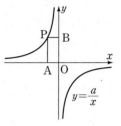

① -16 ② -8
③ -4 ④ 8
⑤ 16

06

오른쪽 그림은 $x > 0$일 때 반비례 관계 $y = \dfrac{a}{x}$ 의 그래프이다. 두 점 A, B의 x좌표의 차가 8일 때, 상수 a의 값을 구하시오.

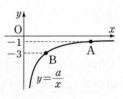

08

오른쪽 그림과 같이 정비례 관계 $y = \dfrac{3}{4}x$ 의 그래프와 반비례 관계 $y = \dfrac{a}{x}$ 의 그래프는 점 A에서 만난다. 점 A의 x좌표가 8일 때, 상수 a의 값은?

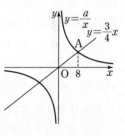

① 4   ② 8
③ 12   ④ 24
⑤ 48

09

어떤 복사기로 1분 동안 인쇄할 수 있는 용지가 250장이다. 이 복사기로 x분 동안 인쇄할 수 있는 용지의 수를 y라 할 때, 다음 물음에 답하시오.

(1) x와 y 사이의 관계를 식으로 나타내시오.

(2) 용지 2000장을 인쇄할 때 걸리는 시간을 구하시오.

10

정효가 집 근처 호수의 자전거 도로를 자전거를 타고 분속 400 m로 달리면 한 바퀴를 도는 데 5분이 걸린다고 한다. 분속 x m로 호수를 한 바퀴 도는 데 y분이 걸린다고 할 때, 다음 물음에 답하시오.

(1) x와 y 사이의 관계를 식으로 나타내시오.

(2) 정효가 속도를 높여 자전거를 타고 호수를 2바퀴 도는 데 8분이 걸렸다면 분속 몇 m로 달렸는지 구하시오.

11

청소년의 진로를 상담하는 어떤 센터에서는 하루에 12명의 선생님께서 학생을 각각 10명씩 상담한다. 선생님 x명이 학생을 각각 y명씩 상담해서 매일 같은 수의 학생을 상담한다고 할 때, 다음 물음에 답하시오.

(1) x와 y 사이의 관계를 식으로 나타내시오.

(2) 오늘 한 명의 선생님이 15명씩의 학생을 진로 상담하면 몇 명의 선생님이 있어야 하는지 구하시오.

12

자동차의 부품을 만드는 어느 회사는 작업 속도가 같은 기계 12대를 8시간 가동하여 하루의 주문량을 만들어낸다. 같은 주문량을 6시간 만에 만들어내려면 기계가 몇 대 더 필요한가?

① 1대   ② 2대   ③ 3대

④ 4대   ⑤ 5대

13

다음 그림은 마라톤 대회에 출전한 A, B 두 사람이 달린 시간 x분과 달린 거리 y km 사이의 관계를 나타낸 그래프이다. A, B가 동시에 출발하였을 때, 두 사람 사이의 거리가 2 km가 되는 데 걸리는 시간은?

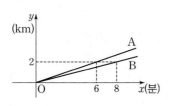

① 20분   ② 22분   ③ 24분
④ 26분   ⑤ 28분

14

집에서 3 km 떨어진 서점까지 형은 뛰어 가서 먼저 책을 고르고, 동생은 걸어서 가기로 했다. 다음 그림은 두 사람이 집에서 동시에 출발할 때, x분 후 이동한 거리 y m 사이의 관계를 나타낸 그래프이다. 형이 서점에 도착해서 몇 분 동안 책을 고르고 있으면 동생이 도착하는가?

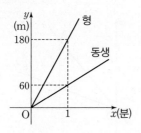

① 30분   ② $\dfrac{100}{3}$ 분   ③ $\dfrac{110}{3}$ 분
④ 40분   ⑤ $\dfrac{130}{3}$ 분

15

휘발유 2 L로 36 km를 달리는 자동차가 있다. 다음 그림은 이 자동차가 일정한 속력으로 달릴 때, 달린 시간 x분과 달린 거리 y km 사이의 관계를 나타낸 그래프이다. 물음에 답하시오.

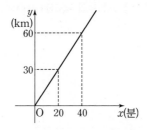

(1) x와 y 사이의 관계를 식으로 나타내시오.
(2) 이 차로 2시간 달렸을 때, 소비한 휘발유의 양을 구하시오.

16

자동차의 연비는 연료 1 L로 주행 가능한 거리를 나타낸다. 다음 그림은 연비가 1 L당 x km인 자동차가 일정한 거리를 가는 데 필요한 연료의 양을 y L라 할 때, x와 y 사이의 관계를 나타낸 그래프이다. 연비가 1 L당 18 km인 하이브리드 자동차가 240 km를 가는 데 필요한 연료의 양은?

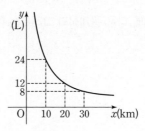

① 10 L   ② $\dfrac{35}{3}$ L   ③ 12 L
④ $\dfrac{40}{3}$ L   ⑤ 15 L

01

다음 그림과 같이 밑변의 길이가 40 cm이고 높이가 30 cm인 직각삼각형 ABC에서 점 P는 꼭짓점 A를 출발하여 선분 AC를 따라 매초 1.5 cm씩 꼭짓점 C까지 움직인다. 선분 AP의 길이를 x cm, 삼각형 ABP의 넓이를 y cm²라 할 때, 물음에 답하시오.

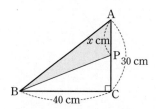

(1) x와 y 사이의 관계를 식으로 나타내시오.

(2) 점 P가 점 A를 출발한 지 몇 초 후에 삼각형 ABP의 넓이가 480 cm²가 되는지 구하시오.

02

$ab<0$, $b<a$일 때, 다음 관계식의 그래프는 어느 사분면을 지나는지 구하시오.

(1) $y=\dfrac{b}{a}x$

(2) $y=\dfrac{a-b}{x}$

03

다음 그림에서 정비례 관계 $y=ax$의 그래프가 삼각형 AOB의 넓이를 이등분할 때, 상수 a의 값은? (단, O는 원점이다.)

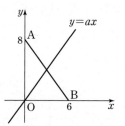

① $\dfrac{5}{8}$　　　② $\dfrac{2}{3}$　　　③ $\dfrac{5}{6}$

④ $\dfrac{4}{3}$　　　⑤ $\dfrac{5}{3}$

04

다음 그림과 같이 두 점 A, B는 각각 정비례 관계 $y=ax$, $y=\dfrac{3}{8}x$의 그래프 위의 점이고 두 점 A, B의 x좌표는 16이다. 삼각형 OAB의 넓이가 64일 때, 양수 a의 값은?
(단, O는 원점이다.)

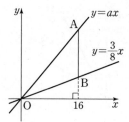

① $\dfrac{5}{9}$　　　② $\dfrac{5}{8}$　　　③ $\dfrac{7}{8}$

④ $\dfrac{10}{9}$　　　⑤ $\dfrac{9}{8}$

05

다음 그림에서 두 점 A, B와 두 점 C, D는 각각 정비례 관계의 그래프 위의 점이다. 점 O가 원점일 때, 삼각형 OCB의 넓이는?

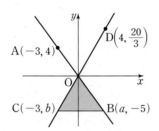

① $\dfrac{133}{8}$ ② $\dfrac{135}{8}$ ③ $\dfrac{133}{4}$

④ $\dfrac{135}{4}$ ⑤ $\dfrac{137}{4}$

06

다음 그림과 같이 두 점 A, D가 각각 정비례 관계 $y=-\dfrac{2}{3}x$, $y=\dfrac{1}{3}x$의 그래프 위에 있다. 직사각형 ABCD의 한 변인 선분 AD의 길이가 9일 때, 점 A의 좌표를 구하시오.

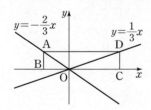

07

다음 그림에서 점 A의 좌표가 $(1, 0)$이고 정비례 관계 $y=ax$의 그래프가 정사각형 ABCD의 넓이를 이등분할 때, 상수 a의 값은?

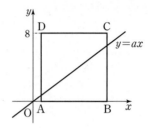

① $\dfrac{4}{5}$ ② $\dfrac{5}{6}$ ③ $\dfrac{7}{6}$

④ $\dfrac{6}{5}$ ⑤ $\dfrac{4}{3}$

08

다음 그림에서 두 점 A, C는 제1사분면 위의 점이고 각각 정비례 관계 $y=\dfrac{3}{2}x$, $y=\dfrac{2}{3}x$의 그래프 위의 점이다. 사각형 ABCD는 한 변의 길이가 1인 정사각형일 때, 점 D의 좌표를 구하시오. (단, 정사각형 ABCD의 모든 변은 각각 좌표축과 평행하다.)

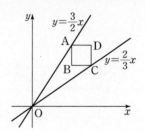

09

다음 그림과 같이 반비례 관계 $y=\dfrac{a}{x}$의 그래프가 점 $\left(8, \dfrac{15}{4}\right)$

를 지날 때, 이 그래프 위의 점 중에서 x좌표와 y좌표가 모두
정수인 점의 개수는? (단, a는 상수)

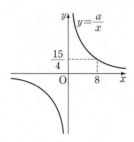

① 8   ② 10   ③ 12

④ 14   ⑤ 16

10

다음 그림과 같이 두 점 A, C가 반비례 관계 $y=\dfrac{a}{x}$의 그래프
위에 있다. 직사각형 ABCD의 넓이가 192일 때, 상수 a의 값
을 구하시오. (단, 직사각형 ABCD의 모든 변은 각각 좌표축
과 평행하다.)

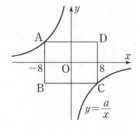

11

다음 그림과 같이 점 P가 반비례 관계 $y=\dfrac{a}{x}$의 그래프 위의 점
일 때, 사각형 OAPB의 넓이를 a에 대한 식으로 나타내시오.
(단, O는 원점이다.)

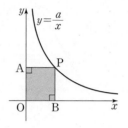

12

다음 그림과 같이 점 P가 반비례 관계 $y=\dfrac{a}{x}$의 그래프 위에 있
다. 점 Q의 좌표가 $(1, 2)$이고 직사각형 ACQP의 넓이가 2일
때, 상수 a의 값은?

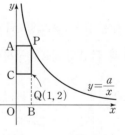

① 4   ② 5   ③ 6

④ 7   ⑤ 8

13

다음 그림과 같이 두 점 P, Q가 반비례 관계 $y=\dfrac{35}{x}$의 그래프 위에 있다. 직사각형 ABCP의 넓이가 28일 때, 직사각형 CDEQ의 넓이를 구하시오. (단, 직사각형 ABCP와 CDEQ의 모든 변은 각각 좌표축 위에 있거나 평행하다.)

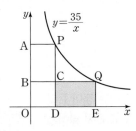

14

다음 그림에서 사각형 ABCD는 정사각형이고 꼭짓점 A는 정비례 관계 $y=\dfrac{5}{2}x$의 그래프 위에 있고, 꼭짓점 D는 반비례 관계 $y=\dfrac{a}{x}$의 그래프 위에 있다. 점 A의 y좌표가 5일 때, 상수 a의 값은?

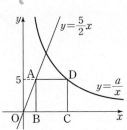

① 25   ② 30   ③ 35
④ 40   ⑤ 45

15

다음 그림과 같이 $y=ax$의 그래프와 $y=\dfrac{12}{x}$의 그래프는 점 A에서 만난다. 점 A에서 x축에 수직인 직선을 그어 x축과 만나는 점을 B라 하자. $y=ax$의 그래프 위의 점 C의 y좌표가 -3이고, 점 A의 y좌표가 2일 때, 삼각형 ABC의 넓이는?

(단, a는 상수)

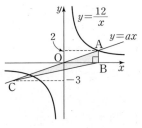

① 6   ② 9   ③ 12
④ 15   ⑤ 18

16

두 톱니바퀴 A, B가 맞물려 돌아가고 있다. 톱니가 24개인 톱니바퀴 A가 1번 회전할 때, 톱니가 x개인 톱니바퀴 B는 y번 회전한다. 다음 물음에 답하시오.

(1) x와 y 사이의 관계를 식으로 나타내시오.

(2) 톱니바퀴 A가 1번 회전하는 동안 톱니바퀴 B는 4번 회전한다고 할 때, 톱니바퀴 B의 톱니의 개수를 구하시오.

01

오른쪽 그림에서 점 P는 정비례 관계 $y=ax$의 그래프 위의 점이다. 두 점 A(0, 12), B(8, 0)에 대하여 삼각형 OAP와 삼각형 OBP의 넓이가 같을 때, 상수 a의 값을 구하시오. (단, O는 원점이다.)

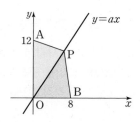

02

오른쪽 그림과 같이 오각형 OABCD의 변 CD와 정비례 관계 $y=ax$의 그래프가 만나는 점이 E이다. A(0, 9), B(2, 15), C(9, 9), D(9, 0)이고 삼각형 ODE의 넓이가 오각형 OABCD의 넓이의 $\frac{1}{3}$일 때, 상수 a의 값을 구하시오. (단, O는 원점이다.)

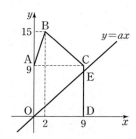

03

오른쪽 그림과 같이 정비례 관계 $y=ax$의 그래프가 두 점 A(0, 2), B(5, 0)을 연결한 선분 AB와 점 P에서 만난다. 삼각형 AOP와 삼각형 BOP의 넓이의 비가 2 : 3일 때, 상수 a의 값을 구하시오. (단, O는 원점이다.)

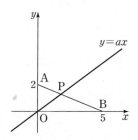

04

오른쪽 그림에서 네 점 A, B, C, D는 y축과 평행한 두 개의 직선이 정비례 관계 $y=-x$, $y=\frac{3}{2}x$의 그래프와 만나는 점이다. 두 점 A, B의 x좌표는 -2이고 두 점 C, D의 x좌표는 4일 때, 사각형 ABCD의 넓이를 구하시오.

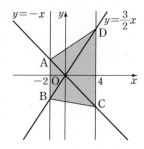

05

오른쪽 그림에서 사각형 ABCD는 한 변의 길이가 5인 정사각형이고 두 점 A, C는 각각 정비례 관계 $y=3x$, $y=ax$의 그래프 위에 있다. 점 A의 y좌표가 15일 때, 상수 a의 값을 구하시오.
(단, 정사각형 ABCD의 모든 변은 각각 좌표축과 평행하다.)

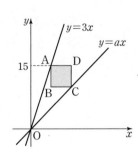

06

오른쪽 그림과 같이 두 점 A, C는 각각 정비례 관계 $y=4x$, $y=\dfrac{1}{2}x$의 그래프 위의 점이고 사각형 ABCD는 한 변의 길이가 7인 정사각형이다. 정비례 관계 $y=ax$의 그래프가 점 D를 지날 때, 상수 a의 값을 구하시오. (단, 정사각형 ABCD의 모든 변은 각각 좌표축과 평행하다.)

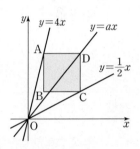

07

재은이와 유정이는 거리가 21 km인 하프 마라톤 대회에 참가하였다. 재은이는 분속 0.12 km, 유정이는 분속 0.15 km의 일정한 속력으로 결승점에 도착하였다. 재은이가 오후 12시 55분에 도착하였을 때, 유정이가 도착한 시각을 구하시오.

08

일정한 속력으로 달리는 기차가 길이가 1200 m인 터널에 진입해서 완전히 빠져나가는 데 50초가 걸리고, 길이가 3120 m인 터널에 진입해서 완전히 빠져나가는 데 110초가 걸린다고 한다. 이 기차가 x초 동안 y m 이동한다고 할 때, 다음 물음에 답하시오.

(1) x와 y 사이의 관계를 식으로 나타내시오.

(2) 이 기차가 1시간 동안 이동한 거리를 구하시오.

01

x좌표와 y좌표가 모두 정수인 제2사분면 위의 점 A에 대하여 점 B의 좌표는 점 A 좌표와 x좌표의 절댓값은 같고 부호는 다르며 y좌표는 같다. 점 C의 좌표는 점 A 좌표와 x좌표는 같지만 y좌표의 절댓값은 같고 부호는 다르다. 삼각형 ABC의 넓이가 10이고 정비례 관계 $y=ax$의 그래프가 삼각형 ABC의 넓이를 이등분할 때, 가능한 상수 a의 값을 모두 구하시오.

02

오른쪽 그림과 같이 정비례 관계 $y=-2x$의 그래프 위의 점 A의 x좌표는 -2이고 정비례 관계 $y=\dfrac{1}{3}x$의 그래프 위의 점 B의 x좌표는 3일 때, 삼각형 OAB의 넓이를 구하시오.

(단, O는 원점이다.)

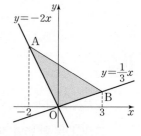

03

오른쪽 그림과 같이 정비례 관계 $y=ax$의 그래프가 직사각형 ABCD와 만나는 두 점이 E, F이다. 정비례 관계 $y=ax$의 그래프가 지나면서 만들어진 두 개의 사다리꼴 중 사다리꼴 AEFD의 넓이가 직사각형 ABCD의 넓이의 $\dfrac{1}{3}$일 때, 상수 a의 값을 구하시오.

(단, 직사각형 ABCD의 모든 변은 각각 좌표축과 평행하다.)

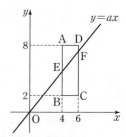

04

오른쪽 그림과 같은 반비례 관계 $y=\dfrac{5}{x}\,(x>0)$의 그래프 위의 두 점 A, B에 대하여 점 B의 x좌표가 점 A의 x좌표의 3배일 때, 삼각형 OAB의 넓이를 구하시오. (단, O는 원점이다.)

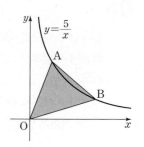

05

오른쪽 그림에서 점 A, B는 반비례 관계 $y=\dfrac{a}{x}$의 그래프 위의 점이다. 점 A, B의 x좌표는 각각 1, 3이고 삼각형 OAB의 넓이가 12일 때, 상수 a의 값을 구하시오. (단, O는 원점이다.)

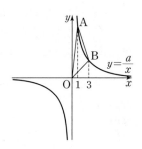

06

오른쪽 그림과 같이 제1사분면의 점 A$(1, 2)$에서 x축, y축에 각각 평행한 직선을 그어 반비례 관계 $y=\dfrac{a}{x}$의 그래프와 만나는 두 점을 각각 B, C라 하자. 변 AB와 변 AC의 길이의 합이 9일 때, 삼각형 ABC의 넓이를 구하시오. (단, a는 상수)

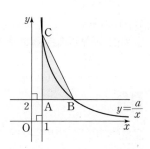

07

오른쪽 그림과 같이 정비례 관계 $y=ax$의 그래프와 반비례 관계 $y=\dfrac{b}{x}$의 그래프가 두 점 A, P에서 만나고 사각형 ABCD는 정사각형이며 변 BC는 x축 위에 있다. 점 P의 좌표가 $(-2, -3)$일 때, 정사각형의 한 변 CD와 반비례 관계 $y=\dfrac{b}{x}$의 그래프가 만나는 점 E의 좌표를 구하시오.

(단, a, b는 상수)

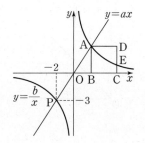

08

제작 주문한 가구를 만드는 가구점에서 특별 주문을 받은 목제 장식장을 공방의 직원인 A, B 두 사람이 만드는 데 각자 혼자 장식장을 만들면 각각 8일, 12일이 걸린다. 처음에 직원 A가 혼자 3일 동안 장식장을 만들고 그 다음에 직원 B가 함께 나머지 장식장을 만들어 완성하였다. 장식장을 만드는 전체 일의 양을 1이라 하고 직원 A, B가 함께 일한 기간을 x일, 그 기간 동안 한 일의 양을 y라 할 때, 다음 물음에 답하시오.

(1) x와 y 사이의 관계를 식으로 나타내시오.

(2) 직원 A, B가 함께 일한 기간을 구하시오.

01

서로 다른 양수 a, b에 대하여 세 점 A$(5, a)$, B$(2, 0)$, C$(-1, b)$가 좌표평면 위에 있다. 세 점으로 만들어지는 삼각형 ABC의 넓이를 a, b를 이용하여 나타내시오.

02

두 수 a, b에 대하여 $\dfrac{a}{b}<0$, $a<b$일 때, 점 $(-ab, b-a)$는 어느 사분면 위의 점인가?

① 제1사분면   ② 제2사분면
③ 제3사분면   ④ 제4사분면
⑤ 어느 사분면에도 속하지 않는다.

03

오른쪽 그림과 같이 두 개의 원기둥이 겹쳐진 모양의 물병에 물을 일정하게 넣을 때, 시간 x와 물의 높이 y 사이의 관계를 나타낸 그래프로 가장 적당한 것은?

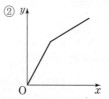

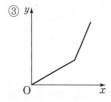

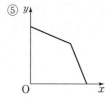

04

오른쪽 그림은 같은 지점을 출발하여 목적지가 같은 민수, 정민이 두 사람이 달린 시간에 따른 이동 거리를 나타낸 그래프이다. 민수가 먼저 출발한 후 정민이가 출발한다고 할 때, 정민이는 민수가 출발한 지 a초 후에 출발하였고, 정민이가 민수를 처음으로 만나는 시간은 정민이가 출발한 지 b초 후이다. 이때 $a-b$의 값은?

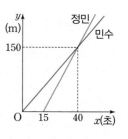

① -25 ② -20 ③ -15
④ -10 ⑤ -5

05

부피가 180 L인 물탱크에 A, B 두 개의 호스를 이용하여 물을 채운다. 처음 15분은 A 호스만을 이용하여 물을 넣고 그 후에는 A, B 두 호스를 모두 이용하여 물을 넣었다. 오른쪽 그림은 물을 넣기 시작한 x분 후의 물탱크 안의 물의 양 y L 사이의 관계를 나타낸 그래프이다. B 호스만을 사용하여 빈 물탱크를 가득 채울 때 걸리는 시간은?

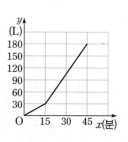

① 55분   ② 60분   ③ 65분
④ 70분   ⑤ 75분

06

반비례 관계 $y=\dfrac{a}{x}$ (단, $a\neq0$)의 그래프가 점 $(4,\ -3)$을 지날 때, 이 그래프 위에 있는 점 중에서 x좌표와 y좌표가 모두 정수인 점의 개수는? (단, a는 상수)

① 6개   ② 8개   ③ 10개
④ 12개   ⑤ 14개

07

오른쪽 그림과 같이 두 점 B, D가 반비례 관계 $y=\dfrac{a}{x}$의 그래프 위에 있고, 두 점 A, B의 x좌표는 -6, 두 점 C, D의 x좌표는 2이다. 직사각형 ABCD의 넓이가 96일 때, 상수 a의 값을 구하시오. (단, $a\neq0$)

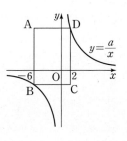

08

학교 담장을 예쁘게 꾸미는 그림을 그리는데 60명이 12일 동안 일을 해야 끝낼 수 있는데, 그림을 그리는 사람의 수를 늘려 더 짧은 기간 안에 담장을 꾸미려고 한다. 전체 일을 끝내는 데 x일, 그때 필요한 사람의 수가 y명이라 할 때, 이 일을 8일 만에 끝내려면 몇 명이 더 필요한가?

(단, 사람들이 하루에 모두 같은 양의 그림을 그린다.)

① 30명   ② 35명   ③ 40명
④ 45명   ⑤ 50명

09

오른쪽 그림과 같이 세 점 A, B, C가 각각 $y=ax$, $y=\dfrac{b}{x}$, $y=\dfrac{1}{3}x$ 의 그래프 위에 있다. 사각형 ABCD는 한 변의 길이가 5이고 네 변이 x축 또는 y축에 평행한 정사각형이다. 점 C의 x좌표가 9일 때, 상수 a, b의 값을 각각 구하시오.

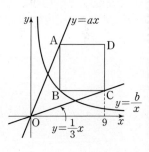

중학 국어 어휘

중학 국어 학습에 반드시 필요하고
자주 나오는 개념어, 주제어, 관용 표현 선정 수록

어휘가 바로 독해의 열쇠!
성적에 직결되는 어휘력, 갈수록 어려워지는 국어는
이 책으로 한 방에 해결!!!

어려운 문학 용어, 속담과 한자성어 등
관용 표현을 만화와 삽화로 설명하여
쉽고 재미있게 읽을 수 있는 구성

중학생이 꼭 알아야 할 지문 속 어휘의 뜻,
지문에 대한 이해를 묻는 문제 풀이로
어휘력, 독해력을 함께 키우는 30강 단기 완성!

중학도 역시 EBS

정답과 풀이

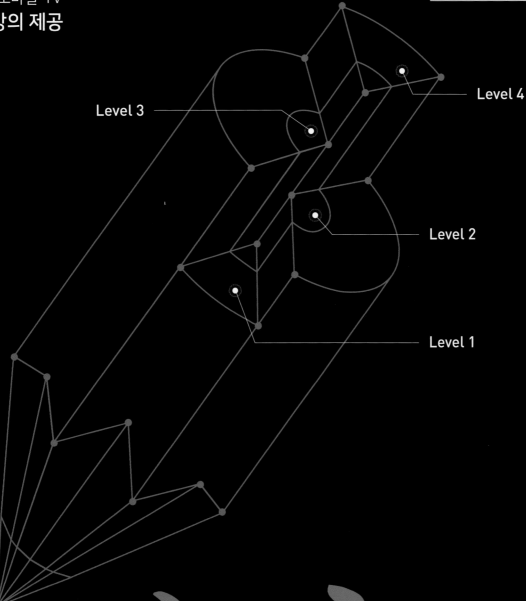

Level 3

Level 4

Level 2

Level 1

뉴런 고난도

심화·고난도 수학으로 상위권 도약!

수학 1(상)

고난도 대표유형 · 핵심개념 ＋ Level별 문항 구성 ＋ 정답과 풀이

뉴런 고난도
수학 1(상)

정답과 풀이

정답과 풀이

I. 소인수분해

1 소인수분해

Level ①
본문 6~9쪽

01 ③　**02** 7^5톨　**03** ④　**04** ④　**05** ①　**06** 12　**07** ③

08 ⑤　**09** ③　**10** ③, ⑤　**11** ⑤　**12** 4개　**13** ⑤　**14** ②

15 ③　**16** ④

---

01 ① $3^3=3\times3\times3=27$

② $7\times7\times7=7^3$

④ $a+a+a+a+a=5\times a$

⑤ $\dfrac{2}{5}\times\dfrac{2}{5}\times\dfrac{2}{5}\times\dfrac{2}{5}=\left(\dfrac{2}{5}\right)^4$

따라서 옳은 것은 ③이다.

02 집: 7채

고양이: $7\times7=7^2$ (마리)

쥐: $7\times7\times7=7^3$ (마리)

보리 이삭: $7\times7\times7\times7=7^4$ (개)

보리알: $7\times7\times7\times7\times7=7^5$ (톨)

따라서 보리알의 수를 거듭제곱을 사용하여 나타내면 7^5톨이다.

03 약수가 2개인 수는 소수이다.

따라서 50 이하의 소수는

2, 3, 5, 7, 11, 13, 17, 19, 23, 29, 31, 37, 41, 43, 47

이므로 모두 15개이다.

04 ① 가장 작은 소수는 2이다.

② 짝수 2는 소수이다.

③ 두 소수 2와 3의 곱은 짝수이다.

④ 13의 배수 중 소수는 13 하나뿐이다.

⑤ 자연수는 1과 소수, 합성수로 이루어져 있다.

따라서 옳은 것은 ④이다.

> **함정 피하기**
> 소수 2를 제외한 모든 짝수는 소수가 아니다.

05 ① $16=2^4$

따라서 옳지 않은 것은 ①이다.

> **실수하기 쉬운 부분 짚어보기**
> 소인수분해는 소인수들만의 곱으로 나타내야 한다.

06
```
2 ) 378
3 ) 189
3 )  63
3 )  21
       7
```

$378=2\times3^3\times7$이므로 378의 소인수는 2, 3, 7이다.

따라서 378의 모든 소인수의 합은

$2+3+7=12$

07 $30\times60=1800$이고 $1800=2^3\times3^2\times5^2$이므로

$30\times60=2^3\times3^2\times5^2$

따라서 $a=3$, $b=2$, $c=2$이므로

$a+b+c=3+2+2=7$

08 $294=2\times3\times7^2$이고 294에 자연수를 곱한 수가 어떤 자연수의 제곱이 되려면 소인수의 지수가 모두 짝수가 되어야 한다.

따라서 곱할 수 있는 가장 작은 자연수는

$2\times3=6$

> **실수하기 쉬운 부분 짚어보기**
> 주어진 수를 소인수분해한 후 지수가 홀수인 소인수를 찾아 지수가 짝수가 되도록 적당한 수를 곱한다.

09 $360=2^3\times3^2\times5$이고 $360\div a=b^2$에서 $360\div a$가 어떤 자연수의 제곱이 되려면 소인수의 지수가 모두 짝수가 되어야 한다.

따라서 a가 될 수 있는 가장 작은 자연수는 $2\times5=10$이다.

$360\div10=b^2$, $36=b^2$, $6^2=b^2$

이므로 자연수 $b=6$이다.

∴ $a-b=10-6=4$

10 $216=2^3\times3^3$이므로

$2^3\times3^3\times x$가 어떤 자연수의 제곱이 되려면

$x=2\times3\times($자연수$)^2$

따라서 x의 값이 될 수 있는 수는
$2×3×1^2$, $2×3×2^2$, $2×3×3^2$, $2×3×4^2$, $\cdots$
이므로 x의 값이 될 수 있는 것은 ③, ⑤이다.

11 180을 소인수분해하면 $2^2×3^2×5$이므로 180의 약수는 2^2, 3^2, 5의 약수의 곱의 꼴로 나타낼 수 있다.
따라서 180의 약수가 아닌 것은 ⑤이다.

12 392를 소인수분해하면 $2^3×7^2$이므로 392의 약수는 2^3, 7^2의 약수의 곱의 꼴로 나타낼 수 있다.
따라서 392의 약수 중에서 어떤 자연수의 제곱이 되는 수는 1, 2^2, 7^2, $2^2×7^2$, 즉 1, 4, 49, 196이므로 모두 4개이다.

> **함정 피하기**
> 주어진 수를 소인수분해한 후 소인수들의 곱에서 제곱인 수를 찾는다.

13 각각의 약수의 개수는
① $(2+1)×(3+1)=12$
② $(5+1)×(1+1)=12$
③ $11+1=12$
④ $(2+1)×(1+1)×(1+1)=12$
⑤ $(4+1)×(3+1)=20$
따라서 약수의 개수가 나머지 넷과 다른 하나는 ⑤이다.

14 $2^3×5^a$의 약수의 개수는 $(3+1)×(a+1)$이고
$48=4×12=(3+1)×(11+1)$이므로
$a+1=11+1$
$\therefore a=11$

15 ① $3^5×3=3^6$이므로 약수의 개수는
$6+1=7$
② $3^5×6=2×3^6$이므로 약수의 개수는
$(1+1)×(6+1)=14$
③ $3^5×8=2^3×3^5$이므로 약수의 개수는
$(3+1)×(5+1)=4×6=24$
④ $3^5×25=3^5×5^2$이므로 약수의 개수는
$(5+1)×(2+1)=18$
⑤ $3^5×27=3^8$이므로 약수의 개수는
$8+1=9$
따라서 □ 안에 들어갈 수 있는 수는 ③이다.

16 약수의 개수가 3인 자연수는 소수의 제곱인 수이다.
따라서 100 이하의 자연수 중 소수의 제곱인 수는
2^2, 3^2, 5^2, 7^2의 4개이다.

> **함정 피하기**
> 약수의 개수가 3인 자연수는 소수의 제곱인 수이다.

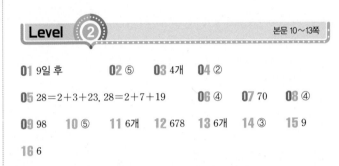

Level 2 본문 10~13쪽

01 9일 후   **02** ⑤   **03** 4개   **04** ②

05 $28=2+3+23$, $28=2+7+19$ **06** ④   **07** 70   **08** ④

09 98   **10** ⑤   **11** 6개   **12** 678   **13** 6개   **14** ③   **15** 9

16 6

01 세포는 1일, 2일, 3일, $\cdots$ 후에는 2개, 2^2개, 2^3개, $\cdots$로 나누어진다. $512=2^9$이므로 세포 1개가 512개로 나누어지는 것은 9일 후이다.

02 $32=2^5$, $343=7^3$이므로
$32×343=2^5×7^3$
따라서 $a=5$, $b=3$이므로
$a×b=5×3=15$

03 소수를 작은 것부터 나열하면
2, 3, 5, 7, 11, 13, 17, 19, $\cdots$
자연수 a보다 작거나 같은 소수가 6개인 자연수 a는 13보다 크거나 같고 17보다 작다.
따라서 자연수 a가 될 수 있는 수는 13, 14, 15, 16이므로 모두 4개이다.

04 자연수 n의 약수의 합이 $n+1$이므로 n의 약수는 1, n이고 약수가 1과 n의 2개이므로 n은 소수이다.
따라서 n은 10보다 크고 50보다 작은 소수이므로 n이 될 수 있는 수는 11, 13, 17, 19, 23, 29, 31, 37, 41, 43, 47이다.
따라서 두 번째로 큰 수는 43이다.

> **함정 피하기**
> 1을 제외한 모든 자연수 n은 1, n을 약수로 가진다.

05 서로 다른 세 홀수인 소수의 합은 홀수이므로 짝수인 28을 세 소수의 합으로 나타내려면 반드시 짝수인 소수 2가 포함된다.
따라서 자연수 28을 서로 다른 세 소수의 합으로 나타내는 방법은
$28=2+3+23$,
$28=2+7+19$
이다.

06 각 자리의 숫자의 합이 7인 두 자리의 자연수는
$16, 25, 34, 43, 52, 61$
이고, 이 중에서 소수는 43, 61이다.
따라서 두 수의 합은
$43+61=104$

07 10보다 작은 소수는 2, 3, 5, 7이고
$5=2+3=3+2$, $7=2+5=5+2$이므로
$A=5\times3\times2=30$ 또는 $A=7\times5\times2=70$
그런데 A는 50보다 큰 자연수이므로 $A=70$이다.

> **실수하기 쉬운 부분 짚어보기**
> B, D, E는 10보다 작은 소수이므로 2, 3, 5, 7 중에서 $B=D+E$를 만족시키는 수를 찾는다.

08 1 이상 10 미만의 자연수를 모두 곱하면
$1\times2\times3\times4\times5\times6\times7\times8\times9=2^7\times3^4\times5\times7$
따라서 $a=7$, $b=4$, $c=1$이므로
$a-b+c=7-4+1=4$

09 합이 9인 두 소수는 2와 7이므로 구하는 수는
$2^m\times7^n$ (m, n은 자연수) 꼴이다.
이때 두 자리의 자연수는
$2\times7=14$,
$2^2\times7=28$,
$2^3\times7=56$,
$2\times7^2=98$
따라서 조건을 만족시키는 가장 큰 수는 98이다.

10 $4=2^2$, $6=2\times3$, $8=2^3$, $9=3^2$이고 1부터 9까지의 자연수를 모두 약수로 가지는 가장 작은 수를 찾아야 하므로 같은 소인수의 곱에서 지수가 큰 것만을 선택하여 곱하면
$2^3\times3^2\times5\times7=2520$

11 1부터 25까지의 자연수를 모두 곱하여 만든 수에서 소인수 5는 5, 10, 15, 20에 각각 한 번, 25에 두 번으로 모두 6번 곱해져 있다.
그리고 1부터 25까지 짝수는 모두 12개이므로 1부터 25까지의 자연수를 모두 곱하여 만든 수는 $2\times5=10$이 6번 곱해져 있다.
따라서 1부터 25까지의 자연수를 모두 곱하여 만든 수는 맨 뒤에 연속되는 0이 모두 6개가 나타난다.

> **함정 피하기**
> 1부터 25까지의 자연수를 모두 곱하여 만든 수가 10이 몇 번 곱해져 있는지 확인한다.

12 $2\times3^3\times5^2$의 약수는 2, 3^3, 5^2의 약수의 곱으로 만들어지므로
$2\times3^3\times5^2$의 약수를 작은 순서대로 나열하면
1, 2, 3, 5, 2×3, …이므로 세 번째로 작은 수는 3이다. 즉,
$a=3$
$2\times3^3\times5^2$의 약수를 큰 순서대로 나열하면
$2\times3^3\times5^2$, $3^3\times5^2$, $2\times3^2\times5^2$, …이므로 두 번째로 큰 수는
$3^3\times5^2=675$이다. 즉,
$b=675$
$\therefore a+b=3+675=678$

13 $2016=2^5\times3^2\times7$
$=2^4\times3^2\times2\times7$
$=144\times2\times7$
$=12^2\times2\times7$
이므로 약수 중 제곱이 되는 수는 $12=2^2\times3$의 약수의 제곱이다.
따라서 2016의 약수 중에서 자연수의 제곱이 되는 수의 개수는 12의 약수의 개수와 같으므로
$(2+1)\times(1+1)=6$(개)

14 $2^4\times3^2\times5^3\times7$의 약수 중 홀수인 것은 $3^2\times5^3\times7$의 약수와 같다. 따라서 구하는 홀수의 개수는
$(2+1)\times(3+1)\times(1+1)=24$(개)

15 $2^2\times\square$의 약수의 개수가 9개이고,
$9=8+1$ 또는 $9=(2+1)\times(2+1)$이므로
(i) 약수의 개수가 $9=8+1$일 때
$2^2\times\square=2^8$에서
$\square=2^6$

(ii) 약수의 개수가 $9=(2+1)\times(2+1)$일 때
$2^2\times\boxed{}=2^2\times(2\ \text{이외의 소수})^2$에서
$\boxed{}=3^2,\ 5^2,\ 7^2,\ \cdots$
(i), (ii)에 의하여 $\boxed{}$ 안에 들어갈 수 있는 가장 작은 자연수는
$3^2=9$이다.

16 $360=2^3\times3^2\times5$이므로
$[360]=(3+1)\times(2+1)\times(1+1)=24$
따라서 $[n]\times24=96$, $[n]\times24=4\times24$에서 $[n]=4$이므로
약수의 개수가 4인 자연수는
$2^3,\ 2\times3,\ 3\times5,\ \cdots$
그런데 $2^3>2\times3$이므로 구하는 가장 작은 자연수 n은
$2\times3=6$이다.

Level 3 본문 14~15쪽

01 1   **02** 71과 73   **03** ②   **04** ③   **05** 102

06 16개   **07** 48

---

01 3, $3^2=9$, $3^3=27$, $3^4=81$, $3^5=243$, $\cdots$
이므로 3의 거듭제곱의 일의 자리의 숫자는 3, 9, 7, 1의 순서로
반복된다.
지수 28은 4로 나누면 나누어떨어지므로 3^{28}의 일의 자리의 숫
자는 3^4의 일의 자리의 숫자와 같은 1이다.

02 100보다 작은 쌍둥이 소수는 다음과 같다.
3과 5, 5와 7, 11과 13, 17과 19, 29와 31, 41과 43, 59와 61,
71과 73
따라서 100보다 작은 소수 중 가장 큰 쌍둥이 소수는 71과 73
이다.

03 $105=3\times5\times7$이고, 가로, 세로, 높이의 순서로 칼질을 한다고
하자. 가로를 3등분하기 위해 칼질 2번, 세로로 5등분하기 위해

칼질을 4번, 높이를 7등분하기 위해 칼질을 6번을 하면 105조각
이 만들어지므로 칼질의 최소 횟수는
$2+4+6=12(회)$

04 $\ll x\gg=3$이므로
$x=2^3\times k$ (k는 2의 배수가 아닌 자연수)
라고 하자.
이때 x가 100 이하의 자연수이므로
$k=1,\ 3,\ 5,\ 7,\ 9,\ 11$
따라서 구하는 자연수 x는 8, 24, 40, 56, 72, 88의 6개이다.

05 소수는 2, 3, 5, 7, 11, $\cdots$이므로 이 중에서 서로 다른 세 소수
의 합이 12가 되는 수를 찾으면 다음과 같다.
(i) 서로 다른 세 소수가 2, 3, 7일 때
$2+3+7=12$이므로
$n=2\times3\times7=42$
(ii) 서로 다른 세 소수가 2, 3, 5일 때
$2+2+3+5=12$이므로
$n=2^2\times3\times5=60$
(i), (ii)에서 $f(n)=12$를 만족시키는 모든 n의 값의 합은
$42+60=102$

06 $abab0$을 소인수분해하면
$abab0=ab\times1010=ab\times2\times5\times101$
이때 ab, 2, 5, 101은 모두 소수이므로 $abab0$의 약수의 개수는
$(1+1)\times(1+1)\times(1+1)\times(1+1)=16(개)$

07 $324=2^2\times3^4$에서
$n(324)=(2+1)\times(4+1)=15$
$81=3^4$에서
$n(81)=4+1=5$
따라서 $n(324)\times n(81)\times n(x)=750$에서
$15\times5\times n(x)=750$
$\therefore n(x)=10$
그런데 $10=10\times1=5\times2$이므로 10개의 약수를 갖는 가장 작
은 자연수는 $x=2^9$ 또는 $x=2^4\times3$ 중 작은 수이다.
따라서 가장 작은 자연수 x는
$x=2^4\times3=48$

Level ④

본문 16~17쪽

01 5   **02** 38   **03** 2개   **04** 450   **05** 40번   **06** 6개

07 3377   **08** 10개

---

01 **풀이전략** 2의 거듭제곱, 3의 거듭제곱, 6의 거듭제곱 꼴의 수들의 일의 자리의 숫자의 규칙을 알아본다.

$2^1=2$, $2^2=4$, $2^3=8$, $2^4=16$, $2^5=32$, $\cdots$이므로

2의 거듭제곱 꼴의 수들은 일의 자리의 숫자가 2, 4, 8, 6이 반복된다.

즉, $99=4\times24+3$이므로 2^{99}의 일의 자리의 숫자는 8이다.

$3^1=3$, $3^2=9$, $3^3=27$, $3^4=81$, $3^5=243$, $\cdots$이므로

3의 거듭제곱 꼴의 수들은 일의 자리의 숫자가 3, 9, 7, 1이 반복된다.

즉, $100=4\times25$이므로 3^{100}의 일의 자리의 숫자는 1이다.

$6^1=6$, $6^2=36$, $6^3=216$, $\cdots$이므로

6의 거듭제곱 꼴의 수들은 일의 자리의 숫자가 모두 6이다.

즉, 6^{197}의 일의 자리의 숫자는 6이다.

따라서 $2^{99}+3^{100}+6^{197}$의 일의 자리의 숫자는

$8+1+6=15$의 일의 자리의 숫자와 같으므로 5이다.

02 **풀이전략** $n=p\times q$ (p, q는 서로 다른 소수)의 모든 약수를 구한다.

서로 다른 두 소수 p, q에 대하여 $n=p\times q$이므로

n의 모든 약수는 1, p, q, n이다.

n의 모든 약수의 합 $1+p+q+n$은 $n+22$와 같으므로

$1+p+q+n=n+22$

$1+p+q=22$

$\therefore p+q=21$

이때 합이 21인 두 소수는 2, 19이므로

$n=2\times19=38$

03 **풀이전략** (홀수)=(짝수)+(홀수)이고 소수 중 짝수인 것은 2뿐이다.

$102=5+97$, $104=3+101$, $106=5+101$과 같이 두 소수의 합으로 나타낼 수 있다.

(홀수)=(짝수)+(홀수)이므로 101, 103, 105, 107과 같이 홀수를 두 수의 합으로 나타내려면 한 수는 반드시 짝수이어야 한다. 그런데 짝수인 소수는 2뿐이므로 2와 다른 소수의 합으로 나타낼 수 있어야 한다.

$101=2+99$, $103=2+101$,

$105=2+103$, $107=2+105$

이때 $101=2+99$, $107=2+105$에서 99와 105는 소수가 아니므로 서로 다른 두 소수의 합으로 나타낼 수 없다.

따라서 서로 다른 두 소수의 합으로 나타낼 수 없는 수는 모두 2개이다.

04 **풀이전략** 먼저 조건 ㈎, 조건 ㈏를 이용하여 N의 소인수를 구한다.

조건 ㈎에서 N은 $90=2\times3^2\times5$의 배수이고

조건 ㈏에서 N의 소인수가 3개이므로 $N=2^a\times3^b\times5^c$으로 놓을 수 있다.

조건 ㈐에서 N의 약수가 18개이므로

$(a+1)\times(b+1)\times(c+1)=18$

한편 조건 ㈎, ㈏에서 b는 2보다 크거나 같아야 하므로 약수의 개수는

$3\times3\times2=18$ 또는 $2\times3\times3=18$

(i) 약수의 개수가 $3\times3\times2=18$일 때

　$a+1=3$, $b+1=3$, $c+1=2$

　$\therefore a=2$, $b=2$, $c=1$

　이때 $N=2^2\times3^2\times5=180$

(ii) 약수의 개수가 $2\times3\times3=18$일 때

　$a+1=2$, $b+1=3$, $c+1=3$

　$\therefore a=1$, $b=2$, $c=2$

　이때 $N=2\times3^2\times5^2=450$

(i), (ii)에서 만족시키는 자연수 N 중 가장 큰 수는 450이다.

함정 피하기

자연수 N은 90으로 나누어떨어진다. 즉, N은 $90=2\times3^2\times5$의 배수이므로 소인수 2, 3, 5를 가진다.

05 **풀이전략** n번째 가로줄은 1부터 시작하여 n씩 커지고 있다.

가로줄에 있는 수를 배열하는 규칙을 살펴보면

첫 번째 줄은 1부터 시작하여 1씩 커지고,

두 번째 줄은 1부터 시작하여 2씩 커지고,

세 번째 줄은 1부터 시작하여 3씩 커진다.

따라서 n번째 줄은 1부터 시작하여 n씩 커지므로 n번째 줄의 2번째 이후의 수는 (n의 배수+1)을 배열한 것이다.

4753이 (n의 배수+1)의 꼴로 나타내어지려면

$4753-1=4752$가 n의 배수이어야 하고 이것을 만족시키는 n의 값의 개수는 4752의 약수의 개수와 같다.

$4752=2^4\times3^3\times11$이므로 약수의 개수는

$(4+1)\times(3+1)\times(1+1)=5\times4\times2=40$

따라서 4753은 40번 나타난다.

06 풀이전략 874의 배수는 874의 소인수를 소인수로 가진다.

874의 배수 중에서 약수의 개수가 874개인 자연수를 N이라 하자.

이때 $874=2\times19\times23$이고 N은 874의 배수이므로 N은 2, 19, 23을 소인수로 가진다.

그런데 N의 약수의 개수는 874개이고

$874=2\times19\times23=(1+1)\times(18+1)\times(22+1)$이므로

$N=2^p\times19^q\times23^r$ 꼴이고 가능한 p, q, r의 값은 1, 18, 22 중 서로 다른 값이므로 다음 표와 같다.

p	1	1	18	18	22	22
q	18	22	1	22	1	18
r	22	18	22	1	18	1

따라서 874의 배수 중에서 약수의 개수가 874개가 되는 자연수 N은 모두 6개이다.

07 풀이전략 주어진 조건을 이용하여 일의 자리 수를 먼저 구한다.

10보다 작은 모든 소수의 합은 $2+3+5+7=17$이므로

구하는 네 자리의 자연수는 $2\times3\times5\times7\times n+17$

즉, $210\times n+17$ (n은 자연수)이다.

$210\times n+17$의 일의 자리 수가 7이므로 구하는 네 자리의 자연수는 □□77과 같은 모양이다.

이때 □□77은 네 자리의 수이고 십의 자리 수가 7이므로

n은 6, 16, 26, 36, 46이 가능하다.

$n=6$일 때, $210\times6+17=1277$

$n=16$일 때, $210\times16+17=3377$

$n=26$일 때, $210\times26+17=5477$

$n=36$일 때, $210\times36+17=7577$

$n=46$일 때, $210\times46+17=9677$

에서 구하는 수는 천의 자리 수와 백의 자리 수가 같으므로 네 자리의 자연수는 3377이다.

08 풀이전략 사물함의 번호와 번호의 약수의 개수 사이의 관계를 찾는다.

사물함이 열려 있기 위해서는 사물함의 번호의 약수의 개수가 홀수 개이어야 한다.

예를 들면 사물함이 닫힌 것을 ×, 사물함이 열린 것을 ○라고 하면

8번 학생의 경우 8의 약수의 사물함은

1번: ○   2번: ×   4번: ○   8번: ×

8번 학생이 움직인 이후에는 8번 사물함은 변함이 없다.

그런데 25번 학생의 경우 25의 약수의 사물함은

1번: ○   5번: ×   25번: ○

25번 학생이 움직인 이후에는 25번 사물함은 변함이 없다.

즉, 모든 번호의 학생이 움직인 후 사물함이 열린 상태로 있기 위해서는 번호의 약수의 개수가 홀수 개이어야 하고 약수의 개수가 홀수 개이려면 자연수의 제곱수이어야 한다.

따라서 1부터 100까지의 자연수 중에서 제곱수는

1^2, 2^2, 3^2, $\cdots$, 10^2

이므로 열린 상태의 사물함은 모두 10개이다.

실수하기 쉬운 부분 짚어보기

n번 학생이 사물함을 열린 것은 닫고 닫힌 것은 열고 난 이후 n번 사물함의 상태는 변화가 없다.

2 최대공약수와 최소공배수

Level ①

본문 20~23쪽

01 ③ **02** ㄴ, ㄹ, ㅁ **03** ① **04** ⑤ **05** 8개 **06** ⑤

07 ① **08** ② **09** ⑤ **10** ④ **11** ④ **12** 8개 **13** ②

14 30 **15** 72 cm **16** 123

---

01 두 수의 공약수는 두 수의 최대공약수의 약수와 같다. 최대공약수가 32이므로 두 수의 공약수는 32의 약수인
1, 2, 4, 8, 16, 32
따라서 공약수가 아닌 것은 ③이다.

02 두 수의 최대공약수를 각각 구하면
ㄱ. 3 ㄴ. 1 ㄷ. 13
ㄹ. 1 ㅁ. 1 ㅂ. 7
따라서 두 수가 서로소인 것은 ㄴ, ㄹ, ㅁ이다.

03 54를 소인수분해하면
$54 = 2 \times 3^3$
따라서 두 수 54, $2^3 \times 3 \times 5$의 최대공약수는
2×3

$$\begin{array}{r} 2 \times 3^3 \\ 2^3 \times 3 \times 5 \\ \hline 2 \times 3 \end{array}$$

04 $72 = 2^3 \times 3^2$,
$90 = 2 \times 3^2 \times 5$,
$108 = 2^2 \times 3^3$
이므로 세 수의 최대공약수는
2×3^2
세 수의 공약수는 최대공약수 2×3^2의 약수이므로 공약수는
1, 2, 3, 2×3, 3^2, 2×3^2
따라서 공약수가 아닌 것은 ⑤이다.

$$\begin{array}{r} 2^3 \times 3^2 \\ 2 \times 3^2 \times 5 \\ 2^2 \times 3^3 \\ \hline 2 \times 3^2 \end{array}$$

함정 피하기
세 수의 공약수는 세 수의 최대공약수의 약수와 같다.

05 A, B의 공배수는 최소공배수 24의 배수이므로 공배수 중 200 이하의 자연수는

$24 \times 1 = 24$, $24 \times 2 = 48$, $24 \times 3 = 72$,
$24 \times 4 = 96$, $24 \times 5 = 120$, $24 \times 6 = 144$,
$24 \times 7 = 168$, $24 \times 8 = 192$
의 8개이다.

함정 피하기
두 수의 공배수는 최소공배수의 배수와 같다.

06 두 수 $2^3 \times 7^2$, $2^2 \times 5 \times 7$의 최소공배수는
$2^3 \times 5 \times 7^2$
이다.

$$\begin{array}{r} 2^3 \quad\ \times 7^2 \\ 2^2 \times 5 \times 7 \\ \hline 2^3 \times 5 \times 7^2 \end{array}$$

07 $16 = 2^4$, $18 = 2 \times 3^2$이므로
세 수 16, 18, $2^3 \times 3$의 최소공배수는
$2^4 \times 3^2 = 144$
공배수는 최소공배수 144의 배수이다. 이때
$1000 = 144 \times 6 + 136$
이므로 1000 이하의 자연수 중 세 수의 공배수의 개수는 6개이다.

$$\begin{array}{r} 2^4 \\ 2 \times 3^2 \\ 2^3 \times 3 \\ \hline 2^4 \times 3^2 = 144 \end{array}$$

08 세 자연수 $3 \times x$, $2^2 \times x$, $6 \times x = 2 \times 3 \times x$의
최소공배수는 $2^2 \times 3 \times x$이다.
즉, $2^2 \times 3 \times x = 2^3 \times 3^2$이므로
$x = 2 \times 3$
따라서 세 자연수는 2×3^2, $2^3 \times 3$, $2^2 \times 3^2$이므로
최대공약수는
$2 \times 3 = 6$

$$\begin{array}{r} 3 \times x \\ 2^2 \quad\ \times x \\ 2 \times 3 \times x \\ \hline 2^2 \times 3 \times x \end{array}$$

$$\begin{array}{r} 2 \times 3^2 \\ 2^3 \times 3 \\ 2^2 \times 3^2 \\ \hline 2 \times 3 = 6 \end{array}$$

실수하기 쉬운 부분 짚어보기
$2 \times x$와 $3 \times x$의 최소공배수는 $2 \times 3 \times x$이다.

09 $14 = 2 \times 7$, $35 = 5 \times 7$이고,
최소공배수 $140 = 2^2 \times 5 \times 7$이므로 a의 값으로 가능한 수는
2^2, $2^2 \times 5$, $2^2 \times 7$, $2^2 \times 5 \times 7$
따라서 a의 값이 될 수 있는 수는 ⑤이다.

10 두 자연수 $2^a \times 3$, $2^3 \times 3^b \times 5$의 최대공약수가 $2^2 \times 3$이므로
$2^a = 2^2$ ∴ $a = 2$
두 자연수 $2^a \times 3$, $2^3 \times 3^b \times 5$의 최소공배수가 $2^3 \times 3^3 \times 5$이므로

$3^b=3^3$ $\therefore b=3$
$\therefore a+b=2+3=5$

11 20과 A의 최대공약수가 4이므로
$20=4\times5$, $A=4\times a$(단, 5와 a는 서로소)
4×5, $4\times a$의 최소공배수는 $4\times5\times a$이다.
즉, $4\times5\times a=180$, $20\times a=20\times9$, $a=9$
$\therefore A=4\times9=36$

다른 풀이
두 자연수의 곱은 최대공약수와 최소공배수의 곱과 같으므로
$20\times A=4\times180$
$\therefore A=36$

12 상자의 개수는 32, 40, 72의 최대공약수와 같다.
$$32=2^5$$
$$40=2^3\times5$$
$$72=2^3\times3^2$$
최대공약수: $2^3\qquad=8$
따라서 8개의 상자에 나누어 담을 수 있다.

13 정사각형 모양의 타일을 가능한
적게 사용하려면 타일의 크기가
커야 하므로 타일의 한 변의 길
이는 140, 210의 최대공약수인
$140=2^2\quad\times5\times7$
$210=2\times3\times5\times7$
최대공약수: $2\quad\times5\times7$
$2\times5\times7=70(cm)$
따라서 필요한 타일의 수는
가로 방향으로 $140\div70=2$
세로 방향으로 $210\div70=3$
이므로 $2\times3=6$이다.

14 두 분수 $\dfrac{150}{n}$, $\dfrac{180}{n}$을 자연수가 되도록 하는 자연수 n은 150, 180의 공약수이다.
이때 자연수 n의 값 중 가장 큰 수
는 150과 180의 최대공약수이다.
$150=2\times3\times5^2$
$180=2^2\times3^2\times5$
최대공약수: $2\times3\times5$
따라서 자연수 n의 값 중 가장 큰
수는
$2\times3\times5=30$

실수하기 쉬운 부분 짚어보기
두 분수가 자연수가 되려면 n은 두 분수의 분자의 공약수가 되어야 한다.

15 벽돌을 빈틈없이 쌓아서 가능한
작은 정육면체를 만들어야 하므로
정육면체의 한 모서리의 길이는
18, 12, 8의 최소공배수이다.
$18=2\times3^2$
$12=2^2\times3$
$8=2^3$
최소공배수: $2^3\times3^2=72$
따라서 정육면체의 한 모서리의 길이는 72 cm이다.

16 5, 6, 8 중 어느 것으로 나누어도 3이 남는 수는
(5, 6, 8의 공배수)+3이다.
5, 6, 8의 최소공배수는
$2\times5\times3\times4=120$

$$\begin{array}{r}2\,\underline{)\,5\quad6\quad8}\\5\quad3\quad4\end{array}$$

따라서 구하는 수는
$120+3=123$

Level **2**   본문 24~27쪽

01 ②   **02** ㄱ, ㅁ   **03** 10개   **04** 100   **05** ②   **06** ③   **07** ④

08 ⑤   **09** 9, 1260   **10** 270   **11** ⑤   **12** $A=25$, $B=49$

13 ④   **14** 10일   **15** 655   **16** 기유년

01 두 수의 공약수는 최대공약수의 약수와 같으므로 두 수의 공약
수의 개수는 최대공약수의 약수의 개수와 같다.
따라서 $150=2\times3\times5^2$이므로 두 수의 공약수의 개수는
$(1+1)\times(1+1)\times(2+1)=12$(개)

02 ㄴ, ㄷ. 8과 9는 서로소이지만 두 수 모두 소수가 아니다.
ㄹ. 서로 다른 두 홀수 9와 27은 서로소가 아니다.
따라서 옳은 것은 ㄱ, ㅁ이다.

03 $A\bigcirc18=1$이므로 자연수 A는 18과 서로소인 수이다.
따라서 18과 서로소인 수 중 30보다 작은 수는
1, 5, 7, 11, 13, 17, 19, 23, 25, 29
이므로 모두 10개이다.

실수하기 쉬운 부분 짚어보기
두 수의 최대공약수가 1이면 두 수는 서로소이다.

04 $2^2 \times 5^3 \times 7$과 $2^3 \times 5^2 \times 7$의 최대공약수는 $2^2 \times 5^2 \times 7$이고,
$2^3 \times 5^2 \times 7$과 $2^4 \times 3^2 \times 5^2$의 최대공약수는 $2^3 \times 5^2$이다.
따라서 A는 $2^2 \times 5^2 \times 7$과 $2^3 \times 5^2$의 최대공약수이므로
$A = 2^2 \times 5^2 = 100$

05 세 수의 최대공약수는
$2^2 \times 3 = 12$
이고 최대공약수의 약수가 공약수
이므로 세 수의 공약수는
1, 2, 3, 4, 6, 12이다.
따라서 공약수 중 세 번째로 큰 수는 4이다.

$$
\begin{array}{r}
2^4 \times 3 \\
2^2 \times 3 \times 5 \\
2^3 \times 3^2 \\
\hline
\text{최대공약수: } 2^2 \times 3
\end{array}
$$

06 $72 = 2^3 \times 3^2$, $216 = 2^3 \times 3^3$이고, 최대공약수는 $36 = 2^2 \times 3^2$이므로 $N = 2^2 \times 3^2 \times n$이고, 이때 n은 2를 인수로 갖지 않는 자연수이다.
① $36 = 2^2 \times 3^2$
② $108 = 2^2 \times 3^3$
③ $144 = 2^4 \times 3^2$
④ $180 = 2^2 \times 3^2 \times 5$
⑤ $252 = 2^2 \times 3^2 \times 7$
따라서 N의 값으로 적당하지 않은 것은 ③ 144이다.

세 수의 최대공약수 $36 = 2^2 \times 3^2$이므로 N은 $36 = 2^2 \times 3^2$을 인수로 가진다.

07 $12 = 2^2 \times 3$과 $3 \times 5 \times 7$의 최소공배수는 $2^2 \times 3 \times 5 \times 7$이므로
$L(12, 3 \times 5 \times 7) = 2^2 \times 3 \times 5 \times 7$, 즉 $k = 2^2 \times 3 \times 5 \times 7$
이고 $2^2 \times 3^2 \times 5$와 $2^2 \times 3 \times 5 \times 7$의 최소공배수는
$2^2 \times 3^2 \times 5 \times 7$
$\therefore L(2^2 \times 3^2 \times 5, k)$
$= L(2^2 \times 3^2 \times 5, 2^2 \times 3 \times 5 \times 7)$
$= 2^2 \times 3^2 \times 5 \times 7$

08 조건을 만족시키는 가장 작은 자연수가 되려면 어떤 자연수와 12의 곱이 $2^4 \times 3$과 60의 최소공배수가 되어야 한다.
$2^4 \times 3$과 $60 = 2^2 \times 3 \times 5$의 최소공배수는
$2^4 \times 3 \times 5 = 240$이다.
따라서 (어떤 자연수) $\times 12 = 240$이므로 구하는 어떤 자연수는 20이다.

09 $252 = 2^2 \times 3^2 \times 7$과 $20 \times \square = 2^2 \times 5 \times \square$의 최대공약수가 $36 = 2^2 \times 3^2$이므로 $\square$ 안에 들어갈 수 있는 가장 작은 자연수는 $3^2 = 9$이다.
따라서 $2^2 \times 3^2 \times 7$과 $2^2 \times 3^2 \times 5$의 최소공배수는
$2^2 \times 3^2 \times 5 \times 7 = 1260$

10 세 자연수의 공통인 인수를 x라 하면 세 자연수의 비가 $2:3:4$이므로 세 자연수를 $2 \times x$, $3 \times x$, $4 \times x$라 할 수 있다.
$2 \times x$, $3 \times x$, $4 \times x$의 최소공배수는
$2^2 \times 3 \times x$
즉, $2^2 \times 3 \times x = 360$, $2^2 \times 3 \times x = 2^2 \times 3 \times 30$이므로
$x = 30$
따라서 세 자연수는 60, 90, 120이므로 그 합은
$60 + 90 + 120 = 270$

세 자연수의 비가 $2:3:4$이면 세 자연수는 $2 \times x$, $3 \times x$, $4 \times x$와 같이 나타낼 수 있다.

11 세 수 $2^a \times 3^4 \times 7$, $324 \times b = 2^2 \times 3^4 \times b$, $28 \times 3^c = 2^2 \times 3^c \times 7$에 대하여
최대공약수가 $18 = 2 \times 3^2$,
최소공배수가 $2^2 \times 3^4 \times 5 \times 7$이므로

$$
\begin{array}{r}
2^a \times 3^4 \quad \times 7 \\
2^2 \times 3^4 \times b \\
2^2 \times 3^c \quad \times 7 \\
\hline
\text{최대공약수: } 2 \times 3^2 \\
\text{최소공배수: } 2^2 \times 3^4 \times 5 \times 7
\end{array}
$$

따라서 $a = 1$, $b = 5$, $c = 2$이므로
$a + b + c = 1 + 5 + 2 = 8$

12 조건 ㈎에서 두 자연수 A, B는 50보다 작은 서로소인 두 수이고, 조건 ㈏에서 약수의 개수가 3개인 수는 소수의 제곱인 수이므로 A, B가 될 수 있는 수는 4, 9, 25, 49이다.
그런데 조건 ㈐에서 $A < B$이고 $B - A = 24$이므로
$A = 25$, $B = 49$

13 최소한의 나무를 심으려면 나무 사이의 간격은 120 m, 160 m의 최대공약수인 40 m이고 가로, 세로에 필요한 나무의 수는

가로: $120 \div 40 + 1 = 3 + 1 = 4$(그루),

세로: $160 \div 40 + 1 = 4 + 1 = 5$(그루)

따라서 최소한으로 필요한 나무는

$4 \times 2 + 5 \times 2 - 4 = 14$(그루)

실수하기 쉬운 부분 짚어보기

최소한의 나무가 필요하므로 간격이 최대한 넓어야 한다. 그리고 나무 2그루가 1개의 간격을 만든다.

14 진희가 다시 운동하는 데 걸리는 기간은

$5 + 1 = 6$(일)

이고 석민이가 다시 운동하는 데 걸리는 기간은

$7 + 3 = 10$(일)

이때 $6 = 2 \times 3$, $10 = 2 \times 5$의 최소공배수는 $2 \times 3 \times 5 = 30$이므로 두 사람은 30일마다 동시에 운동을 시작한다.

따라서 300일 동안 두 사람이 동시에 운동을 시작하는 날은

$300 \div 30 = 10$(일)

15 세 분수 $\frac{14}{81}$, $\frac{35}{72}$, $\frac{49}{108}$에 $\frac{a}{b}$를 곱하여 모두 자연수가 되려면

a는 $81 = 3^4$, $72 = 2^3 \times 3^2$, $108 = 2^2 \times 3^3$의 최소공배수이므로

$a = 2^3 \times 3^4 = 648$

b는 $14 = 2 \times 7$, $35 = 5 \times 7$, $49 = 7^2$의 최대공약수이므로

$b = 7$

$\therefore a + b = 648 + 7 = 655$

16 십간과 십이지가 차례대로 짝을 지어가면서 해의 이름이 정해지므로 10과 12의 최소공배수인 60개의 이름이 만들어진다. 즉, 이름이 같은 해는 60년마다 돌아온다. 2021년이 신축년이므로 120년 전인 1901년도 신축년이다. 1901년이 신축년이므로 다음 표에서 1909년은 기유년이다.

1901년	1902년	1903년	1904년	1905년
신축년	임인년	계묘년	갑진년	을사년
1906년	1907년	1908년	1909년	1910년
병오년	정미년	무신년	기유년	경술년

실수하기 쉬운 부분 짚어보기

십간과 십이지가 차례대로 짝을 지어가면서 해의 이름이 정해지므로 10과 12의 최소공배수인 해가 될 때 처음으로 같은 이름의 해가 돌아온다.

01 99개   **02** 68개   **03** ⑤   **04** 12   **05** ③   **06** 417명

07 4

01 12와 n의 최대공약수가 1이므로 12와 n은 서로소이다.

이때 $12 = 2^2 \times 3$이므로 n은 2의 배수도 아니고 3의 배수도 아니다.

2 이상 300 미만인 자연수 298개 중에서

2의 배수는 2, 4, 6, $\cdots$, 298의 149개

3의 배수는 3, 6, 9, $\cdots$, 297의 99개

6의 배수는 6, 12, 18, $\cdots$, 294의 49개

따라서 구하는 자연수 n의 개수는

$298 - (149 + 99 - 49) = 99$(개)

02 두 수의 공약수는 최대공약수의 약수와 같다.

a와 b의 최대공약수는 $2^5 \times 3^5$이므로 공약수의 개수는

$(5+1) \times (5+1) = 36$(개) $\cdots\cdots$ ㉠

b와 c의 최대공약수는 $2^3 \times 5^2 \times 13$이므로 공약수의 개수는

$(3+1) \times (2+1) \times (1+1) = 24$(개) $\cdots\cdots$ ㉡

a와 c의 최대공약수는 $2^3 \times 7^3$이므로 공약수의 개수는

$(3+1) \times (3+1) = 16$(개) $\cdots\cdots$ ㉢

이때 세 수 a, b, c의 최대공약수는 2^3이므로 세 수의 공약수의 개수는 $3 + 1 = 4$(개)이다.

㉠, ㉡, ㉢에서 어느 두 수의 공약수가 될 수 있는 자연수의 개수는

$36 + 24 + 16 - 4 - 4 = 68$(개)

03 A, B의 최대공약수는 18이므로

$A = 18 \times a$, $B = 18 \times b$ (a, b는 서로소, $a < b$)

라 하면

두 수 A, B의 최소공배수는 $18 \times a \times b$이다.

즉, $18 \times a \times b = 108$

$18 \times a \times b = 18 \times 6$이므로 $a \times b = 6$

(i) $a = 1$, $b = 6$일 때

$A = 18$, $B = 108$

(ii) $a = 2$, $b = 3$일 때

$A = 36$, $B = 54$

(i), (ii)에서 A, B는 두 자리의 자연수이므로

$A = 36$, $B = 54$

$\therefore A + B = 36 + 54 = 90$

04 두 자연수의 합이 12이므로 두 자연수 중 하나가 홀수이면 그 합이 짝수가 될 수 없다. 또, 두 자연수가 모두 홀수이면 최대공약수와 최소공배수도 모두 홀수이므로 최대공약수와 최소공배수의 곱도 홀수가 된다.

따라서 구하는 두 자연수는 모두 짝수이고 합이 12가 된다.

(i) 두 자연수가 2, 10일 때
최대공약수는 2, 최소공배수는 10이므로
주어진 조건을 만족시키지 않는다.

(ii) 두 자연수가 4, 8일 때
최대공약수는 4, 최소공배수는 8이므로
주어진 조건을 만족시킨다.

(i), (ii)에서 두 자연수는 4와 8이고 최대공약수는 4, 최소공배수는 8이므로 그 합은

$4+8=12$

> **함정 피하기**
> (홀수)+(짝수)=(홀수), (홀수)×(홀수)=(홀수)

05 구하는 어떤 수를 x라 하면 $41-1$, $50-2$, $75-3$은 x로 나누어떨어진다. 즉,

x는 $41-1$, $50-2$, $75-3$의 공약수이다.

40, 48, 72의 최대공약수를 구하면

$$\begin{array}{r|rrr} 2 & 40 & 48 & 72 \\ \hline 2 & 20 & 24 & 36 \\ \hline 2 & 10 & 12 & 18 \\ \hline & 5 & 6 & 9 \end{array}$$

$2×2×2=8$이고 x는 8의 약수인 1, 2, 4, 8이 될 수 있다.

그런데 x는 나머지보다는 커야 하므로 3보다는 커야 한다.

따라서 가능한 x의 값은 4, 8이므로 그 합은

$4+8=12$

> **실수하기 쉬운 부분 짚어보기**
> (나누어지는 수)=(나누는 수)×(몫)+(나머지)이므로
> (나누어지는 수)−(나머지)=(나누는 수)×(몫)이다.

06 주어진 조건에서 1명씩 빠지지 않으면 다음과 같다.

4명씩 짝을 지으면 1명이 남는다.
5명씩 짝을 지으면 2명이 남는다.
6명씩 짝을 지으면 3명이 남는다.
7명씩 짝을 지으면 4명이 남는다.

즉, 각 단계에서 짝을 짓게 되는 학생 수는 모두 3명씩 부족하다.

따라서 4, 5, 6, 7의 최소공배수는 420이고, 게임에 참가한 학생 수는 500명 미만이므로

$420-3=417$(명)

07 톱니바퀴를 작은 순서대로 A, B, C라 하자. 세 톱니바퀴가 다시 처음의 P, Q의 위치에 왔을 때 각각 a회, b회, c회 회전하였다고 하면 각 톱니바퀴가 1회전하는 동안 물린 톱니의 개수는 각각 72개, 96개, 144개이므로 그동안 세 톱니바퀴 A, B, C가 물린 톱니의 개수는 각각 $72×a$개, $96×b$개, $144×c$개이다.

이때 세 톱니바퀴가 물린 톱니의 개수는 모두 같으므로

$72×a=96×b=144×c$

세 수 $72=2^3×3^2$, $96=2^5×3$, $144=2^4×3^2$의 최소공배수는 $2^5×3^2=288$이므로

$72×a=96×b=144×c=288$에서

$a=4$, $b=3$, $c=2$

따라서 A가 4회전, B는 3회전, C는 2회전하면 처음의 위치에 오므로 반지름의 길이가 가장 작은 톱니바퀴의 회전 수는 4이다.

Level ④
본문 30~31쪽

01 101 **02** 42 **03** 14 **04** 609 **05** 180개 **06** 32개
07 126분 **08** 373

---

01 **풀이전략** $1313=13×101$임을 이용한다.

세 자연수의 최대공약수를 G라 하면 G는 세 자연수의 공약수이므로 G는 세 자연수의 합의 약수이다.

즉, G는 세 자연수의 합 $1313=13×101$의 약수이다.

$G=1313$이면 세 자연수의 합이 1313이 될 수 없다.

따라서 세 자연수의 최대공약수 중 가장 큰 수는 101이다.

02 **풀이전략** A, B가 각각 어떤 수로 나누어떨어지면 $A-B$도 어떤 수로 나누어떨어진다.

구하는 자연수를 A, 나머지를 r라 하면

세 수 $142-r$, $226-r$, $352-r$는 모두 A로 나누어떨어진다.

그런데 두 자연수가 어떤 수 A로 나누어떨어지면 A는 두 자연수의 공약수이므로 두 자연수의 차도 A로 나누어떨어진다.

즉, $226-r$와 $142-r$의 차 84와

$352-r$와 $226-r$의 차 126

도 어떤 수 A로 나누어떨어진다.

또, 두 수를 나눌 수 있는 가장 큰 수는 두 수의 최대공약수이므

로 A는 $84=2^2\times3\times7$과 $126=2\times3^2\times7$의 최대공약수이다.

∴ $A=2\times3\times7=42$

03 〔풀이전략〕 두 수의 합과 최소공배수를 이용하여 최대공약수를 먼저 구한다.

두 자연수의 최대공약수를 G라 하면 G는 두 자연수의 공약수이

므로 G는 두 자연수의 합의 약수이다. 또한 G는 두 자연수의 최

소공배수의 약수이다. 즉, G는 두 자연수의 합과 최소공배수의

공약수이다.

(두 자연수의 합)$=56=2^3\times7$

(두 자연수의 최소공배수)$=105=3\times5\times7$

이므로 56과 105의 공약수는 1, 7이다.

그런데 두 자연수는 서로소가 아니므로 $G=7$

(ⅰ) 두 수가 7, $3\times5\times7$일 때

두 수의 합은 $7+105=112$이므로 조건에 맞지 않는다.

(ⅱ) 두 수가 3×7, 5×7일 때

두 수의 합은 $21+35=56$이므로 조건에 맞는다.

(ⅰ), (ⅱ)에서 두 수는 21과 35이므로 두 수의 차는

$35-21=14$

04 〔풀이전략〕 두 자연수 A, B의 최대공약수가 G일 때,

$A=a\times G$, $B=b\times G$ (a, b는 서로소)

이다. 이때 $a+b$, $a\times b$의 값을 구하여 문제를 해결한다.

두 자연수 A와 B의 최대공약수를 G, 최소공배수를 L이라 하고

$A=a\times G$, $B=b\times G$ (단, a, b는 서로소, $a>b$)라 하자.

$A+B=a\times G+b\times G=(a+b)\times G=899$

즉, $a+b$는 $899=29\times31$의 약수이다. …… ㉠

$\dfrac{L}{G}=\dfrac{a\times b\times G}{G}=a\times b=130$

이때 $130=1\times130=2\times65=5\times26=10\times13$이고

$a>b$이므로

a	130	65	26	13
b	1	2	5	10
$a+b$	131	67	31	23

㉠에 의하여 $a=26$, $b=5$, $G=29$

따라서 $A=26\times29=754$, $B=5\times29=145$이므로

$A-B=754-145=609$

05 〔풀이전략〕 각각의 분수 중 하나가 잘못 되었을 때, 간식의 총 수를 구해 보면서 조건에 맞는지 확인한다.

(ⅰ) 주어진 분수 중 $\dfrac{1}{3}$이 틀렸을 때

나머지 분수의 분모 4, 5, 7, 9의 최소공배수는 1260이므로

간식의 수는 1260의 배수이므로 조건에 맞지 않는다.

(ⅱ) 주어진 분수 중 $\dfrac{1}{4}$이 틀렸을 때

나머지 분수의 분모 3, 5, 7, 9의 최소공배수는 315이므로

간식의 수는 315의 배수이므로 조건에 맞지 않는다.

(ⅲ) 주어진 분수 중 $\dfrac{1}{5}$이 틀렸을 때

나머지 분수의 분모 3, 4, 7, 9의 최소공배수는 252이므로

간식의 수는 252의 배수이므로 조건에 맞지 않는다.

(ⅳ) 주어진 분수 중 $\dfrac{1}{7}$이 틀렸을 때

나머지 분수의 분모 3, 4, 5, 9의 최소공배수는 180이므로

간식의 수는 180의 배수이므로 가능한 수이다.

(ⅴ) 주어진 분수 중 $\dfrac{1}{9}$이 틀렸을 때

나머지 분수의 분모 3, 4, 5, 7의 최소공배수는 420이므로

간식의 수는 420의 배수이므로 조건에 맞지 않는다.

(ⅰ)~(ⅴ)에서 선생님이 준비한 간식의 수는 모두 180개이다.

〔실수하기 쉬운 부분 짚어보기〕

간식 중 귤의 비율이 $\dfrac{1}{3}$이면 간식의 총 수는 분모 3의 배수이다.

06 〔풀이전략〕 벽면에 붙인 타일의 가로, 세로의 개수의 비율이 같은 직사각형에서 대각선을 그어 생각해 본다.

직사각형 모양의 벽 ABCD의 가로에 들어가는 타일의 개수는

$168\div7=24$(개), 세로에 들어가는 타일의 개수는

$112\div7=16$(개)이다.

두 수 $24=2^3\times3$, $16=2^4$의 최대공약수는 $2^3=8$이므로 직사각

형 모양의 벽 ABCD와 가로, 세로의 비율이 같은 직사각형 중

가장 적은 타일로 꼭 맞게 빈틈없이 붙일 수 있는 직사각형은 가

로에 타일이 $24\div8=3$(개), 세로에 타일이 $16\div8=2$(개) 있

는 직사각형이다.

가로에 타일이 3개, 세로에 타일이 2개

가 들어간 직사각형에서 대각선이 지

나는 타일은 오른쪽 그림과 같이 모두

4개이다. 이런 직사각형이 ABCD에

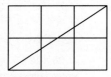

$16\div2=8$(개)가 있으므로 대각선 BD가 지나는 타일의 수는

$4\times8=32$(개)

07 **풀이전략** 먼저 430명의 승객이 모두 이동하려면 케이블카와 모노레일이 몇 번 승객을 실어 날라야 하는지 구한다.

$430=25\times17+5$이므로 케이블카와 모노레일이 25명씩 17번, 그리고 나머지 5명을 1번 실어 날라야 하므로 모두 18번 승객을 실어 날라야 한다.

케이블카가 한 번 왕복하는 데 12분, 모노레일이 한 번 왕복하는 데 18분이 걸리므로 12와 18의 최소공배수인 36분 동안 케이블카와 모노레일은 각각 3번, 2번 왕복한다. 즉, 36분 동안 합쳐서 5번 왕복한다.

한편 $18=5\times3+3$에서 $36\times3=108$(분) 동안 케이블카와 모노레일은 합쳐서 15번을 왕복하고 동시에 출발지점에 도착하게 된다. 이제 나머지 3번 더 승객을 실어 나르면 되므로 케이블카가 2번, 모노레일이 1번 실어 나르면 된다. 케이블카가 산 정상까지 2번 올라가는 데 걸리는 시간이 18분이므로 430명의 승객이 모두 이동하는 데 걸리는 최소 시간은

$108+18=126$(분)

실수하기 쉬운 부분 짚어보기

케이블카가 산 정상까지 2번 올라가기 위해서는 올라갔다가 내려오고 다시 올라가야 하므로 총 걸리는 시간은 $6+6+6=18$(분)이다.

08 **풀이전략** 어떤 수 a가 2, 3, 5 중 어느 것으로도 나누어떨어지지 않으면 2, 3, 5의 공배수에 a를 더한 수도 2, 3, 5 중 어느 것으로도 나누어떨어지지 않는다.

자연수 a가 2, 3, 5 어느 것으로도 나누어떨어지지 않는 수이면 2, 3, 5의 최소공배수가 30이므로 a에 30의 배수를 더한 수 $30+a$, $60+a$, $90+a$, ⋯ 역시 2, 3, 5 어느 것으로도 나누어떨어지지 않는 수이다.

그러므로 1에서 30까지의 수 중에서 2, 3, 5 어느 것으로도 나누어떨어지지 않는 수를 구한 후 30의 배수를 더하면 2의 배수도 아니고 3의 배수도 아니고 5의 배수도 아닌 자연수를 구할 수 있다.

1	7	11	13	17	19	23	29
$30+1$	$30+7$	$30+11$	$30+13$	$30+17$	$30+19$	$30+23$	$30+29$
$60+1$	$60+7$	$60+11$	$60+13$	$60+17$	$60+19$	$60+23$	$60+29$
⋮	⋮	⋮	⋮	⋮	⋮	⋮	⋮

한 줄에 8개의 수가 있고 $100=8\times12+4$이므로 100번째 수는 13번째 줄의 4번째 수이다.

∴ $30\times12+13=373$

실수하기 쉬운 부분 짚어보기

자연수 a가 5의 배수가 아니면 $5+a$도 5의 배수가 아니다.

대단원 마무리 **Level 종합** 본문 32~33쪽

01 2 **02** 174 **03** 20개 **04** 8 **05** 40 **06** 27 **07** 240

08 ⑤

---

01 p, q를 2보다 큰 소수로 생각하면 p, q는 모두 홀수이므로 $p+q=r$는 짝수이고 이는 r가 2보다 큰 소수라는 것에 모순이다.

따라서 p, q 중 하나는 짝수인 소수, 즉 2이다.

그런데 $p<q$이므로 $p=2$이다.

02 $600=2^3\times3\times5^2$이므로 k는 $2\times3\times($자연수$)^2$의 꼴이다.

두 자리의 자연수 k는

$2^3\times3=24$, $2\times3^3=54$, $2^5\times3=96$

따라서 구하는 합은

$24+54+96=174$

03 소인수의 개수에 따라 약수의 개수를 구하면

(i) 소인수가 1개인 경우

$2^8=256$의 약수가 $8+1=9$(개)로 가장 많다.

(ii) 소인수가 2개인 경우

$2^5\times3^2=288$의 약수가

$(5+1)\times(2+1)=18$(개)

로 가장 많다.

(iii) 소인수가 3개인 경우

$2^4\times3\times5=240$의 약수가

$(4+1)\times(1+1)\times(1+1)=20$(개)

로 가장 많다.

(iv) 소인수가 4개인 경우

$2\times3\times5\times7=210$의 약수가

$(1+1)\times(1+1)\times(1+1)\times(1+1)=16$(개)

로 가장 많다.

(i)~(iv)에서 약수의 개수가 가장 많은 수는 240이고, 이때의 약수는 20개이다.

04 $540=2^2\times3^3\times5$이므로

$D(540)=(2+1)\times(3+1)\times(1+1)=24$

∴ $b=24$

$24=2^3 \times 3$이므로
$D(b)=D(24)=(3+1)\times(1+1)=8$

05 $8=1\times 8=2\times 4=2\times 2\times 2$이므로
약수의 개수가 8인 자연수를 작은 순서대로 나열하면
$2^3 \times 3=24$, $2\times 3\times 5=30$, $2^3 \times 5=40$, $2\times 3\times 7=42$, …
따라서 약수의 개수가 8인 세 번째로 작은 자연수는 40이다.

06
$$
\begin{array}{l}
45\times a=\qquad 3^2\times 5\times a \\
54\times a=2\times 3^3 \qquad \times a \\
\hline
135\times a=\qquad 3^3\times 5\times a \\
\hline
(\text{최소공배수})=2\times 3^3\times 5\times a
\end{array}
$$
이므로 $2\times 3^3\times 5\times a=810=2\times 3^4 \times 5$에서
$a=3$
$$
\begin{array}{l}
45\times a=\qquad 3^3\times 5 \\
54\times a=2\times 3^4 \\
\hline
135\times a=\qquad 3^4\times 5 \\
\hline
\therefore (\text{최대공약수})=3^3=27
\end{array}
$$

07 A와 $36=2^2 \times 3^2$의 최대공약수가 $12=2^2 \times 3$이므로 A는 2와 3
을 소인수로 갖고 3의 지수는 1이다.
또 A와 $64=2^6$의 최대공약수가 $16=2^4$이므로 A의 소인수 중
2의 지수는 4이다.
따라서 A, $36=2^2 \times 3^2$, $64=2^6$의 최소공배수가
$2880=2^6 \times 3^2 \times 5$이므로 A는 5를 소인수로 갖는다.
$\therefore A=2^4 \times 3\times 5=240$

실수하기 쉬운 부분 짚어보기

최대공약수는 소인수의 지수가 다르면 작은 것을 택하고 최소공배수는
소인수의 지수가 다르면 큰 것을 택한다.

08 상자의 개수는 사과 $34+2=36$(개)와 귤 $32-2=30$(개)의
공약수가 되어야 한다. 이때 최대공약수가 $2\times 3=6$이므로 상자
의 개수는 6의 약수인 1개, 2개, 3개, 6개인데 상자의 개수는 1
개보다 많으므로 가능한 상자의 개수는 2개, 3개, 6개이다.
② 상자의 개수를 3개로 하면 각 상자에 사과 $36\div 3=12$(개),
귤 $30\div 3=10$(개)가 들어가지만 마지막 상자에는 사과가
$12-2=10$(개), 귤이 $10+2=12$(개)가 들어가므로 각 상
자에는 모두 22개씩 들어간다.

③, ④, ⑤ 상자의 개수를 최대 6개로 하면 각 상자에 사과
$36\div 6=6$(개), 귤 $30\div 6=5$(개)가 들어가지만 마지막 상
자에는 사과 $6-2=4$(개), 귤 $5+2=7$(개)가 들어가므로
$4+7=11$(개)가 들어간다.
따라서 옳지 않은 것은 ⑤이다.

II. 정수와 유리수

3 정수와 유리수

01 ⑤   02 2   03 ③   04 $a=-3, b=5$ 05 LOVE

06 -4 07 ③   08 ①   09 ①   10 $\dfrac{7}{5}$ 11 3   12 ⑤

13 ④   14 $c<b<a$ 15 -4 16 ⑤

01

+	영상	증가	이익	상승	해발	수입	~후
−	영하	감소	손해	하락	해저	손해	~전

⑤ 5 % 올랐다 → $+5\,\%$

02 양의 정수는 17, $\dfrac{18}{9}=2$, 5의 3개이므로

$a=3$

음의 정수는 -14의 1개이므로

$b=1$

$\therefore a-b=3-1=2$

03 세 학생의 대화 내용을 모두 만족시키는 수는 정수가 아닌 음의 유리수이므로 ③ -0.14이다.

> **실수하기 쉬운 부분 짚어보기**
> 유리수는 정수와 정수가 아닌 유리수로 구분할 수 있다.

04

```
        -10/3                      19/4
 ──┼──┼──┼──┼──┼──┼──┼──┼──┼──┼──┼──
  -5 -4 -3 -2 -1  0 +1 +2 +3 +4 +5
```

$-\dfrac{10}{3}$에 가장 가까운 정수는 -3이고 $\dfrac{19}{4}$에 가장 가까운 정수는 5이다.

$\therefore a=-3, b=5$

05 수직선 위에 -0.5, $\dfrac{5}{2}$, $-\dfrac{3}{2}$, -3.5를 나타내는 점을 표시하면 다음과 같다.

```
    M  E T   V  L    H     O      A
 ──┼──┼─┼──┼──┼──┼──┼──┼──┼──┼──┼──
   -4  -2      0       2        4
    -3.5  -3/2 -0.5      5/2
```

즉, -0.5: L, $\dfrac{5}{2}$: O, $-\dfrac{3}{2}$: V, -3.5: E

따라서 점이 나타내는 문자를 차례로 쓰면 LOVE이다.

06 두 수를 나타내는 두 점은 2를 나타내는 점으로부터 각각 6만큼 떨어져 있다.

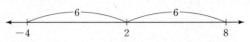

따라서 두 점이 나타내는 두 수는 -4, 8이므로 두 수 중 작은 수는 -4이다.

07 두 점 A와 C 사이의 거리가 $7+3=10$이므로 점 B는 두 수 -7, $+3$에 대응하는 점으로부터 각각 5만큼씩 떨어져 있다. 이 때 네 점 사이의 거리가 모두 같으므로 점 D는 점 C로부터 5만큼 떨어져 있다.

따라서 점 D에 대응하는 수는

$(+3)+(+5)=+8$

08 a의 절댓값이 x이므로

$a=x$ 또는 $a=-x$

b의 절댓값이 3이므로

$b=3$ 또는 $b=-3$

$a+b$의 가장 큰 값이 8이므로

$x+3=8$, $x=5$

a의 절댓값이 5이므로

$a=5$ 또는 $a=-5$

따라서 a의 값이 될 수 있는 것은 ①이다.

09 ① $a<0$이면 $|a|=-a$이다.

10 두 수 x, y의 절댓값이 같고, x, y를 나타내는 두 점 사이의 거리가 $\dfrac{14}{5}$이므로 두 점은 0을 나타내는 점으로부터 거리가 각각

$\dfrac{14}{5}\times\dfrac{1}{2}=\dfrac{7}{5}$만큼 떨어진 점이다.

$\therefore |x|=\dfrac{7}{5}$

11 각 수의 절댓값의 크기를 비교하면

$|-11|>\left|\dfrac{17}{4}\right|>\left|-3\dfrac{1}{5}\right|>|3|>|-1.4|>|0|$

따라서 절댓값이 큰 수부터 차례대로 나열할 때 네 번째에 오는 수는 3이다.

12 절댓값이 3.7보다 작은 정수는

$-3, -2, -1, 0, 1, 2, 3$이므로 7개이다.

> **함정 피하기**
>
> 절댓값이 2보다 작은 정수는 절댓값이 0 또는 1인 수이다.

13 ① 음수는 절댓값이 큰 수가 작으므로

$$-11 < -2$$

② 음수는 절댓값이 큰 수가 작으므로

$$-3.2 > -5.6$$

③ $-\dfrac{2}{3} = -\dfrac{10}{15}$, $-\dfrac{4}{5} = -\dfrac{12}{15}$이고 음수는 절댓값이 큰 수가

작으므로

$$-\dfrac{2}{3} > -\dfrac{4}{5}$$

④ $\left| -\dfrac{7}{4} \right| = \dfrac{7}{4} = \dfrac{35}{20}$, $\dfrac{2}{5} = \dfrac{8}{20}$이므로

$$\left| -\dfrac{7}{4} \right| > \dfrac{2}{5}$$

⑤ $|-2.7| = 2.7$, $\dfrac{5}{4} = 1.25$이므로

$$|-2.7| > \dfrac{5}{4}$$

14 조건 ㈎에서 $|b| = |-6| = 6$이므로

$b = 6$ 또는 $b = -6$

조건 ㈏에서 $b > -6$이므로 $b = 6$

조건 ㈐에서 $a > 6$이므로 $b < a$

조건 ㈏, ㈑에서 $c < b$

$\therefore c < b < a$

15 $|a| \leq 3$이면 $-3 \leq a \leq 3$이고 a는 정수이므로

$-3, -2, -1, 0, 1, 2, 3$

$-5 < b \leq 3$인 정수 b는

$-4, -3, -2, -1, 0, 1, 2, 3$

따라서 b의 값 중에서 a의 값이 될 수 없는 수는 -4이다.

> **실수하기 쉬운 부분 짚어보기**
>
> $|a| \leq n$이면 $-n \leq a \leq n$이다.

16 $-\dfrac{1}{3} = -\dfrac{5}{15}$, $\dfrac{8}{5} = \dfrac{24}{15}$이므로 $-\dfrac{5}{15}$와 $\dfrac{24}{15}$ 사이에 있는 분모

가 15인 분수는

$$-\dfrac{4}{15}, -\dfrac{3}{15}, -\dfrac{2}{15}, \cdots, \dfrac{22}{15}, \dfrac{23}{15}$$

이고, 이 중 기약분수는

$$-\dfrac{4}{15}, -\dfrac{2}{15}, -\dfrac{1}{15}, \dfrac{1}{15}, \dfrac{2}{15}, \dfrac{4}{15}, \dfrac{7}{15}, \dfrac{8}{15},$$

$$\dfrac{11}{15}, \dfrac{13}{15}, \dfrac{14}{15}, \dfrac{16}{15}, \dfrac{17}{15}, \dfrac{19}{15}, \dfrac{22}{15}, \dfrac{23}{15}$$

의 16개이다.

Level 2

01 -6 **02** 5   **03** ①, ④   **04** 9   **05** $-\dfrac{8}{5}$ **06** $\dfrac{7}{3}$ **07** ⑤

08 ③

01 오전 10시는 오후 4시보다 6시간 전이므로 -6으로 나타낼 수

있다.

02 $-\dfrac{5}{3}$, 3.14는 정수가 아닌 유리수이고 $\dfrac{120}{8} = 15$는 자연수, 그

리고 0은 자연수가 아닌 정수이므로

$$\left\langle -\dfrac{5}{3} \right\rangle = \langle 3.14 \rangle = 2, \left\langle \dfrac{120}{8} \right\rangle = 0, \langle 0 \rangle = 1$$

$$\therefore \left\langle -\dfrac{5}{3} \right\rangle + \langle 3.14 \rangle - \left\langle \dfrac{120}{8} \right\rangle + \langle 0 \rangle$$

$$= 2 + 2 - 0 + 1 = 5$$

03 ① 0은 정수인 유리수이다.

② 유리수는 모든 정수를 포함하고 있으므로 정수 중에서 유리

수가 아닌 것은 없다.

③ 유리수는 정수와 정수가 아닌 유리수로 나누어진다.

④ 모든 자연수는 정수이고, 정수는 유리수이다.

⑤ $-\dfrac{5}{4} = -1.25$, $\dfrac{14}{6} = 2.33\cdots$이므로 이 두 유리수 사이의 정

수는 $-1, 0, 1, 2$이고, 양의 정수는 1, 2로 2개이다.

따라서 옳은 것은 ①, ④이다.

04 주어진 조건을 만족시키는 네 개의 점 A, B, C, D를 수직선 위에 나타내면 다음 그림과 같다.

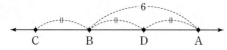

두 점 A, B 사이의 거리가 6이므로 이웃하는 두 점 사이의 거리는 3이다.

따라서 가장 멀리 떨어져 있는 두 점은 A, C이고, 두 점 A, C 사이의 거리는 $3 \times 3 = 9$이다.

05 조건 ㈎, ㈏에서 두 수 a, b는 절댓값이 같고 부호가 서로 다른 수이다.

그런데 a와 b를 나타내는 두 점 사이의 거리가 $\dfrac{16}{5}$이므로 두 점은 0을 나타내는 점으로부터 각각 $\dfrac{16}{5} \times \dfrac{1}{2} = \dfrac{8}{5}$만큼 떨어져 있다.

따라서 두 수는 $\dfrac{8}{5}$, $-\dfrac{8}{5}$이다.

그런데 $a > b$이므로 $b = -\dfrac{8}{5}$이다.

06 $-\dfrac{7}{3} = -\dfrac{35}{15}$, $-\dfrac{13}{5} = -\dfrac{39}{15}$이고

$\left| -\dfrac{7}{3} \right| = \left| -\dfrac{35}{15} \right| = \dfrac{35}{15}$,

$\left| -\dfrac{13}{5} \right| = \left| -\dfrac{39}{15} \right| = \dfrac{39}{15}$

이때 $\dfrac{35}{15} < \dfrac{39}{15}$이므로 $-\dfrac{7}{3} > -\dfrac{13}{5}$

$\therefore \left(-\dfrac{7}{3} \right) \textcircled{\scriptsize} \left(-\dfrac{13}{5} \right) = \left| -\dfrac{7}{3} \right| = \dfrac{7}{3}$

> **실수하기 쉬운 부분 짚어보기**
> 두 음수에서는 절댓값이 큰 수가 작다.

07 1보다 $\dfrac{11}{3}$만큼 큰 수는 수직선에서 1을 나타내는 점보다 오른쪽으로 $\dfrac{11}{3}$만큼 떨어진 점에 대응하는 수이므로

$a = 1 + \dfrac{11}{3} = \dfrac{14}{3}$

-3보다 4만큼 큰 수는 -3을 나타내는 점보다 오른쪽으로 4만큼 떨어진 점에 대응하는 수이므로 $b = 1$

$1 < |x| \le \dfrac{14}{3}$인 정수 x의 절댓값은 2, 3, 4이다.

따라서 구하는 정수 x는 -4, -3, -2, 2, 3, 4의 6개이다.

08 조건 ㈎, ㈏에 의하여 $d < b < c < 0$임을 알 수 있다.

또한 조건 ㈐에서 a와 d가 절댓값이 같으므로 $a > 0$이다.

따라서 a, b, c, d의 대소 관계를 나타내면

$d < b < c < a$

Level ③
본문 42~43쪽

01 8 **02** $A = \dfrac{4}{5}$, $B = 3$, $C = -2.7$ **03** ③, ④ **04** $-\dfrac{11}{4}$

05 ⑤ **06** 15 **07** $-\dfrac{18}{5}$

01 $|a| = 4$에서 $a = 4$ 또는 $a = -4$

$|b| = 7$에서 $b = 7$ 또는 $b = -7$

네 수를 수직선 위에 나타내면 다음과 같다.

두 점 사이의 거리가 가장 멀 때는 두 수의 부호가 다를 때, 즉 7과 -4 사이의 거리 또는 -7과 4 사이의 거리이므로

$M = 7 + 4 = 11$

두 점 사이의 거리가 가장 가까울 때는 두 수의 부호가 같을 때, 즉 7과 4 사이의 거리 또는 -7과 -4 사이의 거리이므로

$m = 7 - 4 = 3$

$\therefore M - m = 11 - 3 = 8$

> **실수하기 쉬운 부분 짚어보기**
> $|a| = n$이면 $a = n$ 또는 $a = -n$이다.

02 정육면체를 만들면

A가 적혀 있는 면과 마주 보는 면에 적혀 있는 수는 $-\dfrac{4}{5}$이므로

$A = \dfrac{4}{5}$

B가 적혀 있는 면과 마주 보는 면에 적혀 있는 수는 -3이므로

$B = 3$

C가 적혀 있는 면과 마주 보는 면에 적혀 있는 수는 2.7이므로

$C = -2.7$

03 절댓값이 □ 이하인 정수가 23개이려면 □는 11 이상 12 미만이어야 한다. 즉,

$11 \le □ < 12$

따라서 □ 안에 들어갈 수로 알맞은 것은 ③, ④이다.

□ 안에 들어갈 수는 정수만 가능한 것은 아니고 정수가 아닌 유리수도 가능한 수이다.

04 $\left|-\dfrac{7}{3}\right|=\dfrac{7}{3}$, $|3|=3$이고 $\dfrac{7}{3}<3$이므로

$m\left(-\dfrac{7}{3},\ 3\right)=-\dfrac{7}{3}$ $\therefore k=-\dfrac{7}{3}$

$M\left(-\dfrac{11}{4},\ k\right)$에서

$\left|-\dfrac{11}{4}\right|=\dfrac{11}{4}$, $\left|-\dfrac{7}{3}\right|=\dfrac{7}{3}$이고 $\dfrac{11}{4}=\dfrac{33}{12}>\dfrac{7}{3}=\dfrac{28}{12}$이므로

$M\left(-\dfrac{11}{4},\ k\right)=M\left(-\dfrac{11}{4},\ -\dfrac{7}{3}\right)=-\dfrac{11}{4}$

05 $\left|\dfrac{n}{5}\right|\le1$이므로 $-1\le\dfrac{n}{5}\le1$

즉, $-\dfrac{5}{5}\le\dfrac{n}{5}\le\dfrac{5}{5}$이므로 이를 만족시키는 정수 n은

$-5,\ -4,\ -3,\ \cdots,\ 3,\ 4,\ 5$ ······ ㉠

$-\dfrac{13}{3}<n\le7$을 만족시키는 정수 n은

$-4,\ -3,\ -2,\ \cdots,\ 5,\ 6,\ 7$ ······ ㉡

㉠, ㉡에서 조건을 만족시키는 정수 n은

$-4,\ -3,\ -2,\ \cdots,\ 3,\ 4,\ 5$의 10개이다.

06 조건 ㈎, ㈏, ㈐에 의해 세 점 A, B, C를 수직선 위에 나타내면 다음 그림과 같다.

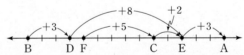

따라서 $a=-\dfrac{5}{2}$, $b=\dfrac{25}{2}$, $c=\dfrac{5}{2}$이므로

$b+c=\dfrac{25}{2}+\dfrac{5}{2}=15$

07 $\dfrac{15}{4}<4$이므로 $\dfrac{15}{4}○4=\dfrac{15}{4}$

$-3>-\dfrac{18}{5}$이므로 $(-3)○\left(-\dfrac{18}{5}\right)=-\dfrac{18}{5}$

$\left|\dfrac{15}{4}\right|=\dfrac{15}{4}$, $\left|-\dfrac{18}{5}\right|=\dfrac{18}{5}$이고 $\dfrac{15}{4}=\dfrac{75}{20}$, $\dfrac{18}{5}=\dfrac{72}{20}$이므로

$\dfrac{15}{4}>\dfrac{18}{5}$

$\therefore \left(\dfrac{15}{4}○4\right)●\left\{(-3)○\left(-\dfrac{18}{5}\right)\right\}$

$=\dfrac{15}{4}●\left(-\dfrac{18}{5}\right)=-\dfrac{18}{5}$

---

01 50개 **02** ① **03** ② **04** 12 **05** 8개 **06** $\dfrac{1}{b},\dfrac{1}{a},\dfrac{1}{d},\dfrac{1}{c}$

07 -1.1

---

01 풀이전략 분모가 같은 분수끼리 묶어서 개수를 확인한다.

$-0.5=-\dfrac{1}{2}=-\dfrac{2}{4}=-\dfrac{3}{6}=-\dfrac{4}{8}=-\dfrac{5}{10}=\cdots$

이므로 -0.5와 값이 같은 5번째 유리수는 $-\dfrac{5}{10}$이다.

분모가 같은 분수끼리 묶으면

$\left(-\dfrac{1}{1}\right),\ \left(-\dfrac{1}{2},\ -\dfrac{2}{2}\right),\ \left(-\dfrac{1}{3},\ -\dfrac{2}{3},\ -\dfrac{3}{3}\right),$

$\left(-\dfrac{1}{4},\ -\dfrac{2}{4},\ -\dfrac{3}{4},\ -\dfrac{4}{4}\right),\ \cdots$

따라서 $-\dfrac{5}{10}$는 10번째 묶음의 5번째 수이므로 구하는 유리수의

개수는

$1+2+3+\cdots+9+5=50($개$)$

함정 피하기

주어진 유리수들은 기약분수가 아님에 주의한다.

따라서 $-0.5=-\dfrac{1}{2}=-\dfrac{2}{4}=-\dfrac{3}{6}=\cdots$이다.

02 풀이전략 두 정수 사이의 거리가 n(자연수)이면 두 정수 사이에 있는 정수의 개수는 $(n-1)$개이다.

6개의 점 A, B, C, D, E, F를 주어진 조건에 따라 수직선 위에 나타내면 다음과 같다.

따라서 점 B와 점 F 사이의 거리는 4이므로 두 점 사이에 있는 정수의 개수는 3개이다.

03 풀이전략 a, b는 정수이므로 $|a|+|b|=4$를 만족시키는 $|a|$, $|b|$의 값의 쌍을 찾는다.

두 정수 a, b에 대하여 $|a|+|b|=4$를 만족시키는 $|a|$, $|b|$는 다음 표와 같다.

$|a|$	0	1	2	3	4
$|b|$	4	3	2	1	0

이때 위의 표를 만족시키면서 $a>b$인 두 정수 a, b를 $(a,\ b)$의 꼴로 나타내면

$(0, -4)$, $(1, -3)$, $(-1, -3)$, $(2, -2)$,
$(3, 1)$, $(3, -1)$, $(4, 0)$
이므로 모두 7개이다.

04 **풀이전략** $[x]$는 x보다 크지 않은 최대의 정수를 나타내므로 먼저 $[-3.8]$, $[-6]$, $[2.5]$의 값을 구한다.

$[-3.8]=-4$, $[-6]=-6$, $[2.5]=2$이므로
$a=|-4|=4$, $b=|-6|=6$, $c=|2|=2$
$\therefore a+b+c=4+6+2=12$

실수하기 쉬운 부분 짚어보기

$[-6]=-7$ 또는 $[-6]=-5$가 아님에 주의한다.

05 **풀이전략** 먼저 조건을 만족시키는 m의 값을 찾고 그에 따른 n의 값을 찾는다.

조건 ㈎에서 $3<|m|\le5$이고 m은 정수이므로
$|m|=4, 5$
이를 만족시키는 m의 값은 $-5, -4, 4, 5$
또 $2\le|n|<4$이고 n은 정수이므로
$|n|=2, 3$
이를 만족시키는 n의 값은 $-3, -2, 2, 3$
조건 ㈏에서 $m<n$이므로
(i) $m=-5$일 때
　가능한 n의 값은 $-3, -2, 2, 3$의 4개이다.
(ii) $m=-4$일 때
　가능한 n의 값은 $-3, -2, 2, 3$의 4개이다.
(iii) $m=4$ 또는 $m=5$일 때
　가능한 n의 값은 없다.
(i), (ii), (iii)에서 구하는 (m, n)의 개수는
$4+4=8$(개)

06 **풀이전략** (음수)$<0<$(양수)이고 음수는 절댓값이 큰 수가 더 작고 양수는 절댓값이 큰 수가 더 크다.

$a<0$, $b<0$이므로 $\dfrac{1}{a}$, $\dfrac{1}{b}$은 모두 음수이다. 또한 $a<b$이므로
$\dfrac{1}{a}>\dfrac{1}{b}$
$c>0$, $d>0$이므로 $\dfrac{1}{c}$, $\dfrac{1}{d}$은 모두 양수이다. 또한 $c<d$이므로
$\dfrac{1}{c}>\dfrac{1}{d}$

따라서 $\dfrac{1}{b}<\dfrac{1}{a}<\dfrac{1}{d}<\dfrac{1}{c}$이므로 작은 수부터 차례로 나열하면
$\dfrac{1}{b}, \dfrac{1}{a}, \dfrac{1}{d}, \dfrac{1}{c}$

07 **풀이전략** 수의 대소 관계와 관련된 규칙을 찾는다.

화살표 방향의 수 중에서 가장 작은 수를 나타내는 것이 규칙이다.
따라서 A는 $-\dfrac{1}{2}$, 2.4, -1.1 중 가장 작은 수이고
$-1.1<-\dfrac{1}{2}<2.4$이므로 A에 알맞은 수는 -1.1이다.

정수와 유리수의 계산

II. 정수와 유리수

본문 48~51쪽

01 ① **02** ③ **03** -12 **04** ② **05** $\dfrac{7}{12}$ **06** $\dfrac{10}{3}$ **07** ③

08 ② **09** ④ **10** $\dfrac{1}{2}$ **11** $\dfrac{2}{5}$ **12** ① **13** ②

14 $a<0,\ b<0,\ c>0$ **15** -2 **16** ①

────────────────────────

01 $A=\left(-\dfrac{1}{2}\right)+\left(-\dfrac{2}{3}\right)=\left(-\dfrac{3}{6}\right)+\left(-\dfrac{4}{6}\right)=-\dfrac{7}{6}$

따라서 $\dfrac{4}{9}$보다 A만큼 큰 수는

$\dfrac{4}{9}+A=\dfrac{4}{9}+\left(-\dfrac{7}{6}\right)$

$=\dfrac{8}{18}+\left(-\dfrac{21}{18}\right)=-\dfrac{13}{18}$

02 ① $(-0.4)-(+0.2)=(-0.4)+(-0.2)$
$\qquad\qquad\qquad\qquad =-0.6$

② $(+5.1)+(-6.2)=-(6.2-5.1)$
$\qquad\qquad\qquad\qquad =-1.1$

③ $\left(-\dfrac{3}{4}\right)-(-2)=\left(-\dfrac{3}{4}\right)+\left(+\dfrac{8}{4}\right)$

$\qquad\qquad\quad =+\left(\dfrac{8}{4}-\dfrac{3}{4}\right)$

$\qquad\qquad\quad =+\dfrac{5}{4}$

④ $\left(+\dfrac{1}{2}\right)-\left(-\dfrac{1}{3}\right)=\left(+\dfrac{3}{6}\right)+\left(+\dfrac{2}{6}\right)$

$\qquad\qquad\qquad =+\left(\dfrac{3}{6}+\dfrac{2}{6}\right)$

$\qquad\qquad\qquad =+\dfrac{5}{6}$

⑤ $\left(-\dfrac{4}{5}\right)-\left(-\dfrac{3}{4}\right)=\left(-\dfrac{16}{20}\right)+\left(+\dfrac{15}{20}\right)$

$\qquad\qquad\qquad =-\left(\dfrac{16}{20}-\dfrac{15}{20}\right)$

$\qquad\qquad\qquad =-\dfrac{1}{20}$

계산 결과를 작은 수부터 차례로 나열하면

$-1.1,\ -0.6,\ -\dfrac{1}{20},\ \dfrac{5}{6},\ \dfrac{5}{4}$

따라서 수직선 위에 나타낼 때 가장 오른쪽의 점에 대응하는 것은 가장 큰 수이므로 ③이다.

함정 피하기
수직선 위에서 가장 오른쪽의 점에 대응하는 수는 가장 큰 수를 의미한다.

03 세 변에 놓인 세 수의 합이 0이므로
$8+a+(-4)=0$에서 $a=-4$
$b+1+(-4)=0$에서 $b=3$
$8+c+b=0,\ 8+c+3=0$에서 $c=-11$
$\therefore a+b+c=-4+3+(-11)=-12$

04 $\dfrac{1}{6}-\dfrac{3}{8}+\dfrac{1}{3}-\dfrac{7}{12}=\dfrac{1}{6}+\left(-\dfrac{3}{8}\right)+\dfrac{1}{3}+\left(-\dfrac{7}{12}\right)$

$\qquad\qquad\qquad =\dfrac{4}{24}+\left(-\dfrac{9}{24}\right)+\dfrac{8}{24}+\left(-\dfrac{14}{24}\right)$

$\qquad\qquad\qquad =\dfrac{4}{24}+\dfrac{8}{24}+\left(-\dfrac{9}{24}\right)+\left(-\dfrac{14}{24}\right)$

$\qquad\qquad\qquad =\dfrac{12}{24}+\left(-\dfrac{23}{24}\right)$

$\qquad\qquad\qquad =-\dfrac{11}{24}$

05 (어떤 유리수)$+\left(-\dfrac{2}{3}\right)=-\dfrac{3}{4}$에서

(어떤 유리수)$=\left(-\dfrac{3}{4}\right)-\left(-\dfrac{2}{3}\right)=\left(-\dfrac{3}{4}\right)+\left(+\dfrac{2}{3}\right)$

$\qquad\qquad =\left(-\dfrac{9}{12}\right)+\left(+\dfrac{8}{12}\right)$

$\qquad\qquad =-\dfrac{1}{12}$

따라서 바르게 계산한 값은

$\left(-\dfrac{1}{12}\right)-\left(-\dfrac{2}{3}\right)=\left(-\dfrac{1}{12}\right)+\left(+\dfrac{2}{3}\right)$

$\qquad\qquad =\left(-\dfrac{1}{12}\right)+\left(+\dfrac{8}{12}\right)=\dfrac{7}{12}$

06 $-\dfrac{5}{6}$를 나타내는 점에서 오른쪽으로 $\dfrac{17}{3}$만큼 이동한 후 왼쪽으로 $\dfrac{3}{2}$만큼 이동하면 점 A를 나타내는 수이다.

따라서 점 A가 나타내는 수는

$-\dfrac{5}{6}+\dfrac{17}{3}-\dfrac{3}{2}=-\dfrac{5}{6}+\dfrac{34}{6}-\dfrac{9}{6}$

$\qquad\qquad =\dfrac{20}{6}=\dfrac{10}{3}$

함정 피하기
수직선 위의 한 점에서 오른쪽으로 이동하는 것을 $+$, 왼쪽으로 이동하는 것을 $-$로 생각한다.

07 ③ $\left(-\dfrac{1}{2}\right)\div 2=\left(-\dfrac{1}{2}\right)\times\dfrac{1}{2}=-\dfrac{1}{4}$

따라서 옳지 않은 것은 ③이다.

08 주어진 네 수 중에서 서로 다른 세 수를 골라서 곱했을 때 그 결과가 가장 작으려면 (양수)×(양수)×(음수) 꼴이어야 하고, 음수의 절댓값이 커야 한다.

따라서 세 수 $\dfrac{1}{3}$, -6, 3을 곱할 때, 가장 작은 수가 되므로

$\dfrac{1}{3}\times(-6)\times 3=-6$

09 ① $-(-1)^6=-(+1)=-1$

② $(-2)^3=-8$

③ $(-3)^4=81$

④ $-\left(-\dfrac{1}{3}\right)^3=-\left(-\dfrac{1}{27}\right)=\dfrac{1}{27}$

⑤ $\left(-\dfrac{1}{2}\right)^4=\dfrac{1}{16}$

따라서 옳지 않은 것은 ④이다.

실수하기 쉬운 부분 짚어보기

양수 a에 대하여

① a^n의 부호 ➡ $+$

② $(-a)^n$의 부호 ➡ $\begin{cases} n\text{이 짝수이면 ➡ } + \\ n\text{이 홀수이면 ➡ } - \end{cases}$

10 $0.6=\dfrac{6}{10}$의 역수는 $\dfrac{10}{6}$이므로 $x=\dfrac{10}{6}$

$-\dfrac{1}{8}$의 역수는 -8이므로 $y=-8$

$-\dfrac{12}{5}$의 역수는 $-\dfrac{5}{12}$이므로 $z=-\dfrac{5}{12}$

$\therefore x\div y\div z=\dfrac{10}{6}\div(-8)\div\left(-\dfrac{5}{12}\right)$

$=\dfrac{10}{6}\times\left(-\dfrac{1}{8}\right)\times\left(-\dfrac{12}{5}\right)$

$=\dfrac{1}{2}$

11 (주어진 식)$=\dfrac{12}{5}\times\left(-\dfrac{4}{15}\right)\times\dfrac{3}{4}\times\left(-\dfrac{5}{6}\right)$

$=+\left(\dfrac{12}{5}\times\dfrac{4}{15}\times\dfrac{3}{4}\times\dfrac{5}{6}\right)$

$=\dfrac{2}{5}$

12 $a=-\dfrac{21}{16}\div\left(-\dfrac{7}{4}\right)$

$=-\dfrac{21}{16}\times\left(-\dfrac{4}{7}\right)=\dfrac{3}{4}$

$b=\left(-\dfrac{1}{7}\right)\div\dfrac{8}{21}$

$=\left(-\dfrac{1}{7}\right)\times\dfrac{21}{8}=-\dfrac{3}{8}$

$\therefore a\div b=\dfrac{3}{4}\div\left(-\dfrac{3}{8}\right)$

$=\dfrac{3}{4}\times\left(-\dfrac{8}{3}\right)=-2$

13 $a\times b+a\times c=a\times(b+c)$이므로

$6+a\times c=-15$

$\therefore a\times c=-21$

14 $a\div c<0$이므로 a, c는 서로 다른 부호이다.

이때 $a<c$이므로 $a<0$, $c>0$

또 $a\times b>0$에서 a, b는 서로 같은 부호이므로 $b<0$

따라서 $a<0$, $b<0$, $c>0$이다.

15 $\left(-\dfrac{4}{3}\right)\div\left(-\dfrac{6}{5}\right)\times\square=-\dfrac{20}{9}$에서

$\left(-\dfrac{4}{3}\right)\times\left(-\dfrac{5}{6}\right)\times\square=-\dfrac{20}{9}$

$\dfrac{10}{9}\times\square=-\dfrac{20}{9}$

$\therefore \square=\left(-\dfrac{20}{9}\right)\div\dfrac{10}{9}$

$=\left(-\dfrac{20}{9}\right)\times\dfrac{9}{10}=-2$

함정 피하기

곱셈과 나눗셈 사이에는 다음과 같은 관계가 있다.

■ × ▲ = ●

➡ ■ = ● ÷ ▲, ▲ = ● ÷ ■

16 (주어진 식)

$=-25+\left\{(-9)\times\dfrac{5}{3}-(-8)\times\dfrac{1}{8}+8\right\}$

$=-25+\{(-15)-(-1)+8\}$

$=-25+(-6)$

$=-31$

Level ②

01 ④ **02** $\dfrac{9}{8}$ **03** ⑤ **04** ③ **05** -2 **06** $\dfrac{9}{4}$ **07** 30

08 ③ **09** 3 **10** -4 **11** ⑤ **12** ③ **13** 1 **14** ③

15 $-\dfrac{1}{4}$ **16** $-\dfrac{16}{3}$

---

01 a는 절댓값이 $\dfrac{3}{4}$인 수이므로

$a=\dfrac{3}{4}$ 또는 $a=-\dfrac{3}{4}$이고,

b는 절댓값이 $\dfrac{2}{3}$인 수이므로

$b=\dfrac{2}{3}$ 또는 $b=-\dfrac{2}{3}$이다.

(i) $a=\dfrac{3}{4}$, $b=\dfrac{2}{3}$인 경우

$a+b=\dfrac{3}{4}+\dfrac{2}{3}$

$=\dfrac{9}{12}+\dfrac{8}{12}=\dfrac{17}{12}$

(ii) $a=\dfrac{3}{4}$, $b=-\dfrac{2}{3}$인 경우

$a+b=\dfrac{3}{4}+\left(-\dfrac{2}{3}\right)$

$=\dfrac{9}{12}+\left(-\dfrac{8}{12}\right)=\dfrac{1}{12}$

(iii) $a=-\dfrac{3}{4}$, $b=\dfrac{2}{3}$인 경우

$a+b=\left(-\dfrac{3}{4}\right)+\dfrac{2}{3}$

$=\left(-\dfrac{9}{12}\right)+\dfrac{8}{12}=-\dfrac{1}{12}$

(iv) $a=-\dfrac{3}{4}$, $b=-\dfrac{2}{3}$인 경우

$a+b=\left(-\dfrac{3}{4}\right)+\left(-\dfrac{2}{3}\right)$

$=\left(-\dfrac{9}{12}\right)+\left(-\dfrac{8}{12}\right)=-\dfrac{17}{12}$

따라서 $a+b$의 값이 될 수 없는 수는 ④ $\dfrac{5}{12}$이다.

02 마주 보는 면에 적혀 있는 두 수는 서로 역수이므로

$-2^2=-4$와 마주 보는 면에 적혀 있는 수는 $-\dfrac{1}{4}$

-8과 마주 보는 면에 적혀 있는 수는 $-\dfrac{1}{8}$

$\dfrac{2}{3}$와 마주 보는 면에 적혀 있는 수는 $\dfrac{3}{2}$

따라서 보이지 않는 세 면에 적혀 있는 수들의 합은

$\left(-\dfrac{1}{4}\right)+\left(-\dfrac{1}{8}\right)+\dfrac{3}{2}=\left(-\dfrac{2}{8}\right)+\left(-\dfrac{1}{8}\right)+\dfrac{12}{8}$

$=\dfrac{9}{8}$

03 절댓값이 각각 6, 7인 두 정수의 곱이 음수이므로 두 수의 부호가 다르다.

즉, 만족시키는 두 수는 $+6$과 -7 또는 -6과 $+7$이다.

또 두 수의 합이 양수이므로 양수의 절댓값이 음수의 절댓값보다 커야 한다.

따라서 만족하는 두 수는 -6, $+7$이므로 두 수의 차는

$|(+7)-(-6)|=|(+7)+(+6)|=13$

04 $\left|-\dfrac{5}{4}\right|<|1.5|<\left|2\dfrac{1}{5}\right|<\left|-\dfrac{10}{3}\right|<\left|\dfrac{9}{2}\right|$이므로

$a=-\dfrac{5}{4}$, $b=\dfrac{9}{2}$

$\therefore a-b=\left(-\dfrac{5}{4}\right)-\dfrac{9}{2}$

$=\left(-\dfrac{5}{4}\right)-\dfrac{18}{4}=-\dfrac{23}{4}$

05 $a=\dfrac{3}{2}-\dfrac{7}{3}=\dfrac{9}{6}-\dfrac{14}{6}=-\dfrac{5}{6}$이므로

$b=\left|\left(-\dfrac{5}{6}\right)+2\right|=\left|\left(-\dfrac{5}{6}\right)+\dfrac{12}{6}\right|=\dfrac{7}{6}$

$\therefore a-b=\left(-\dfrac{5}{6}\right)-\dfrac{7}{6}=-2$

06 두 점 A, B 사이의 거리는

$3-\left(-\dfrac{3}{4}\right)=\dfrac{12}{4}+\left(+\dfrac{3}{4}\right)=\dfrac{15}{4}$

이므로 두 점 A, P 사이의 거리는

$\dfrac{15}{4}\times\dfrac{1}{3}=\dfrac{5}{4}$

따라서 두 점 P, Q가 나타내는 수는

$p=\left(-\dfrac{3}{4}\right)+\dfrac{5}{4}=\dfrac{2}{4}=\dfrac{1}{2}$

$q=3-\dfrac{5}{4}=\dfrac{7}{4}$

$\therefore p+q=\dfrac{1}{2}+\dfrac{7}{4}=\dfrac{2}{4}+\dfrac{7}{4}=\dfrac{9}{4}$

함정 피하기

두 점 A와 B 사이의 거리는 두 점이 나타내는 수의 차와 같다.

07 진희는 8번 이기고 2번 졌으며, 석민이는 2번 이기고 8번 졌다.

진희의 위치는

$8 \times (+3) + 2 \times (-2) = +20$

석민이의 위치는

$2 \times (+3) + 8 \times (-2) = -10$

따라서 구하는 값은

$(+20) - (-10) = (+20) + (+10) = 30$

실수하기 쉬운 부분 짚어보기

진희가 8번 이겼으면 석민이는 2번 이기고 8번 진 것이다.

08 절댓값이 8인 음의 정수는 -8이고 세 정수의 곱이 -32이므로 세 정수 중 나머지 두 수의 곱은 $+4$이다.

한편 곱해서 $+4$가 되는 두 음의 정수는

-2와 -2 또는 -1과 -4이고,

세 정수는 서로 다른 수이므로 나머지 두 정수는 -1, -4이다.

따라서 구하는 세 정수의 합은

$(-8) + (-1) + (-4) = -13$

09 n은 짝수이므로 $(-1)^n = 1$

$n+1$은 홀수이므로 $(-1)^{n+1} = -1$

$n+2$는 짝수이므로 $(-1)^{n+2} = 1$

$\therefore (-1)^n - (-1)^{n+1} + (-1)^{n+2}$

$= 1 - (-1) + 1$

$= 1 + 1 + 1$

$= 3$

10 $a \div b$의 값이 가장 작으려면 음수이고, 절댓값이 커야 한다.

음수이려면 두 수의 부호가 달라야 하고, 절댓값이 크려면 절댓값이 가장 큰 수를 절댓값이 가장 작은 수로 나누어야 한다.

(ⅰ) 음수의 절댓값이 큰 경우

$(-3) \div \left(+\dfrac{4}{3}\right) = (-3) \times \left(+\dfrac{3}{4}\right) = -\dfrac{9}{4}$

(ⅱ) 양수의 절댓값이 큰 경우

$(+2) \div \left(-\dfrac{1}{2}\right) = (+2) \times (-2) = -4$

(ⅰ), (ⅱ)에서 $a \div b$의 값이 될 수 있는 가장 작은 값은 -4이다.

11 어떤 유리수를 x라 하면

$x \times (-6) = 15$에서

$x = 15 \div (-6) = -\dfrac{5}{2}$

따라서 바르게 계산하면

$-\dfrac{5}{2} \div (-6) = -\dfrac{5}{2} \times \left(-\dfrac{1}{6}\right) = \dfrac{5}{12}$

12 $a-b<0$에서 $a<b$이고, $\dfrac{b}{a}<0$이므로 $a<0$, $b>0$이다.

$\dfrac{c}{b}>0$에서 b와 c는 같은 부호이므로 $c>0$이다.

$\therefore a<0$, $b>0$, $c>0$

① $a<0$

② $-b<0$

③ $-a+b \times c = (양수)+(양수)>0$

④ $a \times c = (음수) \times (양수)<0$

⑤ $-c<0$

따라서 부호가 나머지 넷과 다른 것은 ③이다.

실수하기 쉬운 부분 짚어보기

$1-2<0$이면 $1<2$와 같이 두 수 a, b에 대해 $a-b<0$이면 $a<b$이다.

13 $\left(\dfrac{2}{3} - \dfrac{1}{2}\right) \div \left\{ -\dfrac{2}{3} + \left(-3+\dfrac{1}{2}\right)^2 \times \dfrac{1}{5} \right\} - \left(-\dfrac{5}{7}\right)$

$= \left(\dfrac{4}{6} - \dfrac{3}{6}\right) \div \left\{ -\dfrac{2}{3} + \left(-\dfrac{5}{2}\right)^2 \times \dfrac{1}{5} \right\} - \left(-\dfrac{5}{7}\right)$

$= \dfrac{1}{6} \div \left(-\dfrac{2}{3} + \dfrac{25}{4} \times \dfrac{1}{5} \right) + \dfrac{5}{7}$

$= \dfrac{1}{6} \div \left(-\dfrac{2}{3} + \dfrac{5}{4} \right) + \dfrac{5}{7}$

$= \dfrac{1}{6} \div \left(-\dfrac{8}{12} + \dfrac{15}{12} \right) + \dfrac{5}{7}$

$= \dfrac{1}{6} \times \dfrac{12}{7} + \dfrac{5}{7}$

$= \dfrac{2}{7} + \dfrac{5}{7} = 1$

14 $A = \left(-\dfrac{1}{3}\right)^3 \times (-3) - \dfrac{2}{3} \div 0.5$

$= \left(-\dfrac{1}{27}\right) \times (-3) - \dfrac{2}{3} \times 2$

$= \dfrac{1}{9} - \dfrac{4}{3}$

$= \dfrac{1}{9} - \dfrac{12}{9} = -\dfrac{11}{9}$

$$B=\frac{1}{2}+\left(-\frac{1}{2}\right)^2\div\left(\frac{5}{6}-\frac{4}{3}\right)-2$$
$$=\frac{1}{2}+\left(+\frac{1}{4}\right)\div\left(\frac{5}{6}-\frac{8}{6}\right)-2$$
$$=\frac{1}{2}+\left(+\frac{1}{4}\right)\div\left(-\frac{3}{6}\right)-2$$
$$=\frac{1}{2}+\left(+\frac{1}{4}\right)\times\left(-\frac{6}{3}\right)-2$$
$$=\frac{1}{2}+\left(-\frac{1}{2}\right)-2$$
$$=-2$$
$$\therefore A-B=-\frac{11}{9}-(-2)$$
$$=-\frac{11}{9}+\frac{18}{9}$$
$$=\frac{7}{9}$$

15 -12를 넣어 A기계에서 나온 수는
$$(-12)\times\left(-\frac{2}{3}\right)+2=8+2=10$$
A기계에서 나온 수 10을 넣어 B기계에서 나온 수는
$$10\div\frac{4}{5}-\left(-\frac{3}{2}\right)=10\times\frac{5}{4}+\frac{3}{2}$$
$$=\frac{25}{2}+\frac{3}{2}$$
$$=14$$
B기계에서 나온 수 14를 넣어 C기계에서 나온 수는
$$14\times\left(-\frac{2}{7}\right)=-4$$
이고 -4의 역수는 $-\frac{1}{4}$

따라서 C기계에서 나온 수는 $-\frac{1}{4}$이다.

16 $(-1)\circ 3=\dfrac{-1-2\times 3}{2\times(-1)+3}$
$$=\frac{-1-6}{-2+3}$$
$$=\frac{-7}{1}=-7$$
$$\therefore 2\circ\{(-1)\circ 3\}=2\circ(-7)$$
$$=\frac{2-2\times(-7)}{2\times 2+(-7)}$$
$$=\frac{2+14}{4-7}$$
$$=-\frac{16}{3}$$

Level ③ 본문 56~57쪽

01 12 **02** -1086 **03** $19^{2021}-19^{2020}>19^{2020}$ **04** -4
05 67 **06** -13 **07** 11

01 조건 (나)에서 b의 절댓값이 5이므로 $b=-5$ 또는 $b=5$이다.
 (ⅰ) $b=-5$일 때
   조건 (다), (라)에 의해 a의 절댓값은 2이고, $a>0$이므로
   $a=2$
   조건 (가)에서 $a+b+c=12$이므로
   $2+(-5)+c=12$, $-3+c=12$, $c=15$
   그런데 이것은 조건 (라)를 만족시키지 않는다.
 (ⅱ) $b=5$일 때
   조건 (다), (라)에 의해 a의 절댓값은 12이고, $a>0$이므로
   $a=12$
   조건 (가)에서 $a+b+c=12$이므로
   $12+5+c=12$, $17+c=12$, $c=-5$
   이것은 조건 (라)를 만족시킨다.
 (ⅰ), (ⅱ)에 의하여 $a=12$, $b=5$, $c=-5$이므로
 $a-b-c=12-5-(-5)=12$

02 주어진 수의 나열은 -3, -4, 3, -3, -3, -3의 6개의 수가 반복된다.
 -3, -4, 3, -3, -3, -3의 합은
 $(-3)+(-4)+3+(-3)+(-3)+(-3)=-13$
 이고, $500=6\times 83+2$이므로
 처음부터 500번째 수까지의 합은
 $-13\times 83+\{(-3)+(-4)\}=-1079+(-7)$
 $\qquad\qquad\qquad\qquad\qquad\qquad =-1086$

 함정 피하기
 주어진 수의 나열은 -3, -4, 3, -3, -3, -3이 반복된다.

03 $19^{2021}-19^{2020}=19^{2020}\times 19-19^{2020}\times 1$
 $\qquad\qquad\qquad\quad =19^{2020}\times(19-1)$ (∵ 분배법칙)
 $\qquad\qquad\qquad\quad =19^{2020}\times 18$
 따라서 $19^{2021}-19^{2020}>19^{2020}$

 실수하기 쉬운 부분 짚어보기
 $a\times(b+c)=a\times b+a\times c$이면 $a\times b+a\times c=a\times(b+c)$도 옳은 식이다.

04 $7-[\Box+(-8)\div\{5\times(-3)+11\}]\times(-6)$

$=7-\{\Box+(-8)\div(-4)\}\times(-6)$

$=7-\{\Box+(+2)\}\times(-6)$

따라서 $7-\{\Box+(+2)\}\times(-6)=-5$이고

$7-12=-5$이므로

$\{\Box+(+2)\}\times(-6)=12$

$\Box+(+2)=-2$

$\therefore \Box=(-2)-(+2)=(-2)+(-2)=-4$

05 세 수 중 두 수를 선택하여 곱하고 나머지 수로 나눈 값은 음수이므로 절댓값이 작을수록 그 값이 커진다.

즉, 세 수 중 절댓값이 작은 두 수를 곱하고 절댓값이 가장 큰 수로 나누면 그 값이 가장 커진다.

세 수 $2\frac{2}{7}$, $-\frac{5}{3}$, 1.5 중 절댓값이 가장 큰 수는

$2\frac{2}{7}=\frac{16}{7}$이므로

$\frac{a}{b}=\left(-\frac{5}{3}\right)\times\frac{3}{2}\div\frac{16}{7}$

$=\left(-\frac{5}{3}\right)\times\frac{3}{2}\times\frac{7}{16}=-\frac{35}{32}$

따라서 $a=35$, $b=-32$ 또는 $a=-35$, $b=32$이므로

$|a-b|=67$

06 $A=-(-3)^2+\{1-12\times(-2)\div(-3)\}$

$=-9+\left\{1-12\times(-2)\times\left(-\frac{1}{3}\right)\right\}$

$=-9+(1-8)$

$=-9-7=-16$

$B=\frac{3}{2}\div\left\{-2-\left(\frac{1}{2}-\frac{4}{3}\right)\times4+\left(-\frac{1}{2}\right)^3\right\}$

$=\frac{3}{2}\div\left\{-2-\left(\frac{3}{6}-\frac{8}{6}\right)\times4+\left(-\frac{1}{8}\right)\right\}$

$=\frac{3}{2}\div\left\{-2-\left(-\frac{5}{6}\right)\times4+\left(-\frac{1}{8}\right)\right\}$

$=\frac{3}{2}\div\left\{-2-\left(-\frac{10}{3}\right)+\left(-\frac{1}{8}\right)\right\}$

$=\frac{3}{2}\div\left(-2+\frac{10}{3}-\frac{1}{8}\right)$

$=\frac{3}{2}\div\left(-\frac{48}{24}+\frac{80}{24}-\frac{3}{24}\right)$

$=\frac{3}{2}\div\frac{29}{24}$

$=\frac{3}{2}\times\frac{24}{29}=\frac{36}{29}$

$\therefore A\div B=-16\div\frac{36}{29}$

$=-16\times\frac{29}{36}=-\frac{116}{9}$

이때 $-\frac{116}{9}=-12-\frac{8}{9}$이므로 수직선에 나타내었을 때 가장 가까운 정수는 -13이다.

07 a, b가 정수이므로 $|a-b|$는 0 또는 양의 정수이다.

또한 $a\times|a-b|=5$이므로 a, $|a-b|$는 양의 정수이고, 5의 약수이다. 따라서 다음 두 가지 경우가 가능하다.

(i) $a=5$이고 $|a-b|=1$일 때

$|a-b|=|5-b|=1$이므로

$5-b=1$ 또는 $5-b=-1$

$\therefore b=4$ 또는 $b=6$

이때 $a+b$의 값은 9 또는 11이다

(ii) $a=1$이고 $|a-b|=5$일 때

$|a-b|=|1-b|=5$이므로

$1-b=5$ 또는 $1-b=-5$

$\therefore b=-4$ 또는 $b=6$

이때 $a+b$의 값은 -3 또는 7이다

(i), (ii)에서 $a+b$의 값은 9 또는 11 또는 -3 또는 7이므로 $a+b$의 값 중 가장 큰 값은 11이다.

> **실수하기 쉬운 부분 짚어보기**
> 두 양의 정수 A, B에서 $A\times B=5$이면 $A=1$, $B=5$ 또는 $A=5$, $B=1$이다.

Level 4 본문 58~59쪽

01 -4 **02** 10 **03** ② **04** ①, ⑤ **05** 0.49 **06** $-\frac{11}{12}$

07 422

01 먼저 세 변 위에 놓인 세 수의 합을 구한다.

삼각형의 세 변 위에 놓인 세 수의 합은 모두 같으므로 각 변에 놓인 세 수의 합은

$\frac{2}{3}+(-1)+\left(-\frac{3}{2}\right)$

$=\frac{4}{6}+\left(-\frac{6}{6}\right)+\left(-\frac{9}{6}\right)$

$=-\frac{11}{6}$

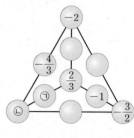

즉, $-2+\left(-\dfrac{4}{3}\right)+\bigcirc=-\dfrac{11}{6}$이므로

$-\dfrac{10}{3}+\bigcirc=-\dfrac{11}{6}$

$\bigcirc=-\dfrac{11}{6}+\dfrac{10}{3}=-\dfrac{11}{6}+\dfrac{20}{6}=\dfrac{3}{2}$

또, $\bigcirc+\bigcirc+\dfrac{2}{3}=-\dfrac{11}{6}$이므로

$\dfrac{3}{2}+\bigcirc+\dfrac{2}{3}=-\dfrac{11}{6}$

$\dfrac{9}{6}+\dfrac{4}{6}+\bigcirc=-\dfrac{11}{6}$, $\dfrac{13}{6}+\bigcirc=-\dfrac{11}{6}$

$\therefore \bigcirc=-\dfrac{11}{6}-\dfrac{13}{6}=-4$

02 **풀이전략** 먼저 b의 값을 구하고 b의 값에 따른 a와 c의 값을 구한다.

조건 (내)에서 $|b-4|=2$이므로

$b-4=2$ 또는 $b-4=-2$

즉, $b=6$ 또는 $b=2$이다.

(i) $b=6$일 때

조건 (개)에서 $|a-5|=|b+1|=|6+1|=7$이므로

$a-5=7$ 또는 $a-5=-7$

즉, $a=12$ 또는 $a=-2$

㉠ $a=12$이면

조건 (대)에서 $|a|+|c|=12$이므로 $c=0$이고 조건 (래)를 만족시킨다.

$a=12$, $b=6$, $c=0$이므로

$a-b-c=12-6-0=6$

㉡ $a=-2$이면

조건 (대)에서 $|a|+|c|=12$이므로 $|c|=10$

즉, $c=10$ 또는 $c=-10$

그런데 조건 (래)에 의해 $c=10$

$a=-2$, $b=6$, $c=10$이므로

$a-b-c=-2-6-10=-18$

(ii) $b=2$일 때

조건 (개)에서 $|a-5|=|b+1|=|2+1|=3$이므로

$a-5=3$ 또는 $a-5=-3$

즉, $a=8$ 또는 $a=2$

그런데 a, b는 서로 다른 정수이므로 $a=8$

조건 (대)에서 $|a|+|c|=12$이므로 $|c|=4$

즉, $c=4$ 또는 $c=-4$

그런데 조건 (래)에 의해 $c=4$ 또는 $c=-4$

$a=8$, $b=2$, $c=-4$일 때

$a-b-c=8-2-(-4)=10$

$a=8$, $b=2$, $c=4$일 때

$a-b-c=8-2-4=2$

(i), (ii)에서 $a-b-c$의 값 중 가장 큰 값은 10이다.

03 **풀이전략** $1+2-3=(1+2+3)-2\times3$과 같다.

$1+2+3+\cdots+19+20$

$=(1+20)+(2+19)+\cdots+(9+12)+(10+11)$

$=21\times10=210$

이고 $94=210-116=210-2\times58$

$18+19+20=57$이므로

$1+2+3+\cdots+17-18-19-20$

$=(1+2+3+\cdots+19+20)-2\times(18+19+20)$

$=210-2\times57=96$ ...... ㉠

㉠이 94가 되려면 2만큼 빼면 되므로

$(1+2+3+\cdots+19+20)-2\times(1+18+19+20)=94$

$-1+2+3+4+\cdots+17-18-19-20=94$

따라서 사용한 $-$ 부호의 개수는 4개이다.

실수하기 쉬운 부분 짚어보기

덧셈은 교환법칙과 결합법칙이 성립하므로
$1+2+3+\cdots+19+20$
$=(1+20)+(2+19)+\cdots+(9+12)+(10+11)$
과 같이 계산할 수 있다.

04 **풀이전략** $t>0$일 때, $\dfrac{|t|}{t}=1$이고, $t<0$일 때, $\dfrac{|t|}{t}=-1$이다.

$t>0$일 때, $\dfrac{|t|}{t}=1$

$t<0$일 때, $\dfrac{|t|}{t}=-1$

$A=\dfrac{|a|}{a}+\dfrac{|b|}{b}+\dfrac{|a\times b|}{a\times b}$의 값을 a와 b의 부호에 따라 경우를 나누어 구해 보면

(i) a, b 모두 양수일 때

$a\times b>0$이므로

$A=\dfrac{|a|}{a}+\dfrac{|b|}{b}+\dfrac{|a\times b|}{a\times b}=1+1+1=3$

(ii) a, b의 부호가 다를 때

$\dfrac{|a|}{a}$, $\dfrac{|b|}{b}$ 중 하나는 1이고, 하나는 -1이므로 합은 0이다.

또한 $a\times b<0$이므로

$A=\dfrac{|a|}{a}+\dfrac{|b|}{b}+\dfrac{|a\times b|}{a\times b}=0+(-1)=-1$

(iii) a, b 모두 음수일 때

$a\times b>0$이므로

$A=\dfrac{|a|}{a}+\dfrac{|b|}{b}+\dfrac{|a\times b|}{a\times b}=(-1)+(-1)+1=-1$

(i), (ii), (iii)에 의하여 A의 값으로 가능한 것은 -1 또는 3이다.

함정 피하기

$A=\dfrac{|a|}{a}+\dfrac{|b|}{b}+\dfrac{|a\times b|}{a\times b}$ 의 값을 a, b의 부호에 따라 경우를 나누어 생각한다.

05 **풀이전략** 먼저 분배법칙을 이용하여 주어진 식을 간단히 한 후 $\dfrac{1}{n\times(n+1)}=\dfrac{1}{n}-\dfrac{1}{n+1}$임을 이용하여 식을 변형한다.

(주어진 식)

$$=\dfrac{1}{2}\times\left(\dfrac{1}{2}+\dfrac{1}{6}+\dfrac{1}{12}+\dfrac{1}{20}+\cdots+\dfrac{1}{2450}\right)$$

$$=\dfrac{1}{2}\times\left(\dfrac{1}{1\times2}+\dfrac{1}{2\times3}+\dfrac{1}{3\times4}+\dfrac{1}{4\times5}+\cdots+\dfrac{1}{49\times50}\right)$$

$$=\dfrac{1}{2}\times\left\{\left(\dfrac{1}{1}-\dfrac{1}{2}\right)+\left(\dfrac{1}{2}-\dfrac{1}{3}\right)+\left(\dfrac{1}{3}-\dfrac{1}{4}\right)+\left(\dfrac{1}{4}-\dfrac{1}{5}\right)\right.$$
$$\left.+\cdots+\left(\dfrac{1}{49}-\dfrac{1}{50}\right)\right\}$$

$$=\dfrac{1}{2}\times\left(1-\dfrac{1}{50}\right)$$

$$=\dfrac{1}{2}\times\dfrac{49}{50}=0.49$$

06 **풀이전략** ( ) ➡ { } ➡ [ ]의 순서로 계산한다.

$$\dfrac{1}{3}\square\left(-\dfrac{1}{6}\right)=\dfrac{1}{3}\times\dfrac{1}{3}+\left(-\dfrac{1}{6}\right)$$
$$=\dfrac{1}{9}+\left(-\dfrac{1}{6}\right)$$
$$=\dfrac{2}{18}+\left(-\dfrac{3}{18}\right)=-\dfrac{1}{18}$$

이므로

$$\left(-\dfrac{1}{2}\right)■\left[\dfrac{3}{2}◨\left\{\dfrac{1}{3}\square\left(-\dfrac{1}{6}\right)\right\}\right]=\left(-\dfrac{1}{2}\right)■\left\{\dfrac{3}{2}◨\left(-\dfrac{1}{18}\right)\right\}$$

이때 $\dfrac{3}{2}◨\left(-\dfrac{1}{18}\right)=\dfrac{3}{2}-3\times\left(-\dfrac{1}{18}\right)$

$$=\dfrac{3}{2}+\dfrac{1}{6}$$
$$=\dfrac{9}{6}+\dfrac{1}{6}=\dfrac{5}{3}$$

이므로 $\left(-\dfrac{1}{2}\right)■\left\{\dfrac{3}{2}◨\left(-\dfrac{1}{18}\right)\right\}=\left(-\dfrac{1}{2}\right)■\dfrac{5}{3}$에서

$$\left(-\dfrac{1}{2}\right)■\dfrac{5}{3}=\left(-\dfrac{1}{2}\right)\div2-\dfrac{5}{3}\times\dfrac{2}{5}$$
$$=-\dfrac{1}{4}-\dfrac{2}{3}$$
$$=-\dfrac{3}{12}-\dfrac{8}{12}=-\dfrac{11}{12}$$

$$\therefore \left(-\dfrac{1}{2}\right)■\left[\dfrac{3}{2}◨\left\{\dfrac{1}{3}\square\left(-\dfrac{1}{6}\right)\right\}\right]=-\dfrac{11}{12}$$

07 **풀이전략** $\dfrac{y}{x}=\dfrac{1}{\dfrac{x}{y}}$임을 이용한다.

$$\dfrac{32}{47}=1-\dfrac{15}{47}=1-\dfrac{1}{\dfrac{47}{15}}$$

$$=1-\dfrac{1}{4-\dfrac{13}{15}}$$

$$=1-\dfrac{1}{4-\dfrac{1}{\dfrac{15}{13}}}$$

$$=1-\dfrac{1}{4-\dfrac{1}{2-\dfrac{11}{13}}}$$

$$=1-\dfrac{1}{4-\dfrac{1}{2-\dfrac{1}{\dfrac{13}{11}}}}$$

$$=1-\dfrac{1}{4-\dfrac{1}{2-\dfrac{1}{2-\dfrac{9}{11}}}}$$

따라서 $a=4$, $b=2$, $c=2$이므로
$$100\times a+10\times b+c=100\times4+10\times2+2=422$$

대단원 마무리 **Level 종합** 본문 60~61쪽

01 10 **02** 7 **03** ③ **04** 8개 **05** ② **06** 2개 **07** −9

08 −25 **09** $\dfrac{22}{3}$

---

01 절댓값이 12인 수는 $+12$, -12이다.

두 수 $+12$, -12 사이의 거리가 24이므로 3등분하는 점 사이의 거리는 $24\div3=8$이고 3등분하는 두 점 중에서 작은 수는 -12보다 8만큼 큰 수이므로

$$-12+8=-4$$

또 두 수 $+12$, -12 사이의 거리를 4등분하는 점 사이의 거리는 $24\div4=6$이고 4등분하는 세 점 중에서 가장 큰 수는 $+12$보다 6만큼 작은 수이므로

$$+12-6=+6$$

따라서 두 점 -4와 $+6$ 사이의 거리는
$+6-(-4)=10$

02 $-\dfrac{15}{4}=-3\dfrac{3}{4}$, $\dfrac{4}{3}=1\dfrac{1}{3}$이므로

$-\dfrac{15}{4}$와 $\dfrac{4}{3}$ 사이에 있는 정수는 -3, -2, -1, 0, 1이다.

따라서 이 정수들의 절댓값의 합은
$|-3|+|-2|+|-1|+|0|+|1|$
$=3+2+1+0+1=7$

03 A 지점에서 출발할 때, $2>-3$이므로

↓방향으로 이동하면 두 수 $-\dfrac{2}{3}$와 -5에 대하여

$-\dfrac{2}{3}>-5$이므로 →방향으로 이동한다.

이때 두 수 -1과 -5에 대하여 $-1>-5$이므로 →방향으로 이동한다.

이때 두 수 -8과 8에 대하여 $8>-8$이므로 ↓방향으로 이동한다.

이때 두 수 0과 -3에 대하여 $-3<0$이므로 →방향으로 이동한다. 따라서 도착하는 지점의 수는 0이다.

실수하기 쉬운 부분 짚어보기
두 양수는 절댓값 큰 수가 더 크고 두 음수는 절댓값 작은 수가 더 크다.

04 $\left[\dfrac{k}{15}\right]=1$에서 $1\leq\dfrac{k}{15}<2$이므로

$\dfrac{15}{15}\leq\dfrac{k}{15}<\dfrac{30}{15}$

$\therefore 15\leq k<30$

그런데 $\dfrac{k}{15}$는 기약분수이므로 k의 값이 될 수 있는 정수는

16, 17, 19, 22, 23, 26, 28, 29이다.
따라서 정수 k의 개수는 8개이다.

05 ① $3-5-\dfrac{1}{2}=3+(-5)+\left(-\dfrac{1}{2}\right)$

$=(-2)+\left(-\dfrac{1}{2}\right)=-\dfrac{5}{2}$

② $-\dfrac{4}{3}+7+\dfrac{5}{3}=7+\left\{\left(-\dfrac{4}{3}\right)+\dfrac{5}{3}\right\}$

$=7+\dfrac{1}{3}=\dfrac{22}{3}$

③ $11.5-9+1.5=11.5+1.5+(-9)$
$=13-9=4$

④ $-\dfrac{5}{2}-\dfrac{11}{6}+\dfrac{7}{3}=-\dfrac{15}{6}-\dfrac{11}{6}+\dfrac{14}{6}$

$=-\dfrac{12}{6}=-2$

⑤ $1+\dfrac{15}{8}-\dfrac{1}{4}=\dfrac{23}{8}-\dfrac{1}{4}$

$=\dfrac{23}{8}-\dfrac{2}{8}=\dfrac{21}{8}$

따라서 계산 결과가 가장 큰 것은 ②이다.

06 $(-a)^2$에서 $-a>0$이므로 $(-a)^2>0$
$-a^6$에서 $a^6>0$이므로 $-a^6<0$
$-a^2\times(-1)^5=-a^2\times(-1)=a^2>0$
$-(-a)^3$에서 $-a>0$이므로
$(-a)^3>0$, $-(-a)^3<0$
$(-a)^2\times(-1)^5\times(-1)^6\times(-1)^7$
$=(-a)^2\times(-1)\times1\times(-1)$
$=a^2>0$
따라서 음수인 것은 $-a^6$, $-(-a)^3$의 2개이다.

07 a가 적혀 있는 면과 마주 보는 면에는 3.75가 적혀 있고, b가 적혀 있는 면과 마주 보는 면에는 -2.4가 적혀 있다.

즉, a는 $3.75=\dfrac{15}{4}$의 역수이고, b는 $-2.4=-\dfrac{12}{5}$의 역수이므로

$a=\dfrac{4}{15}$, $b=-\dfrac{5}{12}$

따라서 $a\times b=\dfrac{4}{15}\times\left(-\dfrac{5}{12}\right)=-\dfrac{1}{9}$이므로

$a\times b$의 역수는 -9이다.

08 주어진 식에서 음수의 개수는 모두 $\dfrac{98}{2}=49$(개)이므로 계산 결과는 음수이다.

$\therefore$ (주어진 식)

$=\left(+\dfrac{1}{2}\right)\times\left(-\dfrac{3}{2}\right)\times\left(+\dfrac{4}{3}\right)\times\cdots\times\left(-\dfrac{99}{98}\right)\times\left(+\dfrac{100}{99}\right)$

$=-\left(\dfrac{1}{2}\times\dfrac{3}{2}\times\dfrac{4}{3}\times\cdots\times\dfrac{99}{98}\times\dfrac{100}{99}\right)$

$=-\left(\dfrac{1}{2}\times\dfrac{1}{2}\times\dfrac{100}{1}\right)$

$=-25$

함정 피하기
주어진 수의 분자를 관찰하면 수의 개수는 모두 99개이고 짝수 번째 수가 음수임을 알 수 있다.
따라서 음수의 개수는 $\dfrac{99-1}{2}=\dfrac{98}{2}=49$(개)임을 알 수 있다.

09 $8 ▲ 12 = (8 + 2 × 12) ÷ 12 = \dfrac{32}{12} = \dfrac{8}{3}$ 이므로

$x △ (8 ▲ 12) = \dfrac{8}{3}$ 에서 $x △ \dfrac{8}{3} = \dfrac{8}{3}$

즉, $x △ \dfrac{8}{3} = \left| x - \dfrac{8}{3} - 1 \right| = \left| x - \dfrac{11}{3} \right| = \dfrac{8}{3}$

(ⅰ) $x - \dfrac{11}{3} = \dfrac{8}{3}$ 일 때

　　$x = \dfrac{8}{3} + \dfrac{11}{3} = \dfrac{19}{3}$

(ⅱ) $x - \dfrac{11}{3} = -\dfrac{8}{3}$ 일 때

　　$x = -\dfrac{8}{3} + \dfrac{11}{3} = 1$

(ⅰ), (ⅱ)에서 모든 x의 값의 합은

$\dfrac{19}{3} + 1 = \dfrac{22}{3}$

---

5 문자의 사용과 식의 계산

Level 1
본문 64~67쪽

01 ④　　**02** $(3x+1)$조각　　**03** $\dfrac{20x+16y+14z}{50}$ 분　　**04** ①

05 ④　　**06** ③　　**07** ⑤　　**08** $\dfrac{-5a+25}{12}$　　**09** ②

10 (1) $-3x$　(2) $x+4$　(3) 3　(4) $-x+2$

11 (1) $-x-2$　(2) $-2x+5$　(3) $-x+5$

12 ③　　**13** ④　　**14** $\dfrac{183}{2}ab$　　**15** $\left(\dfrac{3}{2}x+3y\right)$ cm

16 둘레의 길이: $(22-2x)$ cm, 넓이: $(30-6x)$ cm²

---

01 15 % 할인된 음료수 1개의 가격은

$a × \left(1 - \dfrac{15}{100}\right) = 0.85a$ (원)

이므로 15 % 할인된 음료수 b개의 가격은

$0.85a × b = 0.85ab$ (원)

따라서 영미가 5000원을 냈을 때의 거스름돈은

$5000 - 0.85ab$ (원)

02 자른 횟수가 1번일 때, 생기는 조각의 개수는
　4조각

자른 횟수가 2번일 때, 생기는 조각의 개수는
$4 + 3 × 1 = 7$ (조각)

자른 횟수가 3번일 때, 생기는 조각의 개수는
$4 + 3 × 2 = 10$ (조각)

자른 횟수가 4번일 때, 생기는 조각의 개수는
$4 + 3 × 3 = 13$ (조각)

　　　⋮

자른 횟수가 x번일 때, 생기는 조각의 개수는
$4 + 3 × (x-1) = 4 + 3x - 3$
$\qquad\qquad = 3x + 1$ (조각)

따라서 'ㄹ'자 모양을 x번 자르면 $(3x+1)$조각이 된다.

실수하기 쉬운 부분 짚어보기

자른 횟수가 2번 이상일 때부터 조각의 개수는 일정한 개수만큼 늘어난다.

03 1학년 학생들의 독서 시간의 합은

$x \times 20 = 20x$(분)

2학년 학생들의 독서 시간의 합은

$y \times 16 = 16y$(분)

3학년 학생들의 독서 시간의 합은

$z \times 14 = 14z$(분)

따라서 독서 동아리 전체 학생들의 독서 시간의 합은

$(20x + 16y + 14z)$분이고 독서 동아리에 속한 전체 학생 수는

$20 + 16 + 14 = 50$(명)이므로 평균 독서 시간은

$\dfrac{20x + 16y + 14z}{50}$(분)

04 미진이가 집에서 공원까지 가는 데 걸린 시간은 $\dfrac{x}{3}$시간이고 도

중에 $\dfrac{20}{60} = \dfrac{1}{3}$(시간) 휴식을 취했으므로 집을 출발하여 공원에

도착할 때까지 걸린 시간은 $\left(\dfrac{x}{3} + \dfrac{1}{3}\right)$시간이다.

따라서 x의 계수는 $\dfrac{1}{3}$, 상수항도 $\dfrac{1}{3}$이다.

05 수 523761137을 a라 하면

$$\begin{aligned}(\text{구하는 수}) &= (a \times 7 - 259) \div 700 \\ &= \dfrac{7a - 259}{700} \\ &= \dfrac{a - 37}{100} \quad \cdots\cdots \ \text{㉠}\end{aligned}$$

따라서 ㉠에 a 대신 수 523761137을 대입하면

$\dfrac{a - 37}{100} = \dfrac{523761137 - 37}{100} = \dfrac{523761100}{100} = 5237611$

함정 피하기

수 523761137을 처음부터 직접 계산하려면 복잡하므로 523761137을
문자로 놓고 식을 간단히 한 후 대입한다.

06 $(ax + b) \times \left(-\dfrac{1}{3}\right) = -x + 5$에서

$$\begin{aligned}ax + b &= (-x + 5) \div \left(-\dfrac{1}{3}\right) \\ &= (-x + 5) \times (-3) \\ &= 3x - 15\end{aligned}$$

이므로 $a = 3$, $b = -15$

또 $(-x + 5) \times \left(-\dfrac{1}{3}\right) = cx + d$에서

$\dfrac{1}{3}x - \dfrac{5}{3} = cx + d$

이므로 $c = \dfrac{1}{3}$, $d = -\dfrac{5}{3}$

$$\begin{aligned}\therefore a + b - c + d &= 3 + (-15) - \dfrac{1}{3} + \left(-\dfrac{5}{3}\right) \\ &= -14\end{aligned}$$

07 $2x - 3[x + 3y - \{x - 2y - (x + 5y)\}]$

$= 2x - 3\{x + 3y - (x - 2y - x - 5y)\}$

$= 2x - 3\{x + 3y - (-7y)\}$

$= 2x - 3(x + 3y + 7y)$

$= 2x - 3(x + 10y)$

$= 2x - 3x - 30y$

$= -x - 30y \quad \cdots\cdots \ \text{㉠}$

㉠에 $x = -5$, $y = 1$을 대입하면

$-(-5) - 30 \times 1 = 5 - 30 = -25$

08 $(-1)^{(\text{짝수})} = 1$, $(-1)^{(\text{홀수})} = -1$이므로

$(-1)^{50} \times \dfrac{a + 3}{4} + (-1)^{51} \times \dfrac{2a - 4}{3}$

$= \dfrac{a + 3}{4} - \dfrac{2a - 4}{3}$

$= \dfrac{3(a + 3) - 4(2a - 4)}{12}$

$= \dfrac{3a + 9 - 8a + 16}{12}$

$= \dfrac{3a - 8a + 9 + 16}{12}$

$= \dfrac{-5a + 25}{12}$

09 $\left(\dfrac{2x - 1}{3} - \dfrac{x - 6}{5}\right) \div \dfrac{1}{15}$

$= \left(\dfrac{2x - 1}{3} - \dfrac{x - 6}{5}\right) \times 15$

$= 5(2x - 1) - 3(x - 6)$

$= 10x - 5 - 3x + 18$

$= 10x - 3x - 5 + 18$

$= 7x + 13$

따라서 $a = 7$, $b = 13$이므로

$a - b = 7 - 13 = -6$

10 두 번째 가로줄에 있는 세 식의 합은

$(2x + 5) + (-2x + 1) + (-6x - 3)$

$= 2x + 5 - 2x + 1 - 6x - 3$

$= 2x - 2x - 6x + 5 + 1 - 3$

$= -6x + 3$

이므로 가로, 세로, 대각선에 있는 세 식의 합도 $-6x+3$이다.

즉, 가장 왼쪽 세로줄에 있는 세 식의 합은

$\boxed{(1)}+2x+5+(-5x-2)=-6x+3$

$\therefore \boxed{(1)}=-6x+3-(2x+5)-(-5x-2)$

$\qquad =-6x+3-2x-5+5x+2$

$\qquad =-6x-2x+5x+3-5+2$

$\qquad =-3x$

오른쪽 위에서 왼쪽 아래로 향하는 대각선에 있는 세 식의 합은

$\boxed{(2)}+(-2x+1)+(-5x-2)=-6x+3$

$\therefore \boxed{(2)}=-6x+3-(-2x+1)-(-5x-2)$

$\qquad =-6x+3+2x-1+5x+2$

$\qquad =-6x+2x+5x+3-1+2$

$\qquad =x+4$

가운데 세로줄에 있는 세 식의 합은

$(-4x-1)+(-2x+1)+\boxed{(3)}=-6x+3$

$\therefore \boxed{(3)}=-6x+3-(-4x-1)-(-2x+1)$

$\qquad =-6x+3+4x+1+2x-1$

$\qquad =-6x+4x+2x+3+1-1$

$\qquad =3$

가장 오른쪽 세로줄에 있는 세 식의 합은

$\boxed{(2)}+(-6x-3)+\boxed{(4)}=-6x+3$

이고 $\boxed{(2)}=x+4$이므로

$\boxed{(4)}=-6x+3-(x+4)-(-6x-3)$

$\qquad =-6x+3-x-4+6x+3$

$\qquad =-6x-x+6x+3-4+3$

$\qquad =-x+2$

11 $(3x+4)+\boxed{(1)}=2x+2$이므로

$\boxed{(1)}=(2x+2)-(3x+4)$

$\qquad =2x+2-3x-4$

$\qquad =2x-3x+2-4$

$\qquad =-x-2$

$\boxed{(1)}+\boxed{(2)}=-3x+3$이고 $\boxed{(1)}=-x-2$이므로

$\boxed{(2)}=(-3x+3)-(-x-2)$

$\qquad =-3x+3+x+2$

$\qquad =-3x+x+3+2$

$\qquad =-2x+5$

$\boxed{(3)}=(2x+2)+(-3x+3)$

$\qquad =2x+2-3x+3$

$\qquad =2x-3x+2+3$

$\qquad =-x+5$

12 첫째 날에 초콜릿을 먹고 남은 초콜릿의 개수는 처음 받은 초콜릿의 개수의 $1-\dfrac{1}{4}=\dfrac{3}{4}$이므로

$\dfrac{3}{4}(12x+40)=9x+30$(개) ······ ㉠

둘째 날에 초콜릿을 먹고 남은 초콜릿의 개수는 첫째 날 먹고 남은 초콜릿의 개수의 $1-\dfrac{2}{3}=\dfrac{1}{3}$, 즉 ㉠의 $\dfrac{1}{3}$이므로

$\dfrac{1}{3}(9x+30)=3x+10$(개)

따라서 $a=3$, $b=10$이므로

$a-b=3-10=-7$

13 A 문방구에서는 볼펜을 한 다스 구입할 때 2개를 더 준다. 즉, 12개의 가격을 지불하고 14를 받았으므로 볼펜 1개당 구입 가격은

$12x \div 14=\dfrac{6}{7}x$(원)

B 문방구에서는 한 다스를 구입하고 20 %를 할인받았으므로 볼펜 1개당 구입 가격은

$x \times \left(1-\dfrac{20}{100}\right)=x \times \dfrac{80}{100}=\dfrac{4}{5}x$(원)

이때 $\dfrac{6}{7}x>\dfrac{4}{5}x$이므로 볼펜 한 다스를 구입할 때, 볼펜 1개당 구입 가격의 차는

$\dfrac{6}{7}x-\dfrac{4}{5}x=\dfrac{30}{35}x-\dfrac{28}{35}x=\dfrac{2}{35}x$(원)

14 가로, 세로의 길이가 각각 $2a$, $3b$인 직사각형 모양의 종이 20장의 넓이의 합은

$(2a \times 3b) \times 20=120ab$

겹치는 부분의 넓이의 합은

$(2a \times 3b) \times \dfrac{1}{4} \times (20-1)=\dfrac{57}{2}ab$

따라서 구하는 도형의 넓이는

$120ab-\dfrac{57}{2}ab=\dfrac{183}{2}ab$

실수하기 쉬운 부분 짚어보기

문제의 규칙에 의해 종이 2장을 포개면 겹치는 부분은 1곳이고 종이 3장을 포개면 겹치는 부분은 2곳, ···이므로 종이 20장을 포개면 겹치는 부분은 19곳이다.

15 선분 BD의 길이는 $\dfrac{x}{2}$ cm이므로

선분 BE의 길이는 $\left(\dfrac{x}{2}+y\right)$ cm

따라서 사다리꼴 ABEF의 둘레의 길이는
네 변 AB, BE, EF, AF의 길이의 합이므로
$$x+\left(\dfrac{x}{2}+y\right)+y+y$$
$$=\dfrac{3}{2}x+3y\,(\text{cm})$$

16 정사각형을 줄여서 만든 직사각형의
가로의 길이는 $8-2=6\,(\text{cm})$
세로의 길이는 $8-(x+3)=8-x-3=5-x\,(\text{cm})$
$\therefore$ (직사각형의 둘레의 길이)$=2\times\{6+(5-x)\}$
$$=2\times(6+5-x)$$
$$=2(11-x)$$
$$=22-2x\,(\text{cm})$$
$\therefore$ (직사각형의 넓이)$=6(5-x)=30-6x\,(\text{cm}^2)$

Level ② 본문 68~71쪽

01 ④   **02** $(8x+1)$개   **03** ①

04 (1) $(75x-144)$ cm (2) 381 cm   **05** $-\dfrac{27}{5}x+9$ **06** ①

07 ②   **08** (1) $3x+1$ (2) $7x+4$ (3) $-7x-5$

09 (1) $-3x+6$ (2) $4x$ (3) $14x-9$ **10** ③   **11** ④

12 $(21000x+41000)$원   **13** ②   **14** 풀이 참조   **15** ⑤

16 $74x+2$

---

01 두부와 닭고기의 1 g당 단백질 함량은 각각
$$\dfrac{8}{100}=\dfrac{2}{25}(\text{g}),\ \dfrac{25}{100}=\dfrac{1}{4}(\text{g})$$
따라서 두부 x g과 닭고기 y g을 섭취하였을 때의 단백질의 양
은 각각 $\dfrac{2}{25}x(\text{g})$, $\dfrac{1}{4}y(\text{g})$이므로 민수가 섭취한 단백질의 양은
$\left(\dfrac{2}{25}x+\dfrac{1}{4}y\right)$g이다.

---

02 정육각형 모양의 종이와 정사각형 모양의 종이가 각각 하나씩
늘어날 때마다 압정의 개수는 다음과 같이 늘어난다.

정육각형 모양의 종이 개수	정사각형 모양의 종이 개수	종이의 총 개수	압정의 개수
1	1	2	9
2	2	4	$9+8$
3	3	6	$9+8+8$
$\vdots$	$\vdots$	$\vdots$	$\vdots$
x	x	$2x$	$\underbrace{9+8+\cdots+8}_{(x-1)\text{개}}$

따라서 종이의 개수가 $2x$일 때, 필요한 압정의 개수는
$9+8(x-1)=8x+1\,(\text{개})$

---

03 x의 계수가 $-\dfrac{3}{2}$인 일차식을 $-\dfrac{3}{2}x+a\,(a$는 상수$)$라 하면
$x=3$일 때의 식의 값이 A이므로
$$A=\left(-\dfrac{3}{2}\right)\times3+a=a-\dfrac{9}{2}$$
$x=-1$일 때의 식의 값이 B이므로
$$B=\left(-\dfrac{3}{2}\right)\times(-1)+a=a+\dfrac{3}{2}$$
$$\therefore A-B=\left(a-\dfrac{9}{2}\right)-\left(a+\dfrac{3}{2}\right)$$
$$=a-\dfrac{9}{2}-a-\dfrac{3}{2}$$
$$=-\dfrac{12}{2}=-6$$

---

04 (1) 한 변의 길이가 x cm인 정삼각형 25개의 둘레의 길이는
$3x\times25=75x\,(\text{cm})$
정삼각형을 겹쳐 놓을 때 생기는 삼각형도 한 변의 길이가
2 cm인 정삼각형이다.
정삼각형 25개를 겹쳐 놓을 때 겹치는 부분은 한 변의 길이가
2 cm인 정삼각형 24개이므로 둘레의 길이는
$3\times2\times24=144\,(\text{cm})$
따라서 구하는 도형의 둘레의 길이는
$(75x-144)$ cm
(2) 도형의 둘레의 길이가 $(75x-144)$ cm이므로
x 대신 7을 대입하면
$75x-144=75\times7-144=381\,(\text{cm})$

05 x에 대한 어떤 일차식을 $\boxed{}$라 하면

$\boxed{} \div \left(-\dfrac{3}{5}\right) = -15x + 25$이므로

$\boxed{} = (-15x + 25) \times \left(-\dfrac{3}{5}\right)$

$\qquad = 9x - 15$

따라서 바르게 계산한 식은

$(9x - 15) \times \left(-\dfrac{3}{5}\right) = -\dfrac{27}{5}x + 9$

06 $m : n = 2 : 5$에서 $2n = 5m$

$\dfrac{m-4n}{m+4n}$에 $2n$ 대신 $5m$을 대입하면

$\dfrac{m-4n}{m+4n} = \dfrac{m - 2 \times 2n}{m + 2 \times 2n}$

$\qquad = \dfrac{m - 2 \times 5m}{m + 2 \times 5m}$

$\qquad = \dfrac{-9m}{11m} = -\dfrac{9}{11}$

실수하기 쉬운 부분 짚어보기

비례식의 성질

$a : b = c : d$이면 $ad = bc$임을 이용하여 $\dfrac{m-4n}{m+4n}$을 한 문자에 대한 식으로 나타내어 그 값을 구한다.

07 $\dfrac{2(3x-1)}{5} - \dfrac{3(-x+1)}{2}$

$= \dfrac{4(3x-1) - 15(-x+1)}{10}$

$= \dfrac{12x - 4 + 15x - 15}{10}$

$= \dfrac{12x + 15x - 4 - 15}{10}$

$= \dfrac{27x - 19}{10}$

에서 x의 계수는 $\dfrac{27}{10}$이므로

$a = \dfrac{27}{10}$

$0.2(-2x+3) + \dfrac{-2x+4}{3}$

$= \dfrac{-2x+3}{5} + \dfrac{-2x+4}{3}$

$= \dfrac{3(-2x+3) + 5(-2x+4)}{15}$

$= \dfrac{-6x + 9 - 10x + 20}{15}$

$= \dfrac{-6x - 10x + 9 + 20}{15}$

$= \dfrac{-16x + 29}{15}$

에서 상수항은 $\dfrac{29}{15}$이므로

$b = \dfrac{29}{15}$

$\therefore \dfrac{a}{3} - \dfrac{b}{2} = \dfrac{1}{3} \times \dfrac{27}{10} - \dfrac{1}{2} \times \dfrac{29}{15}$

$\qquad = \dfrac{27}{30} - \dfrac{29}{30} = -\dfrac{1}{15}$

08 표에서 가장 오른쪽 세로줄의 맨 아래 칸에 있는 식을 A라 하면

$-2x-2$	B	(2)
	$2x+1$	(3)
$-3x-2$	(1)	A

가장 아래 가로줄에 있는 세 식의 합과 왼쪽 위에서 오른쪽 아래로 향하는 대각선에 있는 세 식의 합이 같으므로

$(-3x-2) + (\boxed{(1)}) + A = (-2x-2) + (2x+1) + A$

에서

$\boxed{(1)} = (-2x-2) + (2x+1) - (-3x-2)$

$\qquad = -2x - 2 + 2x + 1 + 3x + 2$

$\qquad = 3x + 1$

표에서 가운데 세로줄 맨 위 칸에 있는 식을 B라 하면 맨 위의 가로줄에 있는 세 식의 합과 가운데 세로줄에 있는 세 식의 합이 같으므로

$(-2x-2) + B + (\boxed{(2)}) = B + (2x+1) + (3x+1)$

에서

$\boxed{(2)} = (2x+1) + (3x+1) - (-2x-2)$

$\qquad = 2x + 1 + 3x + 1 + 2x + 2$

$\qquad = 7x + 4$

가장 아래 가로줄에 있는 세 식의 합과 오른쪽 세로줄에 있는 세 식의 합이 같고 $\boxed{(1)} = 3x+1$, $\boxed{(2)} = 7x+4$이므로

$(-3x-2) + (3x+1) + A = (7x+4) + (\boxed{(3)}) + A$

에서

$\boxed{(3)} = (-3x-2) + (3x+1) - (7x+4)$

$\qquad = -3x - 2 + 3x + 1 - 7x - 4$

$\qquad = -7x - 5$

09

			(3)
		(2)	C
	(1)	A	B
$-4x+11$	$x-5$	$6x-1$	$-3x-2$

보기의 규칙을 적용하면

$\boxed{(1)} = (-4x+11)+(x-5)$
$\quad = -3x+6$

$A = (x-5)+(6x-1)$
$\quad = 7x-6$

$B = (6x-1)+(-3x-2)$
$\quad = 3x-3$

$C = A+B$
$\quad = (7x-6)+(3x-3)$
$\quad = 10x-9$

$\boxed{(2)} = \boxed{(1)}+A$
$\quad = (-3x+6)+(7x-6)$
$\quad = 4x$

$\boxed{(3)} = \boxed{(2)}+C$
$\quad = 4x+(10x-9)$
$\quad = 14x-9$

10 마주 보는 면에 적힌 식의 합이 같으므로
$(2x+2)+(2x-1)=4x+1$
즉, 마주 보는 면에 적혀 있는 식의 합은 $4x+1$이다.
$A+(3x-5)=4x+1$이므로
$A=4x+1-(3x-5)$
$\quad =4x+1-3x+5$
$\quad =x+6$
또 $B+(6x-8)=4x+1$이므로
$B=4x+1-(6x-8)$
$\quad =4x+1-6x+8$
$\quad =-2x+9$
$\therefore 2A-B=2(x+6)-(-2x+9)$
$\quad\quad\quad\quad =2x+12+2x-9$
$\quad\quad\quad\quad =4x+3$

11 n이 자연수일 때, $2n$은 짝수이고 $2n-1$은 홀수이므로
$(-1)^{2n}=1$, $(-1)^{2n-1}=-1$
$\therefore (-1)^{2n}\times \dfrac{3x-2}{4}+(-1)^{2n-1}\times \dfrac{2x-5}{3}$
$\quad = \dfrac{3x-2}{4}-\dfrac{2x-5}{3}$
$\quad = \dfrac{3(3x-2)-4(2x-5)}{12}$
$\quad = \dfrac{9x-6-8x+20}{12}$
$\quad = \dfrac{x+14}{12}$

12 지난주 입장한 어린이의 수가 x명이므로
청소년의 수는 $(3x-8)$명, 어른의 수는 $(2x+13)$명이다.
따라서 지난주의 동물원의 입장료 총액은
$5000(2x+13)+3000(3x-8)+2000x$
$=10000x+65000+9000x-24000+2000x$
$=(10000x+9000x+2000x)+(65000-24000)$
$=21000x+41000(\text{원})$

13 가운데 ★에 있는 수를 a라 하면
a의 오른쪽에 있는 수는 $a+1$,
a의 오른쪽 위에 있는 수는 $(a+1)-7=a-6$,
a의 왼쪽에 있는 수는 $a-1$,
a의 왼쪽 아래에 있는 수는 $(a-1)+7=a+6$
이 다섯 개의 수를 모두 더하면
$a+(a+1)+(a-6)+(a-1)+(a+6)=5a$
따라서 $5a$는 항상 가운데 ★에 있는 수 a의 5배이므로 자연수 x의 값은 5이다.

14 할머니 댁에서 집까지의 거리는
학교에서 집까지의 거리에서 학교에서 할머니 댁까지의 거리를 빼면 되므로
$(25x+13)-(23x+7)=2x+6(\text{km})$
학교에서 문방구까지의 거리는
학교에서 할머니 댁까지의 거리에서 문방구에서 할머니 댁까지의 거리를 빼면 되므로
$(23x+7)-(13x+5)=10x+2(\text{km})$
편의점에서 할머니 댁까지의 거리는
편의점에서 집까지의 거리에서 할머니 댁에서 집까지의 거리를 빼면 되므로
$(11x-5)-(2x+6)=9x-11(\text{km})$

문방구에서 편의점까지의 거리는

문방구에서 할머니 댁까지의 거리에서 편의점에서 할머니 댁까지의 거리를 빼면 되므로

$(13x+5)-(9x-11)=4x+16\,(\text{km})$

따라서 학교－문방구, 문방구－편의점, 편의점－할머니 댁, 할머니 댁－집 사이의 거리를 차례로 구하면

$(10x+2)\,\text{km},\ (4x+16)\,\text{km},\ (9x-11)\,\text{km},\ (2x+6)\,\text{km}$

15 (바깥쪽 큰 사다리꼴의 넓이)

$=\dfrac{1}{2}\times\{(3x-7+2)+(5x-3+2)\}\times(6+2)$

$=(8x-6)\times4$

$=32x-24$

(안쪽 작은 사다리꼴의 넓이)

$=\dfrac{1}{2}\times\{(3x-7)+(5x-3)\}\times6$

$=(8x-10)\times3$

$=24x-30$

따라서 색칠한 부분의 넓이는 바깥쪽 큰 사다리꼴의 넓이에서 안쪽 작은 사다리꼴의 넓이를 빼면 되므로

$32x-24-(24x-30)$

$=32x-24x-24+30$

$=8x+6$

16 필요한 변의 길이를 나타내면 다음 그림과 같다.

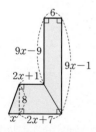

따라서 구하는 도형의 넓이는 두 사다리꼴의 넓이의 합과 같으므로

$\dfrac{1}{2}\times\{(2x+1)+(x+2x+7)\}\times8$

$\qquad\qquad +\dfrac{1}{2}\times\{(9x-9)+(9x-1)\}\times6$

$=4(5x+8)+3(18x-10)$

$=20x+32+54x-30$

$=74x+2$

01 $\dfrac{107}{50}x$원　　**02** $\dfrac{21}{2}a$　**03** $(50x+150)\text{cm}^2$ **04** $-2500a+2550$

05 $-8x+6y-19$　**06** $-\dfrac{5}{2}$　**07** $\left(\dfrac{39}{20}x-\dfrac{115}{4}\right)$명 **08** $2a+12b$

01 A가게에서는 정가가 x원인 제품을 30 % 할인하여 판매하므로

$x\times\dfrac{70}{100}=\dfrac{7}{10}x\,(원)$

B가게에서는 정가가 x원인 제품을 20 % 할인하여 판매하므로

$x\times\dfrac{80}{100}=\dfrac{4}{5}x\,(원)$

이고 4월 1일부터 판매하던 가격의 10 %를 추가 할인하여 판매하므로

$\dfrac{4}{5}x\times\dfrac{90}{100}=\dfrac{18}{25}x\,(원)$

C가게에서는 정가가 x원인 제품을 10 % 할인하여 판매하므로

$x\times\dfrac{90}{100}=\dfrac{9}{10}x\,(원)$

이고 4월 1일부터 판매하던 가격의 20 %를 추가 할인하여 판매하므로

$\dfrac{9}{10}x\times\dfrac{80}{100}=\dfrac{18}{25}x\,(원)$

따라서 구하는 총 구매 금액은

$\dfrac{7}{10}x+\dfrac{18}{25}x+\dfrac{18}{25}x=\dfrac{35}{50}x+\dfrac{36}{50}x+\dfrac{36}{50}x$

$\qquad\qquad\qquad =\dfrac{107}{50}x\,(원)$

02 각 정사각형의 한 변의 길이를 나타내면 다음 그림과 같다.

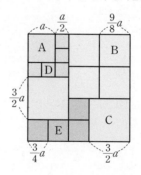

정사각형 B의 한 변의 길이가 $\dfrac{9}{8}a$이므로 둘레의 길이는

$4\times\dfrac{9}{8}a=\dfrac{9}{2}a$

정사각형 C의 한 변의 길이가 $\dfrac{3}{2}a$이므로 둘레의 길이는

$4\times\dfrac{3}{2}a=6a$

따라서 정사각형 B의 둘레의 길이와 정사각형 C의 둘레의 길이의 합은

$$\frac{9}{2}a+6a=\frac{21}{2}a$$

함정 피하기

(정사각형 D의 한 변의 길이)

$$=(정사각형 A의 한 변의 길이)\times\frac{1}{2}=\frac{a}{2}$$

(정사각형 E의 한 변의 길이)

$$=\{(정사각형 A의 한 변의 길이)+(정사각형 D의 한 변의 길이)\}\times\frac{1}{2}$$

$$=\left(a+\frac{a}{2}\right)\times\frac{1}{2}$$

$$=\frac{3}{4}a$$

(정사각형 C의 한 변의 길이)

$$=(정사각형 E의 한 변의 길이)\times 2$$

$$=\frac{3}{4}a\times 2$$

$$=\frac{3}{2}a$$

(정사각형 B의 한 변의 길이)

$$=\{(정사각형 E의 한 변의 길이)+(정사각형 C의 한 변의 길이)\}\times\frac{1}{2}$$

$$=\left(\frac{3}{4}a+\frac{3}{2}a\right)\times\frac{1}{2}$$

$$=\frac{9}{8}a$$

03 1번 자를 때마다 단면은 새로운 정사각형이 2개 생기므로 x번 자르면 새로 생긴 정사각형은 $2\times x=2x$(개)이다.

$\therefore$ (직육면체의 겉넓이의 총합)

$$=(정육면체의 겉넓이)+(새로 생긴 단면의 넓이)$$

$$=(5\times 5)\times 6+2x\times(5\times 5)$$

$$=50x+150(\text{cm}^2)$$

04 주어진 식에 $x=-1$을 대입하면

$$-a+2-3a+4-5a+\cdots+98-99a+100$$

$$=-(1+3+5+\cdots+99)a+(2+4+6+\cdots+100)$$

$$=-\{(1+99)+(3+97)+\cdots+(49+51)\}a$$

$$\qquad\qquad +\{(2+100)+(4+98)+\cdots+(50+52)\}$$

$$=-100\times 25a+102\times 25$$

$$=-2500a+2550$$

실수하기 쉬운 부분 짚어보기

$$1+3+5+\cdots+95+97+99$$

$$2+4+6+\cdots+96+98+100$$

위의 계산은 합이 같게 되는 두 수를 짝을 지어 계산할 수 있다.

05 $x\star y=x-2y+3$이므로

$$2x\star y=2x-2y+3$$

$\therefore 2(x\star y)-5\{(2x\star y)+2\}$

$$=2(x-2y+3)-5\{(2x-2y+3)+2\}$$

$$=2x-4y+6-5(2x-2y+5)$$

$$=2x-4y+6-10x+10y-25$$

$$=2x-10x-4y+10y+6-25$$

$$=-8x+6y-19$$

06 $\dfrac{A-9B}{3}-\dfrac{3A+12B}{4}$

$$=\frac{4(A-9B)-3(3A+12B)}{12}$$

$$=\frac{4A-36B-9A-36B}{12}$$

$$=\frac{-5A-72B}{12}$$

$$=-\frac{5}{12}A-6B$$

이므로 $A=2x-6$, $B=-y+\dfrac{1}{3}$을 대입하면

$$-\frac{5}{12}(2x-6)-6\left(-y+\frac{1}{3}\right)$$

$$=-\frac{5}{6}x+\frac{5}{2}+6y-2$$

$$=-\frac{5}{6}x+6y+\frac{1}{2}$$

따라서 $a=-\dfrac{5}{6}$, $b=6$, $c=\dfrac{1}{2}$이므로

$$abc=\left(-\frac{5}{6}\right)\times 6\times\frac{1}{2}=-\frac{5}{2}$$

07 작년 신입생 중 남학생 수가 x명이면 여학생 수는 $(x-25)$명이다. 올해는 작년에 비해 남학생 수는 20 % 감소하고 여학생 수는 15 % 증가했으므로 올해 신입생 수를 구하면

$$x\times\left(1-\frac{20}{100}\right)+(x-25)\times\left(1+\frac{15}{100}\right)$$

$$=\frac{80}{100}x+\frac{115}{100}(x-25)$$

$$=\frac{16}{20}x+\frac{23}{20}(x-25)$$

$$=\frac{16}{20}x+\frac{23}{20}x-\frac{115}{4}$$

$$=\frac{39}{20}x-\frac{115}{4}(명)$$

08 [그림2]에 각 변의 길이를 나타내면

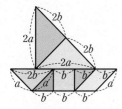

따라서 [그림2]의 둘레의 길이는

$2a+2\times2b+2\times a+(b+b+b)+(2b+b+b+b)-2a$
$=2a+12b$

Level 4

본문 74~75쪽

01 $\dfrac{100(a+b)}{100+a}\%$ **02** $(2n+1)$배 **03** 풀이 참조 **04** $\dfrac{21}{20}a$

05 $\dfrac{4x+5y}{3}$ **06** $\dfrac{5x+7y}{6}$ **07** $\dfrac{11}{10}h\,\text{m}^2$

---

01 **풀이전략** $a\%$는 $\dfrac{a}{100}$로 나타내어 식을 세운다.

어제의 매출액을 x원, 이틀 전의 매출액을 y원이라 하면

오늘의 매출액은 $\left(1+\dfrac{a}{100}\right)x=\left(1-\dfrac{b}{100}\right)y$이므로

$\dfrac{x}{y}=\dfrac{100-b}{100+a}$

따라서 어제의 매출액이 이틀 전의 매출액보다 몇 $\%$ 감소했는지 구하면

$\left(1-\dfrac{x}{y}\right)\times100=\left(1-\dfrac{100-b}{100+a}\right)\times100$

$=\dfrac{100+a-100+b}{100+a}\times100$

$=\dfrac{100(a+b)}{100+a}(\%)$

---

02 **풀이전략** B의 각 항의 분모를 보고 A의 항을 2개씩 짝 지어 생각한다.

$A=1+\dfrac{1}{2}+\dfrac{1}{3}+\cdots+\dfrac{1}{2n}$

$=\left(1+\dfrac{1}{2n}\right)+\left(\dfrac{1}{2}+\dfrac{1}{2n-1}\right)+\left(\dfrac{1}{3}+\dfrac{1}{2n-2}\right)$
$\qquad\qquad\qquad\qquad+\cdots+\left(\dfrac{1}{n}+\dfrac{1}{n+1}\right)$

$=\dfrac{2n+1}{1\times2n}+\dfrac{(2n-1)+2}{2\times(2n-1)}+\dfrac{(2n-2)+3}{3\times(2n-2)}$
$\qquad\qquad\qquad\qquad+\cdots+\dfrac{(n+1)+n}{n\times(n+1)}$

$=(2n+1)\times\left\{\dfrac{1}{1\times2n}+\dfrac{1}{2\times(2n-1)}+\dfrac{1}{3\times(2n-2)}\right.$
$\qquad\qquad\qquad\qquad\left.+\cdots+\dfrac{1}{n\times(n+1)}\right\}$

$=(2n+1)B$

따라서 A는 B의 $(2n+1)$배이다.

오답 피하기

식 B의 각 항을 이루는 분수의 분모는 합이 $2n+1$이 되는 두 식의 곱으로 이루어져 있다. 여기에 힌트를 얻어 식 A의 각 항을 분모의 합이 $2n+1$이 되는 것끼리 짝 지어 간단히 해본다.

---

03 **풀이전략** m, n이 홀수인 경우와 짝수인 경우로 나누어 생각할 수 있다.

(i) m, n이 모두 짝수인 경우

$(-1)^m=1$, $(-1)^n=1$, $(-1)^{m+n}=1$이므로

(주어진 식)$=\dfrac{8x-1+6x-5}{2}$

$=\dfrac{14x-6}{2}$

$=7x-3$

(ii) m, n이 모두 홀수인 경우

$(-1)^m=-1$, $(-1)^n=-1$, $(-1)^{m+n}=1$

이므로

(주어진 식)$=\dfrac{(-1)\times(8x-1)+(-1)\times(6x-5)}{2\times1}$

$=\dfrac{-8x+1-6x+5}{2}$

$=\dfrac{-14x+6}{2}$

$=-7x+3$

(iii) m은 짝수, n은 홀수인 경우

$(-1)^m=1$, $(-1)^n=-1$, $(-1)^{m+n}=-1$

이므로

(주어진 식)$=\dfrac{1\times(8x-1)+(-1)\times(6x-5)}{2\times(-1)}$

$=\dfrac{8x-1-6x+5}{-2}$

$=\dfrac{2x+4}{-2}$

$=-x-2$

(iv) m은 홀수, n은 짝수인 경우

$(-1)^m=-1$, $(-1)^n=1$, $(-1)^{m+n}=-1$이므로

(주어진 식)$=\dfrac{(-1)\times(8x-1)+1\times(6x-5)}{2\times(-1)}$

$=\dfrac{-8x+1+6x-5}{-2}$

$=\dfrac{-2x-4}{-2}$

$=x+2$

04 풀이전략 $A(a)$의 계산 규칙을 파악하여 문제를 해결한다.

$A(1)=\dfrac{3}{5}$

$A(2)=A(1+1)=A(1)+A(1)=2A(1)=\dfrac{6}{5}$

$A(3)=A(2+1)=A(2)+A(1)=3A(1)=\dfrac{9}{5}$

$\vdots$

이므로 $A(a)=aA(1)=\dfrac{3}{5}a$

$A(a)=A\left(\dfrac{a}{2}+\dfrac{a}{2}\right)$

$\qquad=A\left(\dfrac{a}{2}\right)+A\left(\dfrac{a}{2}\right)=2A\left(\dfrac{a}{2}\right)$

이므로

$A\left(\dfrac{a}{2}\right)=\dfrac{1}{2}A(a)=\dfrac{1}{2}\times\dfrac{3}{5}a=\dfrac{3}{10}a$

$A\left(\dfrac{a}{2}\right)=A\left(\dfrac{a}{4}+\dfrac{a}{4}\right)$

$\qquad=A\left(\dfrac{a}{4}\right)+A\left(\dfrac{a}{4}\right)=2A\left(\dfrac{a}{4}\right)$

이므로

$A\left(\dfrac{a}{4}\right)=\dfrac{1}{2}A\left(\dfrac{a}{2}\right)=\dfrac{1}{2}\times\dfrac{3}{10}a=\dfrac{3}{20}a$

$\therefore A(a)+A\left(\dfrac{a}{2}\right)+A\left(\dfrac{a}{4}\right)=\dfrac{3}{5}a+\dfrac{3}{10}a+\dfrac{3}{20}a$

$\qquad\qquad=\dfrac{12a+6a+3a}{20}$

$\qquad\qquad=\dfrac{21}{20}a$

05 풀이전략 (소금의 양)$=\dfrac{(\text{소금물의 농도})}{100}\times(\text{소금물의 양})$의 관계를 이용하여 식을 세운다.

농도가 $x\,\%$인 소금물 $200\,\mathrm{g}$과 $y\,\%$인 소금물 $100\,\mathrm{g}$을 섞은 소금물에 들어 있는 소금의 양은 농도가 $a\,\%$인 소금물 $300\,\mathrm{g}$에 들어 있는 소금의 양과 같으므로

$\dfrac{x}{100}\times200+\dfrac{y}{100}\times100=\dfrac{a}{100}\times300$

$2x+y=3a$

$a=\dfrac{2x+y}{3}$

또 농도가 $x\,\%$인 소금물 $100\,\mathrm{g}$과 $y\,\%$인 소금물 $200\,\mathrm{g}$을 섞은 소금물에 들어 있는 소금의 양은 농도가 $b\,\%$인 소금물 $300\,\mathrm{g}$에 들어 있는 소금의 양과 같으므로

$\dfrac{x}{100}\times100+\dfrac{y}{100}\times200=\dfrac{b}{100}\times300$

$x+2y=3b$

$b=\dfrac{x+2y}{3}$

$\therefore a+2b=\dfrac{2x+y}{3}+2\times\dfrac{x+2y}{3}$

$\qquad=\dfrac{2x+y+2x+4y}{3}$

$\qquad=\dfrac{4x+5y}{3}$

06 풀이전략 (소금의 양)$=\dfrac{(\text{소금물의 농도})}{100}\times(\text{소금물의 양})$의 관계를 이용하여 식을 세운다.

농도가 $x\,\%$인 용액 $200\,\mathrm{g}$에서 $100\,\mathrm{g}$을 덜어 내고 농도가 $y\,\%$인 용액 $100\,\mathrm{g}$을 넣었을 때 만들어지는 용액의 농도가 $a\,\%$이므로

$\dfrac{x}{100}\times(200-100)+\dfrac{y}{100}\times100=\dfrac{a}{100}\times200$

$x+y=2a$이므로

$a=\dfrac{x+y}{2}$

농도가 $y\,\%$인 용액 $300\,\mathrm{g}$에서 $100\,\mathrm{g}$을 덜어 내고 농도가 $x\,\%$인 용액 $100\,\mathrm{g}$을 넣었을 때 만들어지는 용액의 농도가 $b\,\%$이므로

$\dfrac{y}{100}\times(300-100)+\dfrac{x}{100}\times100=\dfrac{b}{100}\times300$

$x+2y=3b$이므로

$b=\dfrac{x+2y}{3}$

따라서 $a=\dfrac{x+y}{2}$, $b=\dfrac{x+2y}{3}$이므로

$a+b=\dfrac{x+y}{2}+\dfrac{x+2y}{3}$

$\qquad=\dfrac{3(x+y)+2(x+2y)}{6}$

$\qquad=\dfrac{3x+3y+2x+4y}{6}$

$\qquad=\dfrac{5x+7y}{6}$

07 풀이전략 (삼각형의 넓이)$=\dfrac{1}{2}\times(\text{밑변의 길이})\times(\text{높이})$임을 이용하여 식을 세운다.

새로 만든 삼각형의 밑변의 길이는 $5\times\dfrac{120}{100}=6(\mathrm{m})$

새로 만든 삼각형의 높이는 $h\times\dfrac{120}{100}=\dfrac{6}{5}h(\mathrm{m})$

이므로 새로 만든 삼각형의 넓이는

$\dfrac{1}{2}\times6\times\dfrac{6}{5}h=\dfrac{18}{5}h(\mathrm{m}^2)$

따라서 색칠한 부분의 넓이는

$\dfrac{18}{5}h-\dfrac{1}{2}\times5\times h=\dfrac{18}{5}h-\dfrac{5}{2}h$

$\qquad\qquad=\dfrac{36-25}{10}h=\dfrac{11}{10}h(\mathrm{m}^2)$

6 일차방정식

III. 문자와 식

Level 1

본문 78~81쪽

01 ④   **02** 4   **03** 3, 7, 11   **04** ②   **05** ③   **06** ①

07 ①   **08** 18   **09** ④   **10** 2 km   **11** ⑤   **12** 5분 후

13 280쪽   **14** ②   **15** 20분   **16** 3

---

01 $ax + \dfrac{b}{2} = \dfrac{2x-5}{3}$

$ax + \dfrac{b}{2} = \dfrac{2}{3}x - \dfrac{5}{3}$

이 식이 x의 값에 관계없이 항상 성립하면 항등식이므로

$a = \dfrac{2}{3}$이고

$\dfrac{b}{2} = -\dfrac{5}{3}$, $b = -\dfrac{10}{3}$

$\therefore a - b = \dfrac{2}{3} - \left(-\dfrac{10}{3} \right) = \dfrac{12}{3} = 4$

실수하기 쉬운 부분 짚어보기

$ax + b = cx + d$가 x에 대한 항등식이면 $a = c$, $b = d$이므로 양변에서 x의 계수끼리 같고 상수항끼리 같아야 한다.

02 (빨간색 추 1개의 무게) = (노란색 추 5개의 무게)이고 양변에 노란색 추 3개의 무게를 더하면

(빨간색 추 1개의 무게) + (노란색 추 3개의 무게)

= (노란색 추 8개의 무게)   …… ㉠

또 (파란색 추 1개의 무게) = (노란색 추 8개의 무게)이고 ㉠에 의해

(파란색 추 1개의 무게)

= (빨간색 추 1개의 무게) + (노란색 추 3개의 무게)

따라서 $a = 1$, $b = 3$이므로

$a + b = 1 + 3 = 4$

03 $15 - 4x = a$에서 $-4x = a - 15$

$x = \dfrac{15 - a}{4}$

이때 해가 자연수이므로 $\dfrac{15 - a}{4}$의 값이 자연수이어야 한다. 즉, $15 - a$는 4의 배수이어야 한다.

$15 - a = 4$일 때, $a = 11$

$15 - a = 8$일 때, $a = 7$

$15 - a = 12$일 때, $a = 3$

$15 - a = 16$일 때, $a = -1$

$15 - a$가 16, 20, 24, …이면 a의 값이 자연수가 아니다.

따라서 가능한 자연수 a의 값은 3, 7, 11이다.

04 $\dfrac{a-x}{2} = \dfrac{20-x}{5}$의 양변에 10을 곱하면

$5(a-x) = 2(20-x)$

$5a - 5x = 40 - 2x$

$-3x = 40 - 5a$

$x = \dfrac{40 - 5a}{-3} = \dfrac{5(a-8)}{3}$

이때 x는 자연수이므로 $a - 8$은 3의 배수이어야 한다.

가장 작은 자연수 a는 $a - 8 = 3$일 때이므로 자연수 a의 값은 11이다.

함정 피하기

일차방정식의 해가 자연수일 때 어떤 방법으로 문제를 해결해야 하는지 파악한다. 이 문제에서는 해가 $x = \dfrac{5(a-8)}{3}$인데 이것이 자연수이면 분자가 3의 배수이어야 한다.

05 $\dfrac{x+6a}{5} + \dfrac{3x-1}{4} = -1$에 $x = 3$을 대입하면

$\dfrac{3+6a}{5} + \dfrac{3 \times 3 - 1}{4} = -1$

$\dfrac{3+6a}{5} + 2 = -1$

$\dfrac{3+6a}{5} = -3$

$3 + 6a = -15$, $6a = -18$

$\therefore a = -3$

또 $2x - 1 = -x + b$에 $x = 3$을 대입하면

$2 \times 3 - 1 = -3 + b$

$\therefore b = 8$

06 $\dfrac{4x-1}{2} = 2.1x - \dfrac{3}{5}$의 양변에 10을 곱하면

$20x - 5 = 21x - 6$

$-x = -1$ $\therefore x = 1$

두 일차방정식의 해가 같으므로

$-(x+1) = 2(a+4x)$에 $x = 1$을 대입하면

$-(1+1) = 2(a + 4 \times 1)$

$-2=2a+8$

$-2a=10$

$\therefore a=-5$

함정 피하기

두 일차방정식 중 해를 구할 수 있는 방정식을 풀어 해를 구한 후 나머지 방정식에 그 해를 대입하여 상수 a의 값을 구한다.

07 $0.3+0.7x=0.6(x-1)$의 양변에 10을 곱하면

$3+7x=6(x-1)$

$3+7x=6x-6$

$\therefore x=-9$

ⓛ의 해는 ㉠의 해의 $\dfrac{2}{3}$배이므로

ⓛ의 해는 $x=\dfrac{2}{3}\times(-9)=-6$

$\dfrac{3x+10}{6}=\dfrac{x-a}{3}$에 $x=-6$을 대입하면

$\dfrac{3\times(-6)+10}{6}=\dfrac{-6-a}{3}$

양변에 6을 곱하면

$-8=-12-2a$

$2a=-4$

$\therefore a=-2$

08 어떤 수를 x라 하면 x보다 3만큼 큰 수는 $x+3$이므로

$x:(x+3)=6:7$

$7x=6(x+3)$

$7x=6x+18$

$\therefore x=18$

따라서 어떤 수는 18이다.

실수하기 쉬운 부분 짚어보기

비례식의 성질인

(외항의 곱)=(내항의 곱), 즉 $a:b=c:d$이면 $ad=bc$

임을 이용하여 방정식을 푼다.

09 작년 1학년 학생 수를 x명이라 하면

$x-x\times\dfrac{4}{100}=192$

양변에 100을 곱하면

$100x-4x=19200$

$96x=19200$

$\therefore x=200$

따라서 작년 1학년 학생 수는 200명이다.

10 주은이네 집에서 도서관까지의 거리를 x km라 하면

$\dfrac{x}{12}+\dfrac{20}{60}=\dfrac{x}{4}$

양변에 12를 곱하면

$x+4=3x$

$-2x=-4$

$\therefore x=2$

따라서 주은이네 집에서 도서관까지의 거리는 2 km이다.

함정 피하기

주은이네 집에서 도서관까지 갈 때 시속 4 km로 걸어가면 시속 12 km로 자전거를 타고 가는 것보다 20분이 더 걸리므로

(시속 12 km로 자전거를 타고 간 시간)+20분

=(시속 4 km로 걸어간 시간)

이고 (시간)=$\dfrac{(거리)}{(속력)}$임을 이용하여 방정식을 세운다.

11 흐르지 않는 강에서의 배의 속력을 시속 x km라 하면 강을 거슬러 올라갈 때 배의 속력은 시속 $(x-4)$ km이므로

$\dfrac{3}{2}(x-4)=60$

$3(x-4)=120$

$3x-12=120,\ 3x=132$

$\therefore x=44$

따라서 흐르지 않는 강에서의 배의 속력은 시속 44 km이다.

실수하기 쉬운 부분 짚어보기

흐르지 않는 강에서의 배의 속력을 시속 x km, 흐르는 강물의 속력을 시속 a km라 하면 배가 강물을 따라 내려갈 때의 속력은 시속 $(x+a)$ km이고 배가 강물을 거슬러 올라갈 때의 속력은 시속 $(x-a)$ km이다.

12 두 사람이 x분 후에 처음으로 만난다면 두 사람이 걸은 거리의 합은 운동장의 트랙의 길이와 같으므로

$90x+70x=800$

$160x=800$

$\therefore x=5$

따라서 두 사람은 출발한 지 5분 후에 처음으로 만난다.

13 소설책의 전체 쪽수를 x라 하면

$\dfrac{1}{4}x+\dfrac{2}{5}x+\dfrac{2}{7}x+18=x$

양변에 140을 곱하면

$35x+56x+40x+2520=140x$

$131x+2520=140x$

$-9x=-2520$

$\therefore x=280$

따라서 소설책의 전체 쪽수는 280쪽이다.

14 종이접기 동아리반 학생 수를 x명이라 하면

$5x+8=6x-4$

$-x=-12$

$\therefore x=12$

따라서 종이접기 동아리반 학생 수는 12명이다.

15 정해진 분량을 다 인쇄했을 때의 일의 양을 1이라 하면 두 복사기

A, B를 사용하여 1분 동안 하는 일의 양은 각각 $\dfrac{1}{45}$, $\dfrac{1}{36}$이다.

두 복사기 A, B를 동시에 사용하여 정해진 분량을 모두 인쇄하는 데 x분이 걸린다고 하면

$\left(\dfrac{1}{45}+\dfrac{1}{36}\right)x=1$

양변에 180을 곱하면

$9x=180$

$\therefore x=20$

따라서 정해진 분량을 모두 인쇄하는 데 걸리는 시간은 20분이다.

실수하기 쉬운 부분 짚어보기

어떤 일을 완성했을 때의 일의 양을 1이라 하고 일차방정식을 세워 문제를 해결한다.

16 다음 그림과 같이 사각형을 2개의 삼각형으로 나눌 수 있다.

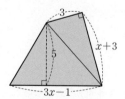

이때 사각형의 넓이는 2개의 삼각형의 넓이의 합과 같으므로

$\dfrac{1}{2}\times(3x-1)\times5+\dfrac{1}{2}\times(x+3)\times3=29$

양변에 2를 곱하면

$5(3x-1)+3(x+3)=58$

$15x-5+3x+9=58$

$18x=54$

$\therefore x=3$

Level ② 본문 82~83쪽

01 ① **02** 5 **03** ② **04** ① **05** 1800원 **06** 400 m

07 풀이 참조 **08** 153

---

01 $x=8$은 방정식 $3(1+a)-2x=5$의 해이므로

$3(1+a)-2\times8=5$

$3+3a-16=5$, $3a=18$

$\therefore a=6$

따라서 처음 주어진 방정식은 $3(1-6)-2x=5$이므로

$-15-2x=5$

$-2x=20$

$\therefore x=-10$

02 $x=-3$은 방정식 $3-ax=5(x+b)-7$의 해이므로

$3-a\times(-3)=5(-3+b)-7$

$3+3a=-15+5b-7$

$3a-5b=-15-7-3$

$3a-5b=-25$

위 등식의 양변을 -5로 나누면

$b-\dfrac{3}{5}a=5$

함정 피하기

a, b의 값을 각각 구하려고 하면 문제를 해결할 수 없다.

주어진 일차방정식에 해를 대입한 식을 통해 $b-\dfrac{3}{5}a$의 값을 구한다.

03 $3(x-2)-4=4(x-3)$을 풀면

$3x-6-4=4x-12$

$-x=-2$, $x=2$

따라서 $ax-1=3bx+15$의 해는

$x=2\times2=4$이므로

$ax-1=3bx+15$에 $x=4$를 대입하면

$a\times4-1=3b\times4+15$

$4a-1=12b+15$

$4a-12b=16$

위 식의 양변을 4로 나누면

$a-3b=4$

04 $\dfrac{3x-8}{2}=1.5+\dfrac{1+x}{3}$ 의 양변에 6을 곱하면

$3(3x-8)=9+2(1+x)$

$9x-24=9+2+2x$

$7x=35,\ x=5$

이때 일차방정식 $3-2x=2(x+a)$의 해를 $x=k$라 하면

$5:k=10:3$이므로

$10k=15,\ k=\dfrac{3}{2}$

따라서 $3-2x=2(x+a)$에 $x=\dfrac{3}{2}$을 대입하면

$3-2\times\dfrac{3}{2}=2\left(\dfrac{3}{2}+a\right)$

$3-3=3+2a,\ -2a=3$

$\therefore a=-\dfrac{3}{2}$

다른 풀이

$\dfrac{3x-8}{2}=1.5+\dfrac{1+x}{3}$ 의 양변에 6을 곱하면

$3(3x-8)=9+2(1+x)$

$9x-24=9+2+2x$

$7x=35,\ x=5$

$3-2x=2(x+a)$에서

$3-2x=2x+2a$

$-4x=2a-3$

$x=\dfrac{-2a+3}{4}$

이때 두 일차방정식의 해의 비가 $10:3$이므로

$5:\dfrac{-2a+3}{4}=10:3$

$10\times\dfrac{-2a+3}{4}=15$

$\dfrac{5(-2a+3)}{2}=15$

$-10a+15=30,\ -10a=15$

$\therefore a=-\dfrac{3}{2}$

05 물건의 원가를 x원이라 하면 정가는

$x+x\times\dfrac{30}{100}=\dfrac{13}{10}x(원)$

정가에서 240원을 할인하여 팔면 300원의 이윤이 남으므로

$\left(\dfrac{13}{10}x-240\right)-x=300$

$13x-2400-10x=3000$

$3x=5400$

$\therefore x=1800$

따라서 이 물건의 원가는 1800원이다.

함정 피하기

(판매 가격)－(원가)＝(이윤)의 관계가 성립함을 이용하여 일차방정식을 세운다.

06 기차의 길이를 x m라 하면

이 기차가 3.6 km인 터널을 완전히 통과하려면 $(3600+x)$ m를 달려야 하고, 길이가 6.8 km인 터널을 완전히 통과하려면 $(6800+x)$ m를 달려야 한다.

이때 이 기차의 속력이 일정하므로

$\dfrac{3600+x}{50}=\dfrac{6800+x}{90}$

양변에 450을 곱하면

$9(3600+x)=5(6800+x)$

$32400+9x=34000+5x$

$4x=1600$

$\therefore x=400$

따라서 기차의 길이는 400 m이다.

실수하기 쉬운 부분 짚어보기

기차가 터널을 완전히 통과하려면 기차는 (터널의 길이)＋(기차의 길이)만큼을 달려야 한다. 또 기차는 일정한 속력으로 달리므로 첫 번째 터널을 지날 때의 속력과 두 번째 터널을 지날 때의 속력이 같음을 이용하여 방정식을 세운다.

07 왼쪽 위의 원판에 적혀 있는 수를 x라 하면

왼쪽 아래의 원판에 적혀 있는 수는

$20-x$

오른쪽 아래의 원판에 적혀 있는 수는

$16-(20-x)=x-4$

대각선으로 연결된 원판에 적혀 있는 두 수의 합이 10이므로

$x+(x-4)=10$

$2x-4=10$

$2x=14$

$\therefore x=7$

따라서 각 원판에 적혀 있는 수는 차례로 왼쪽 위에 있는 수부터 시곗바늘이 도는 반대 방향으로 7, 13, 3, 8이다.

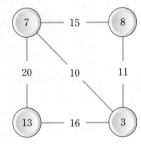

08 직사각형 A의 둘레의 길이는

$$2\left[\{3(x+4)-6\}+\left(\frac{x}{2}+5\right)\right]$$

$$=2\left(3x+12-6+\frac{x}{2}+5\right)$$

$$=2\left(\frac{7}{2}x+11\right)$$

$$=7x+22$$

정사각형 B의 둘레의 길이는

$$4(5x-1)=20x-4$$

이때 두 도형의 둘레의 길이가 서로 같으므로

$$7x+22=20x-4$$

$$-13x=-26$$

$$\therefore x=2$$

따라서 직사각형 A의 가로, 세로의 길이는 각각 12, 6이고, 정사각형 B의 한 변의 길이는 9이므로 두 도형 A, B의 넓이의 합은

$$12\times6+9\times9=72+81=153$$

함정 피하기

직사각형의 둘레의 길이는 가로와 세로의 길이를 더한 값의 2배이고 정사각형의 둘레의 길이는 한 변의 길이의 4배이다.

Level ③   본문 84~85쪽

01 2   **02** 2   **03** 391마리 **04** 42개 **05** 2일

06 11단계 **07** (1) $x-8$ (2) 130 **08** 9, 11, 17, 23, 25

---

01 $0.72x-0.14a=\dfrac{11}{25}$의 양변에 100을 곱하면

$$72x-14a=44$$

$$72x=14a+44$$

$$\therefore x=\frac{7a+22}{36}$$

$\dfrac{4x-3}{8}+\dfrac{x+2}{4}=a$의 양변에 8을 곱하면

$$4x-3+2x+4=8a$$

$$6x=8a-1$$

$$\therefore x=\frac{8a-1}{6}$$

이때 두 일차방정식의 해의 비가 2 : 5이므로

$$\frac{7a+22}{36}:\frac{8a-1}{6}=2:5$$

$$\frac{7a+22}{36}\times5=\frac{8a-1}{6}\times2$$

위 식의 양변에 36을 곱하면

$$5(7a+22)=12(8a-1)$$

$$35a+110=96a-12$$

$$-61a=-122$$

$$\therefore a=2$$

실수하기 쉬운 부분 짚어보기

두 방정식의 해를 각각 구하여 주어진 조건을 이용하여 비례식을 세운 후 a의 값을 구한다.

---

02 $\dfrac{a-(3x+1)}{5}=2$의 양변에 5를 곱하면

$$a-(3x+1)=10$$

$$a-3x-1=10, \ -3x=11-a$$

$$x=\frac{11-a}{-3}$$

이고 x의 값이 음의 정수가 되려면 $11-a$가 3의 배수이어야 한다.

$11-a=3$일 때, $a=8$

$11-a=6$일 때, $a=5$

$11-a=9$일 때, $a=2$

$11-a=12$일 때, $a=-1$

$11-a$가 12, 15, 18, …이면 a의 값은 자연수가 아니다.

따라서 방정식의 해가 음의 정수가 되도록 하는 자연수 a의 값은 2, 5, 8이므로 이를 만족시키는 가장 작은 자연수는 2이다.

함정 피하기

방정식의 해가 음의 정수가 되도록 하는 자연수 a의 조건을 파악하여 a의 값을 구한다.

---

03 작년에 키운 소의 수를 x마리라 하면 돼지의 수는 $(900-x)$마리이다.

올해 감소한 소의 수는 $x\times\dfrac{8}{100}$마리

올해 증가한 돼지의 수는 $(900-x)\times\dfrac{4}{100}$마리

이때 올해 소와 돼지는 작년에 비하여 15마리 감소하였으므로

$$-x\times\frac{8}{100}+(900-x)\times\frac{4}{100}=-15$$

양변에 100을 곱하면

$$-8x+4(900-x)=-1500$$

$-8x-4x=-1500-3600$

$-12x=-5100$

$\therefore x=425$

따라서 올해 키우고 있는 소는 $425-425\times\dfrac{8}{100}=391$(마리)
이다.

04 지하철역에 처음 비치되어 있던 우산의 개수를 x라 하면
처음 비가 온 날 빌려갔다가 다음 날 우산이 돌아온 후 지하철역
에 있는 우산의 개수는

$\dfrac{5}{6}x+5$

다음 비가 온 날 빌려갔다가 다음 날 우산이 돌아온 후 지하철역
에 있는 우산의 개수는

$\dfrac{3}{4}\left(\dfrac{5}{6}x+5\right)+7=\dfrac{5}{8}x+\dfrac{43}{4}$

그 결과 처음 비치된 우산보다 5개가 줄었으므로

$\dfrac{5}{8}x+\dfrac{43}{4}=x-5$

양변에 8을 곱하면

$5x+86=8x-40$

$-3x=-126$

$\therefore x=42$

따라서 이 지하철역에 처음 비치되어 있던 우산의 개수는 42개
이다.

05 전체 일의 양을 1이라 하면 첫째, 둘째, 막내가 하루 동안 하는
일의 양은 각각 $\dfrac{1}{12}$, $\dfrac{1}{16}$, $\dfrac{1}{18}$이다.

둘째가 혼자서 일한 기간을 x일이라 하면
첫째가 혼자서 일한 기간은

$12-6-x-2=4-x$

이므로

$\dfrac{1}{12}(4-x)+\left(\dfrac{1}{16}+\dfrac{1}{18}\right)\times6+\dfrac{1}{16}x=1$

위 식의 양변에 48을 곱하면

$4(4-x)+48\times\left(\dfrac{1}{16}+\dfrac{1}{18}\right)\times6+3x=48$

$16-4x+34+3x=48$

$-x=-2$

$\therefore x=2$

따라서 둘째는 2일 동안 혼자 식탁을 만들었다.

함정 피하기
일을 해결하는 상황에서는 전체 일의 양을 1로 놓고 식을 세운다.

06 1단계에서 필요한 바둑돌의 개수는 5개
2단계에서 필요한 바둑돌의 개수는 $(5+2\times1)$개
3단계에서 필요한 바둑돌의 개수는 $(5+2\times2)$개

$\vdots$

x단계에서 필요한 바둑돌의 개수는 $5+2\times(x-1)$(개)
필요한 바둑돌의 개수가 25개인 단계는

$5+2(x-1)=25$

$2x+3=25$, $2x=22$

$\therefore x=11$

따라서 바둑돌 25개로 만든 것은 11단계이다.

07 (1) 정사각형 A의 한 변의 길이는 x이고
정사각형 B의 한 변의 길이는 8이므로
정사각형 D의 한 변의 길이는 $x-8$이다.

(2) 정사각형 D의 한 변의 길이는 $8-1=7$이므로 (1)에 의해

$x-8=7$, $x=15$

정사각형 H의 한 변의 길이는 $9+1=10$
정사각형 G의 한 변의 길이는 $9+10-8-7=4$
정사각형 I의 한 변의 길이는 $10+4=14$
정사각형 F의 한 변의 길이는 $14+4=18$

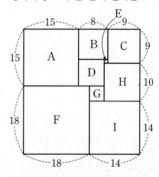

정사각형 9개를 이어 붙여 만든 직사각형의 가로의 길이는
$14+18=32$, 세로의 길이는 $15+18=33$
따라서 이 직사각형의 둘레의 길이는

$(32+33)\times2=130$

08 $\bowtie$ 모양의 가운데 수를 x라 하면 왼쪽 위, 왼쪽 아래, 오른쪽
위, 오른쪽 아래에 있는 수는 차례대로

$x-1-7$, $x-1+7$, $x+1-7$, $x+1+7$

로 나타낼 수 있고 이를 간단히 하면

$x-8$, $x+6$, $x-6$, $x+8$

이다.

$\bowtie$ 모양에 있는 5개의 수의 합이 85이므로

$x+(x-8)+(x+6)+(x-6)+(x+8)=85$

$5x=85$

$\therefore x=17$

따라서 5개의 수는 9, 11, 17, 23, 25이다.

본문 86~87쪽

01 -2 **02** 40% **03** 4시 $36\dfrac{4}{11}$분 **04** 5 km

05 A기차의 속력: 초속 40 m, B기차의 속력: 초속 50 m

06 72 g **07** $\dfrac{4}{9}$ **08** 풀이 참조

01 **풀이전략** 상수 b가 들어 있는 x에 대한 두 일차방정식의 해를 먼저 구하고 해가 같음을 이용하여 b의 값을 구한 후 세 일차방정식의 해를 구한다.

일차방정식 $2-6x=5b-3(x+3)$의 해를 구하면

$2-6x=5b-3x-9$

$-6x+3x=5b-9-2$

$-3x=5b-11$

$x=\dfrac{-5b+11}{3}$ ...... ㉠

일차방정식 $3x+b=7$의 해를 구하면

$3x=7-b$, $x=\dfrac{7-b}{3}$ ...... ㉡

두 일차방정식 $2-6x=5b-3(x+3)$과 $3x+b=7$의 해가 같으므로

㉠, ㉡에 의해 $\dfrac{-5b+11}{3}=\dfrac{7-b}{3}$

양변에 3을 곱한 후 b의 값을 구하면

$-5b+11=7-b$

$-5b+b=7-11$

$-4b=-4$, $b=1$

$x=\dfrac{-5b+11}{3}$에 $b=1$을 대입하면

즉, 세 일차방정식의 해는 $x=\dfrac{-5\times1+11}{3}=\dfrac{6}{3}=2$

세 일차방정식의 해가 모두 같으므로

$x=2$를 $5x-7=3x+a$에 대입하면

$5\times2-7=3\times2+a$

$3=6+a$

$-a=3$ $\therefore a=-3$

$\therefore a+b=(-3)+1=-2$

02 **풀이전략** (정가)$=$(원가)$+$(이익)의 관계를 이용하여 일차방정식을 세운다.

원가에 붙인 이익을 $x\%$라 하면 정가는

$8000+\dfrac{x}{100}\times8000=8000\left(1+\dfrac{x}{100}\right)$(원)

정가에서 10% 할인한 금액은

$8000\left(1+\dfrac{x}{100}\right)\times\dfrac{9}{10}$(원)이고

이때의 이익은 $8000\left(1+\dfrac{x}{100}\right)\times\dfrac{9}{10}-8000$(원)이고 이익이

원가의 26%이므로

$8000\left(1+\dfrac{x}{100}\right)\times\dfrac{9}{10}-8000=8000\times\dfrac{26}{100}$

양변을 8000으로 나누면

$\left(1+\dfrac{x}{100}\right)\times\dfrac{9}{10}-1=\dfrac{26}{100}$

$\left(1+\dfrac{x}{100}\right)\times\dfrac{9}{10}=\dfrac{126}{100}$

$1+\dfrac{x}{100}=\dfrac{126}{100}\times\dfrac{10}{9}$

$1+\dfrac{x}{100}=\dfrac{14}{10}$

$\dfrac{x}{100}=\dfrac{4}{10}$

$\therefore x=40$

따라서 처음 원가의 40%의 이익을 붙여서 정가를 정했다.

03 **풀이전략** 시침은 1분에 $\dfrac{1}{2}°$씩, 분침은 1분에 $6°$씩 이동함을 이용하여 일차방정식을 세운다.

4시 30분 이후 시침과 분침이 이루는 각의 크기가 처음으로 $80°$가 되는 시간을 x분 후라 하면

시침은 1분에 $\dfrac{1}{2}°$씩, 분침은 1분에 $6°$씩 이동하므로

$(180+6x)-\left(135+\dfrac{1}{2}x\right)=80$

$180+6x-135-\dfrac{1}{2}x=80$

$\dfrac{11}{2}x=35$

$\therefore x=\dfrac{70}{11}$

따라서 4시 30분 이후 시침과 분침이 이루는 각의 크기가 처음으로 $80°$가 되는 시각은 4시 30분에서 $\dfrac{70}{11}$분 후이므로

4시 $36\dfrac{4}{11}$분이다.

04 **풀이전략** 거리, 속력, 시간 사이의 관계를 이용한다.

$(\text{속력})=\dfrac{(\text{거리})}{(\text{시간})}$, $(\text{시간})=\dfrac{(\text{거리})}{(\text{속력})}$, $(\text{거리})=(\text{속력})\times(\text{시간})$

평탄한 길의 거리를 $x\,\text{km}$라 하면

집에서 마트까지 가는 데 걸리는 시간은 $\dfrac{30}{60}=\dfrac{1}{2}$(시간)이고 평탄한 길을 가는 데 걸리는 시간이 $\dfrac{x}{15}$시간이므로 내리막길을 가는 데 걸리는 시간은 $\left(\dfrac{1}{2}-\dfrac{x}{15}\right)$시간이고 시속 $18\,\text{km}$의 속력으로 내리막길을 달린 거리는 $\left(\dfrac{1}{2}-\dfrac{x}{15}\right)\times18\,\text{km}$이다.

또 마트에서 집으로 오는 데 걸리는 시간은 $\dfrac{55}{60}=\dfrac{11}{12}$(시간)이고 평탄한 길을 오는 데 걸리는 시간이 $\dfrac{x}{12}$시간이므로 오르막길을 오는 데 걸리는 시간은 $\left(\dfrac{11}{12}-\dfrac{x}{12}\right)$시간이고 시속 $6\,\text{km}$의 속력으로 오르막길을 달린 거리는 $\left(\dfrac{11}{12}-\dfrac{x}{12}\right)\times6\,\text{km}$이다.

집에서 마트까지 갈 때 내리막길의 거리와 마트에서 집으로 돌아올 때의 오르막길의 거리는 서로 같으므로

$\left(\dfrac{1}{2}-\dfrac{x}{15}\right)\times18=\left(\dfrac{11}{12}-\dfrac{x}{12}\right)\times6$

$9-\dfrac{6x}{5}=\dfrac{11}{2}-\dfrac{x}{2}$

$90-12x=55-5x$

$-7x=-35$

$\therefore x=5$

따라서 평탄한 길은 $5\,\text{km}$이다.

05 **풀이전략** $(\text{속력})=\dfrac{(\text{거리})}{(\text{시간})}$와 $(\text{거리})=(\text{속력})\times(\text{시간})$의 관계를 이용하여 일차방정식을 세운다.

두 기차의 길이를 $x\,\text{m}$라 하면

A기차의 속력은 초속 $\dfrac{x+400}{15}\,\text{m}$

B기차의 속력은 초속 $\dfrac{x+2000}{44}\,\text{m}$

두 기차가 2분, 즉 120초 동안 달린 두 기차의 거리의 합이 $10.8\,\text{km}$, 즉 $10800\,\text{m}$이므로

$\dfrac{x+400}{15}\times120+\dfrac{x+2000}{44}\times120=10800$

양변에 11을 곱하면

$88(x+400)+30(x+2000)=118800$

$88x+35200+30x+60000=118800$

$118x=23600$

$\therefore x=200$

따라서 두 기차의 길이는 $200\,\text{m}$이므로

A기차의 속력은

$\dfrac{200+400}{15}=\dfrac{600}{15}=40$, 즉 초속 $40\,\text{m}$

B기차의 속력은

$\dfrac{200+2000}{44}=\dfrac{2200}{44}=50$, 즉 초속 $50\,\text{m}$

06 **풀이전략** 서로 덜어 내어 바꾼 소금물의 양을 미지수로 놓고 방정식을 세운다.

서로 덜어 내어 바꾼 소금물의 양을 $x\,\text{g}$이라 하면

6 %의 소금물이 들어 있던 병에서 소금물을 바꾸어 넣은 후의 소금의 양은

$\dfrac{6}{100}(180-x)+\dfrac{15}{100}x\,(\text{g})$

이고 또한 15 %의 소금물이 들어 있던 병에서 소금물을 바꾸어 넣은 후의 소금의 양은

$\dfrac{15}{100}(120-x)+\dfrac{6}{100}x\,(\text{g})$

바꾸어 넣은 후 두 유리병 안의 소금물의 농도가 같으므로

$\dfrac{\frac{6}{100}(180-x)+\frac{15}{100}x}{180}\times100=\dfrac{\frac{15}{100}(120-x)+\frac{6}{100}x}{120}\times100$

양변에 360을 곱하면

$2\{6(180-x)+15x\}=3\{15(120-x)+6x\}$

$2(1080+9x)=3(1800-9x)$

$45x=3240$

$\therefore x=72$

따라서 서로 덜어 내어 바꾼 소금물의 양은 $72\,\text{g}$이다.

07 **풀이전략** 전체 일의 양을 1로 생각하고 1시간 동안 한 일의 양을 기준으로 일차방정식을 세운다.

가장 빠른 시간 안에 일을 완료하려면 두 사람이 함께 일하여야 한다. 두 사람이 함께 일한 시간을 x시간이라 하면

$\left(\dfrac{1}{12}+\dfrac{1}{15}\right)x=1$

양변에 60을 곱하면

$5x+4x=60$

$9x=60,\ x=\dfrac{20}{3}$

두 사람이 함께 일한 시간은 $\dfrac{20}{3}$시간이다.

따라서 제자가 한 일은 $\dfrac{1}{15}\times\dfrac{20}{3}=\dfrac{4}{9}$, 즉 전체의 $\dfrac{4}{9}$이다.

08 풀이전략 사람의 인원수, 동물의 마리 수, 책의 권 수 등은 자연수만 가능함을 이용하여 문제를 해결한다.

어제 정리한 책을 x권이라 하면

오늘 정리해야 하는 책은 $(200-x)$권이고

오늘 도서부원 4명이 정리한 책은

$\left(\dfrac{1}{3}+\dfrac{1}{4}+\dfrac{1}{5}+\dfrac{1}{8}\right)\times(200-x)=\dfrac{109}{120}(200-x)$(권)

따라서 오늘 사서 선생님께서 정리해 주신 책은

$(200-x)-\dfrac{109}{120}(200-x)=\dfrac{11}{120}(200-x)$(권)

책의 권수는 자연수이므로

$200-x$가 120의 배수가 되어야 하므로

$200-x=120$

$\therefore x=80$

따라서 도서부 학생들이 어제 정리한 책은 80권이고

오늘 도서부 학생들이 정리한 책은

$\dfrac{109}{120}\times(200-80)=109$(권)

이고 오늘 사서 선생님께서 정리한 책은

$\dfrac{11}{120}\times(200-80)=11$(권)이다.

대단원 마무리 Level 종합 본문 88~89쪽

01 ② **02** ③ **03** $-5x-4$ **04** ④ **05** ③ **06** ⑤

07 28명 **08** ② **09** 4 %

01 색칠한 부분의 넓이는 직사각형 ABCD의 넓이에서 색칠하지 않은 삼각형 3개의 넓이를 빼서 구할 수 있다.

∴ (색칠한 부분의 넓이)

$=8a\times5b-\dfrac{1}{2}\times3a\times5b-\dfrac{1}{2}\times8a\times2b$

$\qquad\qquad\qquad-\dfrac{1}{2}\times(8a-3a)\times(5b-2b)$

$=40ab-\dfrac{15}{2}ab-8ab-\dfrac{15}{2}ab$

$=17ab$

02 n이 홀수일 때,

$(-1)^n=-1,\ (-1)^{n+1}=1$이므로

$(-1)^n\times(2x-1)-(-1)^{n+1}\times(5x+3)$

$=-(2x-1)-(5x+3)$

$=-2x+1-5x-3$

$=-7x-2$

즉, $A=-7x-2$

n이 짝수일 때,

$(-1)^n=1,\ (-1)^{n+1}=-1$이므로

$(-1)^n\times(2x-1)-(-1)^{n+1}\times(5x+3)$

$=(2x-1)-\{-(5x+3)\}$

$=2x-1+5x+3$

$=7x+2$

즉, $B=7x+2$

$\therefore A+2B=(-7x-2)+2(7x+2)$

$\qquad\qquad=-7x-2+14x+4$

$\qquad\qquad=7x+2$

함정 피하기

$(-1)^{홀수}=-1,\ (-1)^{짝수}=1$임을 이용하여 $A,\ B$를 각각 간단히 한다.

03

①		©
$5x+2$	$3x-2$	②
$6x-3$	㉠	㉡

가로, 세로, 대각선 방향에 놓인 세 다항식의 합이 모두 같으므로

①$+(5x+2)+(6x-3)=$①$+(3x-2)+$㉡에서

$(5x+2)+(6x-3)=(3x-2)+$㉡

㉡$=(5x+2)+(6x-3)-(3x-2)$

$=11x-1-3x+2$

$=8x+1$

또 $(5x+2)+(3x-2)+$②$=$©$+$②$+$㉡에서

$(5x+2)+(3x-2)=$©$+(8x+1)$

$ⓒ=(5x+2)+(3x-2)-(8x+1)$
  $\quad=8x-8x-1$
  $\quad=-1$
또 $(6x-3)+(3x-2)+ⓒ=(6x-3)+ⓐ+ⓑ$에서
$(6x-3)+(3x-2)+(-1)=(6x-3)+ⓐ+(8x+1)$
$9x-6=14x-2+ⓐ$
$∴ ⓐ=9x-6-(14x-2)$
  $\quad=9x-6-14x+2$
  $\quad=-5x-4$

04 $x=-\dfrac{1}{2}$을 각각 대입하면

① $-\dfrac{1}{x}=(-1)÷\left(-\dfrac{1}{2}\right)=(-1)×(-2)=2$

② $-x=-\left(-\dfrac{1}{2}\right)=\dfrac{1}{2}$

③ $-x^2=-\left(-\dfrac{1}{2}\right)^2=-\dfrac{1}{4}$

④ $\dfrac{1}{x}=1÷\left(-\dfrac{1}{2}\right)=1×(-2)=-2$

⑤ $x^2=\left(-\dfrac{1}{2}\right)^2=\dfrac{1}{4}$

따라서 가장 작은 값은 ④이다.

05 일차방정식 $\dfrac{x-5}{6}-\dfrac{1}{12}x=\dfrac{1+2x}{3}$의 양변에 12를 곱하면
$2(x-5)-x=4(1+2x)$
$2x-10-x=4+8x$
$x-8x=4+10$
$-7x=14$
$∴ x=-2$
따라서 일차방정식 $0.5(x+a)-0.1a=0.2$의 해가 $x=-2$이
므로
$0.5(-2+a)-0.1a=0.2$
양변에 10을 곱하면
$5(-2+a)-a=2$
$-10+5a-a=2$
$4a=12$
$∴ a=3$

함정 피하기
두 일차방정식의 해가 같으므로 해를 구할 수 있는 일차방정식을 풀어 다
른 일차방정식에 그 해를 대입하면 a의 값을 구할 수 있다.

06 계단의 개수를 x라 하면
$5x+3=6(x-2)+4$
$5x+3=6x-12+4$
$-x=-11$
$∴ x=11$
따라서 계단의 개수는 11이고 수학 동아리 학생 수는 $5x+3$이
므로
$5×11+3=58$(명)

07 피타고라스의 제자의 수를 x명이라 하면
$\dfrac{1}{2}x+\dfrac{1}{4}x+\dfrac{1}{7}x+3=x$
양변에 28을 곱하면
$14x+7x+4x+84=28x$
$25x-28x=-84$
$-3x=-84$
$∴ x=28$
따라서 피타고라스의 제자는 모두 28명이다.

08 언니는 둘레가 $1\,\text{km}$인 호수를 한 바퀴 도는 데 16분이 걸리므
로 언니의 속력은 분속 $\dfrac{1}{16}\,\text{km}$이고 동생은 24분이 걸리므로
동생의 속력은 분속 $\dfrac{1}{24}\,\text{km}$이다.
두 사람이 x분 후에 처음 만난다면 두 사람이 움직인 거리의 합
이 $1\,\text{km}$일 때 만나므로
$\dfrac{1}{16}x+\dfrac{1}{24}x=1$
$3x+2x=48,\ 5x=48$
$∴ x=\dfrac{48}{5}$
두 사람은 $\dfrac{48}{5}$분마다 만나므로 5번째 만나게 되는 것은
$\dfrac{48}{5}×5=48$(분) 후이다.
따라서 두 사람이 5번째 만날 때까지 언니가 이동한 거리는
$\dfrac{1}{16}×48=3(\text{km})$

09 처음 병 A에 들어 있는 소금의 양은
$200×\dfrac{28}{100}=56(\text{g})$
병 A에서 소금물 $60\,\text{g}$을 퍼내고 $60\,\text{g}$의 물을 채워 넣는 작업을
한 번 하고 난 후 병 A의 소금의 양은

$$56 \times \frac{140}{200} = 39.2(\text{g})$$

다시 병 A에서 소금물 60 g을 퍼내고 60 g의 물을 채워 넣은 후, 즉 작업을 2번 하고 난 후 병 A의 소금의 양은

$$39.2 \times \frac{140}{200} = 27.44(\text{g})$$

처음 병 B에 들어 있는 소금의 양을 x g이라 하면

병 B에서 소금물 60 g을 퍼내고 병 A에서 소금물 60 g을 퍼내어 병 B에 넣는 작업을 한 번 하고 난 후 병 B의 소금의 양은

$$\frac{140}{200}x + 56 \times \frac{60}{200} = \frac{140}{200}x + 16.8(\text{g})$$

다시 병 B에서 소금물 60 g을 퍼내고 병 A에서 소금물 60 g을 퍼내어 병 B에 넣은 후, 즉 작업을 2번 하고 난 후 병 B의 소금의 양은

$$\left(\frac{140}{200}x + 16.8\right) \times \frac{140}{200} + 39.2 \times \frac{60}{200}$$

$$= \frac{49}{100}x + 11.76 + 11.76$$

$$= \frac{49}{100}x + 23.52(\text{g})$$

작업을 2번 하고 난 후 두 병 A, B의 소금물의 양과 농도가 같으므로 소금의 양도 같다. 즉,

$$\frac{49}{100}x + 23.52 = 27.44$$이므로

$$\frac{49}{100}x = 3.92, \ x = 8$$

따라서 처음 병 B의 소금의 양은 8 g이므로 처음 병 B의 소금물의 농도는

$$\frac{8}{200} \times 100 = 4(\%)$$

실수하기 쉬운 부분 짚어보기

같은 양의 두 소금물의 농도가 같으면 두 소금물에 들어 있는 소금의 양도 서로 같다.

---

7 순서쌍과 좌표

Level 1
본문 92~95쪽

01 ④　　**02** ②　　**03** ①

04 (1) 제1사분면 (2) 제4사분면 (3) 제3사분면 (4) 제1사분면

05 ④　　**06** ③　　**07** (1) 16분 후 (2) 4분

08 (1) 70분 (2) 20분 (3) 14 km

09 (1) 8 km (2) 60분 (3) 출발 직후에서 40분 사이　　**10** (1) 2번째 (2) 15초

11 (1) 지난주: 9시, 이번 주: 9시 30분 (2) 1시간 (3) 1시간 30분 (4) 45분

12 ②　　**13** 풀이 참조　　**14** ④　　**15** 풀이 참조

16 풀이 참조

---

01 x축 위에 있는 점의 y좌표는 0이므로

$$2a+1=0, \ a=-\frac{1}{2}$$

점 $A(3-a, 2a+1)$의 좌표는 $\left(3+\frac{1}{2}, 0\right)$

즉, $\left(\frac{7}{2}, 0\right)$이다.

02 두 점 $A(a-b+2, 3a-6)$, $B(-a+b, b-7)$이 x축 위에 있으므로

$$3a-6=0, \ b-7=0$$

$$\therefore a=2, \ b=7$$

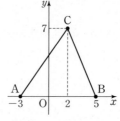

따라서 세 점의 좌표가

$A(-3, 0)$, $B(5, 0)$, $C(2, 7)$이므로

삼각형 ABC의 넓이는

$$\frac{1}{2} \times \{5-(-3)\} \times (7-0)$$

$$= \frac{1}{2} \times 8 \times 7 = 28$$

03 주어진 세 점을 좌표평면 위에 나타내면 다음 그림과 같고 사각형 ABCD가 정사각형이 되기 위한 점 D의 좌표는 $(2, -1)$이다.

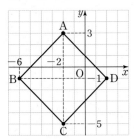

따라서 $a=2$, $b=-1$이므로
$a+b=2+(-1)=1$

실수하기 쉬운 부분 짚어보기

사각형 ABCD가 정사각형이려면 점 D의 y좌표는 점 B의 y좌표와 같고 선분 AC의 길이와 선분 BD의 길이가 같아야 한다.

04 점 $P(a, b)$가 제2사분면 위에 있는 점이므로 a는 음수, b는 양수이다. 즉, $a<0$, $b>0$
(1) b는 양수, $-a$도 양수, 즉 $b>0$, $-a>0$이므로 점 A는 제1사분면 위에 있는 점이다.
(2) $-a$는 양수, ab는 음수, 즉 $-a>0$, $ab<0$이므로 점 B는 제4사분면 위에 있는 점이다.
(3) $a-b$는 음수, a도 음수, 즉 $a-b<0$, $a<0$이므로 점 C는 제3사분면 위에 있는 점이다.
(4) a^2은 양수, $b-a$도 양수, 즉 $a^2>0$, $b-a>0$이므로 점 D는 제1사분면 위에 있는 점이다.

05 그래프의 가장 높은 곳이 이 주간의 최고기온이고 가장 낮은 곳이 이 주간의 최저기온이다.
이 주간의 최고기온은 35℃이고 최저기온은 5℃이므로 최고기온과 최저기온의 차는
$35-5=30$(℃)

06 공원은 집에서 $3\,\text{km}$ 떨어져 있으므로 그래프 ㉠, ㉡에서 $y=3$일 때, x의 값을 구하면 각각 $x=10$, $x=18$이다.
즉, 언니는 10분 후, 동생은 18분 후에 공원에 도착한다.
따라서 언니가 공원에 도착하고 8분 후에 동생이 도착하였다.

07 (1) 두 그래프가 처음으로 만나는 점의 x좌표가 16이므로 두 사람은 출발하고 나서 16분 후 처음으로 만난다.
(2) 민정이의 그래프에서 x의 값이 14에서 18까지 y의 값에 변화가 없으므로 민정이는 출발한 후 14분에서 18분까지 멈춰 있었다.
따라서 민정이가 멈춰 있던 시간은 4분이다.

함정 피하기

시간과 거리 사이의 관계를 나타내는 그래프를 보고 그래프가 뜻하는 것을 해석한다. 문제의 그래프에서 멈춰 있을 때 y의 값에 변화가 없다.

08 (1) 심부름을 갔다가 돌아오면 집에서부터의 거리가 $0\,\text{km}$가 된다. $x=70$일 때, $y=0$이므로 엄마의 심부름을 다녀오는 데 걸린 시간은 70분이다.
(2) 시간이 지나도 출발 장소로부터 거리가 변하지 않으므로 그 시간이 마트에 머문 시간이다. 따라서 마트에 머문 시간은 20분이다.
(3) 민수의 목적지는 마트이므로 y의 값이 가장 클 때가 집에서 마트까지의 거리이다. 즉, 마트까지의 거리는 $7\,\text{km}$이다.
따라서 마트에 갔다가 돌아올 때까지 이동한 거리는
$7\times2=14(\text{km})$

09 (1) $x=180$일 때, $y=8$이므로 정아네 가족이 180분 동안 이동한 거리는 $8\,\text{km}$이다.
(2) x의 값이 40에서 80일 때까지와 140에서 160일 때까지 y의 값이 변화가 없으므로 그 시간 멈춰 있었다고 생각할 수 있다. 따라서 멈춰 있던 총 시간은
$(80-40)+(160-140)=60$(분)
(3) 빠르게 이동할수록 그래프가 가파르게 올라간다. 따라서 가장 빠른 속도로 이동한 시간은 출발 직후에서 40분 사이이다.

10 (1) 처음에 B반의 주자가 앞서가다가 두 그래프는 y의 값이 200 이상 300 미만일 때 처음으로 만난 후 A반의 주자가 B반의 주자를 추월하여 A반의 주자가 먼저 결승선에 들어온다는 것을 알 수 있다. y의 값이 200 이상 400 미만일 때 추월하였으므로 2번째 주자가 추월하였다.
(2) y의 값이 800일 때, A, B반의 x의 값이 각각 165, 180이므로 A반은 결승선에 들어올 때까지 165초, B반은 180초가 걸렸다.

따라서 A반은 B반보다 결승선에 $180-165=15$(초) 먼저 들어왔다.

11 (1) 가로 한 칸은 15분이므로 지난주 휴일에 집에서 출발한 시각은 9시이고 이번 주 휴일에 집에서 출발한 시각은 9시 30분이다.

(2) 지난주 휴일에 집에서 9시에 출발하여 공원에 10시에 도착하였으므로 가는 데 1시간이 걸렸다.

(3) 이번 주 휴일에 공원에 10시 30분에 도착하여 12시까지 있었으므로 공원에 머문 시간은 1시간 30분이다.

(4) 이번 주 휴일에 공원에서 12시에 출발하여 12시 45분에 집에 도착하였으므로 공원에서 집에 돌아올 때 걸린 시간은 45분이다.

12 풍속이 0 m/s에서 6 m/s까지는 그래프가 변화가 없다가 6 m/s부터 그래프가 변하므로 발전을 시작하는 풍속은 6 m/s이다.

13 (1) 그래프의 모양이 빠르게 감소하다가 점점 느리게 감소하는 곡선이다. 따라서 이날은 해가 진 후 기온이 빠르게 내려가다가 기온이 천천히 내려갔다.

(2) 그래프의 모양이 천천히 감소하다가 점점 빠르게 감소하는 곡선이다. 따라서 이날은 해가 진 후 기온이 천천히 내려가다가 점점 빠르게 내려갔다.

함정 피하기

그래프에서 변화의 빠르기를 파악하여 그래프에 맞는 상황을 설명할 수 있다.

14 꽃병 A, B는 밑면의 반지름의 길이가 변하지 않으므로 물의 높이가 일정하게 높아지고, 꽃병 C는 밑면의 반지름이 길이가 2번 변하므로 물의 높이가 높아지는 속력이 2번 변한다. 또한 꽃병 A의 밑면의 반지름의 길이가 꽃병 B의 밑면의 반지름의 길이보다 길어 물의 높이는 꽃병 B가 꽃병 A보다 빨리 높아진다.
따라서 꽃병 A에 알맞은 그래프는 (3), 꽃병 B에 알맞은 그래프는 (1), 꽃병 C에 알맞은 그래프는 (2)이다.

15 왕복 오래달리기를 하면 출발한 후 출발점으로부터의 거리는 점점 멀어지다가 다시 돌아오면서 점점 가까워져서 0이 되고 5번 왕복하였으니 같은 모양이 5번 반복하여 나타난다.

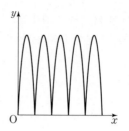

16 (1) 그릇의 단면의 넓이가 점점 커지므로 물의 높이는 점점 천천히 높아진다. 따라서 이를 표현하는 그래프를 그리면 다음과 같다.

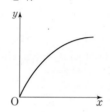

(2) 그릇의 단면의 넓이가 점점 커지다가 작아지므로 물의 높이는 천천히 높아지다가 빠르게 높아진다. 따라서 이를 표현하는 그래프를 그리면 다음과 같다.

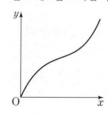

Level ②

본문 96~99쪽

01 ① **02** 8 **03** −1 또는 7 **04** ④ **05** ③ **06** ④

07 풀이 참조 **08** 풀이 참조 **09** 풀이 참조

10 풀이 참조 **11** 풀이 참조 **12** ② **13** ⑤ **14** ②

15 ① **16** 풀이 참조

01 점 $A(2a-1, a+3)$이 x축 위의 점이므로
$a+3=0, a=-3$
점 $B(2-b, 2b+5)$가 y축 위의 점이므로
$2-b=0, b=2$
$\therefore a=-3, b=2$

02 $b-a$의 값이 최대이려면 b의 값은 최대이고 a의 값은 최소이어야 한다.

점 P가 점 A에 있을 때, a의 값은 -2, b의 값은 6이므로 $b-a$의 값 중에서 가장 큰 값은

$6-(-2)=8$

03 점 $C(1, a)$에서 x좌표가 양수이므로 점 C는 제1사분면 또는 제4사분면 위의 점이다.

(i) 점 C가 제1사분면 위의 점일 때

삼각형 ABC는 다음 그림과 같으므로

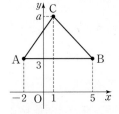

삼각형 ABC의 넓이는

$\dfrac{1}{2} \times \{5-(-2)\} \times (a-3)=14$

$\dfrac{1}{2} \times 7 \times (a-3)=14$

$a-3=4$ $\therefore a=7$

(ii) 점 C가 제4사분면 위의 점일 때

삼각형 ABC는 다음 그림과 같으므로

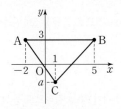

삼각형 ABC의 넓이는

$\dfrac{1}{2} \times \{5-(-2)\} \times (3-a)=14$

$\dfrac{1}{2} \times 7 \times (3-a)=14$

$3-a=4$ $\therefore a=-1$

(i), (ii)에서 a의 값은 -1 또는 7

04 두 점 $A(a-3, b+4)$, $B(b+1, 1-2a)$가 y축 위에 있으므로

$a-3=0$, $b+1=0$

$a=3$, $b=-1$

두 점 $C(-3d, -c+4)$, $D(c+3, d-5)$가 x축 위에 있으므로 $-c+4=0$, $d-5=0$

$c=4$, $d=5$

따라서 사각형의 네 꼭짓점의 좌표는 각각

$A(0, 3)$, $B(0, -5)$, $C(-15, 0)$, $D(7, 0)$

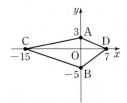

$\therefore$ (사각형 ACBD의 넓이)

$=$ (삼각형 ACD의 넓이) $+$ (삼각형 BCD의 넓이)

$=\dfrac{1}{2} \times (7+15) \times 3 + \dfrac{1}{2} \times (7+15) \times 5$

$=88$

05 $-\dfrac{b}{a}>0$이므로 $\dfrac{b}{a}<0$이다. 즉, a, b의 두 부호가 다르다.

또 $a-b>0$, 즉 $a>b$이므로 $a>0$, $b<0$이다.

점 (ab, b)에서 $ab<0$, $b<0$

따라서 점 (ab, b)는 제3사분면 위의 점이다.

06 점 $A(a+b, ab)$가 제4사분면 위의 점이므로

$a+b>0$, $ab<0$이다.

$ab<0$이면 a, b의 두 부호가 다르고

$|a|>|b|$, $a+b>0$이므로 $a>0$, $b<0$이다.

점 $B\left(-b, \dfrac{b}{a}\right)$에서 $-b>0$, $\dfrac{b}{a}<0$

따라서 점 $B\left(-b, \dfrac{b}{a}\right)$는 제4사분면 위의 점이다.

07 번지 점프를 한 사람의 지면으로부터의 높이는 처음에 가장 높았다가 뛰어내리면서 낮아진다. 그 후 몇 번 높아졌다 낮아지기를 반복하면서 점차 일정한 높이에 가까워진다. 이를 그래프로 나타내면 다음과 같다.

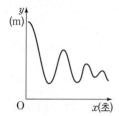

08 (1) x의 값이 커짐에 따라 y는 잠시 0이었다가 커졌다가 작아지고 다시 0이었다가 커졌다가 작아진다. x를 시간, y는 배구 코트의 바닥에서 선수의 발바닥까지의 높이라 하면 이 선수가 네트 앞에서 점프를 하면 코트의 바닥에서 발바닥까지의 높이가 높아졌다 낮아지고 다시 점프를 하면 코트의 바닥에서 발바닥까지의 높이가 다시 높아졌다가 낮아진다.

(2) x가 커짐에 따라 y는 점점 작아지다가 다시 커진다. x를 해가 뜬 후부터의 지나간 시간, y를 그림자의 길이라 하면 아침부터 정오까지 그림자의 길이가 점점 짧아지다가 정오부터 해가 지기 전까지 점점 길어진다.

09 물탱크 A: 처음부터 물을 일정한 속력으로 빼기 시작하여 쉬지 않고 계속 모두 뺐다.
물탱크 B: 처음에 물을 일정한 속력으로 뺐다. 그리고 중간에 잠시 쉬었다가 다시 일정한 속력으로 빼기 시작하여 모두 뺐다.
물탱크 C: 처음에 물을 빼지 않고 있다가 중간에 물을 일정한 속력으로 조금 뺐다. 그리고 다시 물을 빼지 않고 그대로 두었다.

10 비커에 시간당 일정한 양의 물을 부을 때, 아래쪽 부분에서는 단면의 넓이가 점점 좁아지므로 물의 높이는 점점 빨리 높아지고 위쪽 원기둥 부분에서는 단면이 일정하여 일정한 속력으로 물의 높이가 높아진다. 따라서 이 비커에 일정한 양의 물을 채울 때, 시간에 따른 물의 높이 사이의 관계를 그래프로 나타내면 다음 그림과 같다.

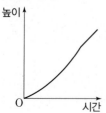

11 수영장의 폭이 넓고 일정한 부분에서 물의 높이는 느리고 일정하게 감소하고 계단이 있어서 폭이 좁고 일정한 부분에서 물의 높이는 빠르고 일정하게 감소한다. 배수구로 시간당 일정한 물이 빠져나갈 때, 시간에 따른 물의 높이의 변화를 그래프로 나타내면 다음 그림과 같다.

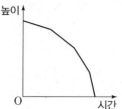

12 자전거로 이동하는 그래프가 점 $(2, 500)$을 지난, 즉 2분 동안 500 m 이동하므로
자전거로 1분에 $\dfrac{500}{2}=250(m)$ 이동한다.
걸어서 이동하는 그래프가 점 $(4, 200)$을 지난, 즉 4분 동안 200 m 이동하므로
걸어서 1분에 $\dfrac{200}{4}=50(m)$ 이동한다.
3 km, 즉 3000 m를 이동하는 데
자전거를 타면 $\dfrac{3000}{250}=12(분)$이 걸리고
걸어서 가면 $\dfrac{3000}{50}=60(분)$이 걸린다.
따라서 3 km 떨어진 곳을 이동할 때, 자전거를 타고 가면 걸어갈 때보다 48분 먼저 도착한다.

13 동생은 1분에 $\dfrac{400}{2}=200(m)$ 뛰므로 운동장 5바퀴를 다 뛰는 데 걸리는 시간은
$\dfrac{400 \times 5}{200}=10(분)$
언니는 1분에 $\dfrac{200}{2}=100(m)$ 뛰므로 운동장 5바퀴를 다 뛰는 데 걸리는 시간은
$\dfrac{400 \times 5}{100}=20(분)$
따라서 동생이 10분 걸리고 언니가 20분 걸리므로 동생이 다 뛰고 10분을 기다려야 언니가 도착한다.

14 두 기계 A, B를 모두 사용하여 초콜릿을 만들면 4분 동안 1600개를 만들 수 있으므로 두 기계 A, B를 모두 사용하면 1분 동안 $\dfrac{1600}{4}=400(개)$를 만들 수 있다.

A 기계만 사용해서 초콜릿을 만드는 4분에서 12분까지 8분 동안 800개의 초콜릿을 만들 수 있으므로 A 기계만 사용하여 초콜릿을 만들면 1분 동안 $\dfrac{800}{8}=100$(개)를 만들 수 있고 B 기계만 사용하여 초콜릿을 만들면 1분 동안 $400-100=300$(개)를 만들 수 있다.

따라서 B 기계만 사용하여 초콜릿을 만든다면 초콜릿 2400개를 만드는 데 걸리는 시간은

$$\dfrac{2400}{300}=8(\text{분})$$

15 미진이가 이동한 거리는

$800+(800-400)+(1400-400)+1400=3600(\text{m})$

따라서 미진이가 이동한 총 거리는 3.6 km이다.

> **함정 피하기**
>
> 미진이가 이동한 총 거리는 그래프에서 y의 값의 변화를 통해서 알 수 있다.

16 (1) 집에서 1 km 떨어진 공원을 일정한 속도로 3번 왕복하였다. 한 번 왕복하는 데 20분이 걸렸으며, 도중에 한 번도 쉬지 않았다.

(2) 집에서 1 km 떨어진 공원을 일정한 속도로 빠르게 2번 왕복한 후 속도를 늦춰 1번 더 왕복하였다. 처음 2번 왕복하는 데 30분이 걸렸고 나머지 1번 더 왕복할 때에도 30분이 걸렸다.

(3) 집에서 1 km 떨어진 공원을 일정한 속도로 2번 왕복하였다. 한 번 왕복하는 데 20분이 걸렸으며, 도중에 20분 쉬었다.

Level 3 본문 100~101쪽

01 -8 **02** D$(2, 0)$ **03** 2   **04** $\dfrac{81}{2}$ **05** 6

06 풀이 참조   **07** (1) 100 m (2) 60초 (3) 250 m

08 그릇 A: 3 cm, 그릇 C: 9 cm

01 점 P(a, b)가 점 B$(-4, -4)$ 위에 있을 때 $a+b$가 최소가 된다.

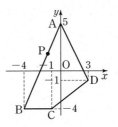

따라서 $a+b$의 최솟값은

$(-4)+(-4)=-8$

> **함정 피하기**
>
> $a+b$가 최소가 되려면 a, b의 값 모두 최소가 되어야 한다.

02 점 A$(a-7, b-1)$은 x축 위의 점이므로

$b-1=0$에서 $b=1$

점 B$(a-5, 2b+1)$은 y축 위의 점이므로

$a-5=0$에서 $a=5$

$a=5, b=1$을 대입하여 세 점 A, B, C의 좌표를 각각 구하면

A$(-2, 0)$, B$(0, 3)$, C$(4, 3)$

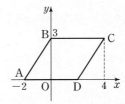

사각형 ABCD가 평행사변형이 되는 점 D의 좌표를 찾으면

변 AD와 변 BC가 평행하고 두 점 B, C의 y좌표가 같으므로 두 점 A, D의 y좌표도 같아 점 D는 x축 위의 점이다.

또한 변 BC의 길이가 4이므로 변 AD의 길이도 4인 점을 찾으면 점 D의 좌표는 $(2, 0)$이다.

03 점 A$(b+1, a+4)$가 x축 위의 점이므로

$a+4=0$에서 $a=-4$

점 B$(b-2, a)$는 y축 위의 점이므로

$b-2=0$에서 $b=2$

$a=-4, b=2$이므로 두 점 C, D의 좌표는

C$(-2, c-1)$, D$(-1, d-3)$

이고 점 C와 점 D는 어느 사분면에도 속하지 않으므로 두 점 C, D는 x축 또는 y축 위의 점이다. 이때 두 점 C, D의 x좌표가 각각 $-2, -1$이므로 두 점 C, D는 x축 위의 점이다.

즉, $c-1=0, d-3=0$이므로 $c=1, d=3$

$\therefore a+b+c+d=(-4)+2+1+3=2$

x축 위의 점은 y좌표가 0, y축 위의 점은 x좌표가 0임을 이용하여 a, b의 값을 구할 수 있다. 또 어느 사분면에도 속하지 않는 점은 원점 또는 x축 또는 y축 위의 점이다.

04 세 점 A$(-1, -1)$, B$(2, -1)$, C$(1, 2)$의 x좌표, y좌표를 각각 3배 하여 얻은 세 점 D, E, F의 좌표는
D$(-3, -3)$, E$(6, -3)$, F$(3, 6)$

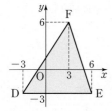

따라서 삼각형 DEF의 넓이는
$\dfrac{1}{2} \times (3+6) \times (3+6) = \dfrac{81}{2}$

05 두 변 AB, CD는 y축과 평행하므로 두 점 A, B의 x좌표가 같고 두 점 C, D의 x좌표가 같다. 즉, $a=-2$, $c=d$
또한 두 변 AD, BC는 x축과 평행하므로 두 점 A, D의 y좌표가 같고 두 점 B, C의 y좌표가 같다. 즉, $e=5$, $b=-3$

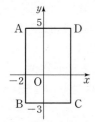

한편, 변 AB의 길이는 $5-(-3)=8$이고 직사각형 ABCD의 넓이가 40이므로
$8 \times ($변 BC의 길이$) = 40$에서 $($변 BC의 길이$)=5$
$c-(-2)=5$, $c=3$
$\therefore a+b+c+d+e = (-2)+(-3)+3+3+5 = 6$

06 (1) 일정한 속력을 유지하며 학교 운동장을 달리고 있다.
(2) 뛰기 시작하면서 속력을 차츰 줄여 서준이에게 맞는 일정한 속력을 유지하며 뛰다가 운동 끝나기 전 다시 속력을 내어 달렸다.
(3) 달리는 속력을 일정하게 줄이면서 멈췄다.
(4) 일정한 속력으로 달리다가 속력을 천천히 줄이면서 멈췄다.

07 (1) 그래프에서 정은이는 출발점에서 시작하여 30초 동안 50 m 떨어진 지점까지 갔다가 30초 동안 다시 돌아왔다.
따라서 수영장은 왕복 $50 \times 2 = 100$(m)이다.
(2) 50 m 떨어진 지점까지 가는 동안 30초, 돌아오는 동안 30초가 걸리므로 정은이가 1번 왕복하는 데 걸리는 시간은 60초이다.
(3) 정은이는 30초 동안 50 m를 움직이므로 150초 동안 움직인 거리는
$50 \times 5 = 250$(m)

08 부피가 모두 같고 높이가 다른 직육면체 모양의 그릇의 높이가 각각 12 cm, 24 cm, 36 cm이면
그릇 A의 밑면의 넓이는 그릇 B의 밑면의 넓이의 2배이고,
그릇 C의 밑면의 넓이는 그릇 B의 밑면의 넓이의 $\dfrac{2}{3}$배이다.

밑면의 넓이의 비가 $2 : 1 : \dfrac{2}{3}$인 그릇 A, B, C에 초당 같은 양의 물을 넣으면 물의 높이는 $\dfrac{1}{2} : 1 : \dfrac{3}{2}$의 속도로 높아진다.

물을 넣기 시작한 후 5초가 지났을 때 그릇 B의 물의 높이가 6 cm이므로

그릇 A의 물의 높이는 $6 \times \dfrac{1}{2} = 3$(cm)

그릇 C의 물의 높이는 $6 \times \dfrac{3}{2} = 9$(cm)

부피가 같은 직육면체의 높이가 2배, 3배, 4배, …가 되면 밑면의 넓이는 $\dfrac{1}{2}$배, $\dfrac{1}{3}$배, $\dfrac{1}{4}$배, …가 됨을 이용한다.

Level 4 본문 102~103쪽

01 3 **02** 24초 후 **03** (1) $\dfrac{25}{4}$초 (2) $\left(15, \dfrac{7}{4}\right)$

04 풀이 참조 **05** $\dfrac{8}{7}$시간

06 (1) A 기계: 24개, B 기계: 39개 (2) 210분 (3) 80분

07 (1) A 수도꼭지: $\dfrac{3}{5}$ m³, B 수도꼭지: $\dfrac{1}{5}$ m³ (2) 90분 (3) 100분

08 풀이 참조

01 풀이전략 $ab<0$이면 a, b의 부호가 다르다는 것을 이용하여 문제를 해결한다.

$ab<0$이면 a와 b의 부호가 다르고 $a-b>0$이므로

$a>0$, $b<0$

삼각형 ABC에서 선분 AB를 밑변으로 생각하면

선분 AB의 길이는 $a-b$

높이는 $3-(-5)=8$이므로

(삼각형 ABC의 넓이)$=\dfrac{1}{2}\times(a-b)\times8=20$

에서 $a-b=5$

두 정수 a, b가 $a-b=5$를 만족시킬 때,

$a+b$가 최대일 때는

$a=4$, $b=-1$

따라서 $a+b$의 최댓값은

$4+(-1)=3$

02 풀이전략 사다리꼴의 넓이는

$\dfrac{1}{2}\times\{(\text{윗변의 길이})+(\text{아랫변의 길이})\}\times(\text{높이})$로 구한다.

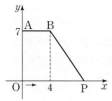

점 P는 원점을 출발하여 매초 0.5의 속력으로 x축의 양의 방향으로 이동하므로

t초 후 점 P의 좌표는 $(0.5t,\ 0)$

사각형 AOPB는 사다리꼴이고

선분 AB의 길이는 $4-0=4$, 선분 OP의 길이는 $0.5t$, 높이는 7이므로

t초 후 사다리꼴 AOPB의 넓이는 $\dfrac{4+0.5t}{2}\times7$

사각형 AOPB의 넓이가 56이면

$\dfrac{4+0.5t}{2}\times7=56$

$\dfrac{4+0.5t}{2}=8$

$4+0.5t=16$

$0.5t=12$

$\therefore t=24$

따라서 사각형 AOPB의 넓이가 56이 되는 것은 점 P가 원점 O을 출발하고 나서 24초 후이다.

03 풀이전략 서로 반대 방향으로 출발한 두 점 P, Q가 만나는 조건을 생각한다.

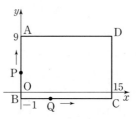

(1) 직사각형 ABCD의 둘레의 길이는

$[(15-0)+\{9-(-1)\}]\times2=(15+10)\times2$

$\qquad\qquad\qquad\qquad\qquad=50$

두 점이 반대로 출발한 후 처음으로 만나는 것은 두 점이 이동한 거리의 합이 50일 때이다.

두 점 P와 Q가 출발한 후 처음으로 만날 때까지 걸린 시간을 x초라 하면

$5x+3x=50$, $8x=50$

$\therefore x=\dfrac{25}{4}$

두 점 P와 Q가 출발한 후 처음으로 만날 때까지 걸린 시간은 $\dfrac{25}{4}$초이다.

(2) 점 P가 $\dfrac{25}{4}$초 동안 원점을 출발하여

직사각형의 둘레를 따라 시곗바늘이 도는 방향으로

$\dfrac{25}{4}\times5=\dfrac{125}{4}$ 이동하였다.

원점 O에서 점 A까지 거리가 9이고

점 A에서 점 D까지 거리가 15이므로 점 P는 점 D에서 아래쪽으로

$\left(\dfrac{125}{4}-9\right)-15=\left(\dfrac{125}{4}-\dfrac{36}{4}\right)-\dfrac{60}{4}=\dfrac{29}{4}$만큼 더 간다.

따라서 두 점 P와 Q가 처음으로 만나는 곳의 x좌표는 15이고 y좌표는 $9-\dfrac{29}{4}=\dfrac{7}{4}$이므로 구하는 좌표는 $\left(15,\ \dfrac{7}{4}\right)$이다.

실수하기 쉬운 부분 짚어보기

두 점 P와 Q는 같은 지점에서 출발하여 직사각형 ABCD의 변을 따라 서로 반대 방향으로 움직이므로 두 점이 이동한 거리의 합이 직사각형 ABCD의 둘레의 길이와 같을 때 만난다.

04 풀이전략 x가 증가할 때 y가 어떻게 변화하는지 파악하여 그래프를 그린다.

(i) 점 P가 선분 AB 위에 있는 경우

삼각형 APD의 밑변을 선분 AD라 하고 높이를 선분 AP라 하면 시간이 지날수록 선분 AP의 길이가 증가하므로 삼각형 APD의 넓이인 y의 값도 증가한다.

(ii) 점 P가 선분 BC 위에 있는 경우

삼각형 APD의 밑변을 선분 AD라 하면 높이는 일정하여 y의 값도 일정하다.

(iii) 점 P가 선분 CD 위에 있는 경우

삼각형 APD의 밑변을 선분 AD라 하고 높이를 선분 DP라 하면 시간이 지날수록 선분 DP의 길이가 감소하므로 삼각형 APD의 넓이인 y의 값도 감소한다.

(i), (ii), (iii)에서 조건들을 만족시키는 그래프를 그리면 다음과 같다.

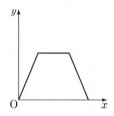

05 〔풀이전략〕 전체 일의 양을 1로 생각하고 A, B 두 사람이 1시간 동안 한 일의 양을 각각 구한다.

전체 일의 양을 1이라 할 때

A는 일을 완성하는 데 5시간이 걸렸으므로 1시간 동안 하는 일의 양은 $\frac{1}{5}$이다.

B는 일을 완성하는 데 $5-3=2$(시간)이 걸렸으므로 1시간 동안 하는 일의 양은 $\frac{1}{2}$이다.

두 사람이 함께 일한 시간이 x시간일 때,

$$\left(\frac{1}{5}+\frac{1}{2}\right)x+\frac{1}{5}=1$$

$$\frac{7}{10}x=\frac{4}{5}$$

$$\therefore x=\frac{4}{5}\times\frac{10}{7}=\frac{8}{7}$$

따라서 두 사람이 함께 일한 시간은 $\frac{8}{7}$시간이다.

06 〔풀이전략〕 그래프가 지나는 점의 좌표를 이용하여 1분 동안 만든 마스크의 개수를 먼저 파악한다.

⑴ A 기계를 사용하여 마스크를 만들기 시작하여 20분 동안 480개의 마스크를 만들었으므로 1분 동안 $480\div20=24$(개)의 마스크를 만든다.

마스크를 만들기 시작한지 20분에서 30분까지 10분 동안 $1110-480=630$(개)의 마스크를 만든다.

A, B의 두 기계를 같이 사용하면 1분 동안 $630\div10=63$(개)의 마스크를 만든다.

따라서 B 기계로 1분 동안 $63-24=39$(개)의 마스크를 만든다.

⑵ 처음부터 A 기계만 사용하여 마스크를 모두 만들면 $5040\div24=210$(분)이 걸린다.

⑶ 처음부터 A, B 두 기계를 모두 사용하여 마스크를 만들면 $5040\div63=80$(분)이 걸린다.

07 〔풀이전략〕 그래프를 이용하여 두 수도꼭지에서 1분 동안 나오는 물의 양을 먼저 파악한 후 문제를 해결한다.

⑴ 물을 넣기 시작하여 30분 동안 A, B 두 수도꼭지를 이용하여 24 m³의 물을 채웠으므로

A, B 두 수도꼭지에서 1분 동안 나오는 물의 양은 $\frac{24}{30}=\frac{4}{5}$(m³)

물을 넣기 시작하고 나서 30분에서 50분까지 20분 동안 $36-24=12$(m³)의 물을 채웠으므로

A 수도꼭지에서 1분 동안 나오는 물의 양은 $\frac{12}{20}=\frac{3}{5}$(m³)

따라서 B 수도꼭지에서 1분 동안 나오는 물의 양은 $\frac{4}{5}-\frac{3}{5}=\frac{1}{5}$(m³)

⑵ A, B 두 수도꼭지를 모두 이용하여 동시에 물을 넣기 시작하여 30분 후에 B 수도꼭지를 잠그고 A 수도꼭지만 틀어 놓은 채로 20분을 더 넣었을 때 36 m³의 물이 채워졌다.

A 수도꼭지에서 1분 동안 나오는 물의 양이 $\frac{3}{5}$ m³이고 물탱크에 물을 가득 채우려면 $60-36=24$(m³)를 더 넣어야 하므로

$24\div\frac{3}{5}=24\times\frac{5}{3}=40$(분)이 더 걸린다.

따라서 물탱크를 가득 채울 때까지 걸리는 총 시간은 $50+40=90$(분)

⑶ 처음부터 A 수도꼭지만 틀어 이 물탱크를 가득 채울 때 걸리는 시간은

$60\div\frac{3}{5}=60\times\frac{5}{3}=100$(분)

08 〔풀이전략〕 ㉮, ㉯, ㉰쪽이 각각 채워질 때, 칸막이 위로 물이 채워질 때를 각각 나누어 물의 채워지는 시간을 계산한다.

㉮쪽에서 물의 높이가 10 cm가 될 때까지 걸리는 시간은 $\frac{30\times10}{50}=6$(초)

이고 이때까지 물의 높이는 일정한 속도로 높아진다.

⑭쪽에서 물의 높이가 10 cm가 될 때까지 걸리는 시간은

$$\frac{40 \times 10}{50} = 8(초)$$

이고 이때까지, 즉 6초 이후부터 $6+8=14$(초)까지 자에서 재고 있는 물의 높이는 10 cm로 일정하다.

㉮, ㉯쪽이 동시에 채워지면서 물의 높이가 20 cm가 될 때까지 걸리는 시간은

$$\frac{(30+40) \times 10}{50} = 14(초)$$

이고 이때까지, 즉 14초 이후부터 $14+14=28$(초)까지 물의 높이는 일정한 속도로 높아진다.

㉰쪽에서 물의 높이가 20 cm가 될 때까지 걸리는 시간은

$$\frac{70 \times 20}{50} = 28(초)$$

이고 이때까지, 즉 28초 이후부터 $28+28=56$(초)까지 자에서 재고 있는 물의 높이는 20 cm로 일정하다.

㉮, ㉯, ㉰쪽이 동시에 채워지면서 물의 높이가 30 cm가 될 때까지 걸리는 시간은

$$\frac{(30+40+70) \times 10}{50} = 28(초)$$

이고 이때까지, 즉 56초 이후부터 $56+28=84$(초)까지 물의 높이는 일정한 속도로 높아진다.

따라서 이것을 그래프로 나타내면 다음 그림과 같다.

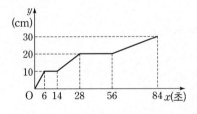

8 정비례와 반비례

Level 1
본문 106~109쪽

01 ②　　**02** ③　　**03** 28　　**04** $\frac{2}{3}$　　**05** 24　　**06** -12　　**07** ①

08 ⑤　　**09** (1) $y=250x$　(2) 8분

10 (1) $y=\frac{2000}{x}$　(2) 분속 500 m　　**11** (1) $y=\frac{120}{x}$　(2) 8명

12 ④　　**13** ③　　**14** ②　　**15** (1) $y=\frac{3}{2}x$　(2) 10 L　　**16** ④

---

01 $y=ax$에 $x=-6$, $y=4$를 대입하면

$$4=-6a,\ a=-\frac{2}{3}$$

$y=-\frac{2}{3}x$에 $x=-4$, $y=b$를 대입하면

$$b=-\frac{2}{3} \times (-4)=\frac{8}{3}$$

$$\therefore a+b=\left(-\frac{2}{3}\right)+\frac{8}{3}=\frac{6}{3}=2$$

02 원점을 지나는 직선은 정비례 관계의 그래프이므로 그래프의 식을 $y=ax$라 하자.

이 그래프가 점 $\left(\frac{2}{5},\ \frac{4}{3}\right)$를 지나므로

$y=ax$에 $x=\frac{2}{5}$, $y=\frac{4}{3}$를 대입하면

$$\frac{4}{3}=a \times \frac{2}{5},\ a=\frac{4}{3} \times \frac{5}{2}=\frac{10}{3}$$

이 정비례 관계의 식은 $y=\frac{10}{3}x$이므로

$y=\frac{10}{3}x$에 $x=p$, $y=q$를 대입하면

$$q=\frac{10}{3}p,\ 3q=10p$$

$$\therefore 10p-3q=0$$

03 두 점 A, B의 y좌표가 4이므로 A$(a,\ 4)$, B$(b,\ 4)$라 하자.

$y=-x$에 $x=a$, $y=4$를 대입하면

$$4=-a,\ a=-4$$

$y=\frac{2}{5}x$에 $x=b$, $y=4$를 대입하면

$$4=\frac{2}{5} \times b,\ b=4 \times \frac{5}{2}=10$$

따라서 A(-4, 4), B(10, 4)이므로 삼각형 OAB의 넓이는

$\frac{1}{2} \times \{10-(-4)\} \times 4 = 28$

04 두 점 A, B의 x좌표는 3이고

점 A는 정비례 관계 $y=3x$의 그래프 위의 점이므로

A(3, 9)

또, 점 B는 정비례 관계 $y=ax$의 그래프 위의 점이므로

B(3, 3a)

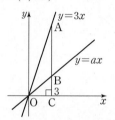

(삼각형 AOB의 넓이)

$=\frac{1}{2} \times$ (선분 AB의 길이) $\times$ (선분 OC의 길이)

$\frac{21}{2} = \frac{1}{2} \times (9-3a) \times 3$

$7 = 9-3a$

$3a = 2$

$\therefore a = \frac{2}{3}$

05 $y=-\frac{24}{x}$의 그래프와 세 점 P, A, B를 좌표평면 위에 나타내면 다음 그림과 같다.

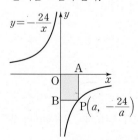

점 P의 x좌표를 $a(a>0)$라 하면 점 P의 y좌표는 $-\frac{24}{a}$이다.

따라서 사각형 OBPA의 넓이는

$a \times \frac{24}{a} = 24$

06 점 A의 y좌표가 -1이므로

$y=\frac{a}{x}$에 $y=-1$을 대입하면

$-1=\frac{a}{x}$, $x=-a$

점 B의 y좌표가 -3이므로

$y=\frac{a}{x}$에 $y=-3$을 대입하면

$-3=\frac{a}{x}$, $x=-\frac{a}{3}$

두 점 A, B의 x좌표의 차가 8이므로

$-a-\left(-\frac{a}{3}\right)=8$

$-a+\frac{a}{3}=8$, $-\frac{2}{3}a=8$

$\therefore a=-12$

07 선분 AP의 길이를 k라 하면 선분 OA의 길이가 2이고 직사각형 OAPB의 넓이가 16이므로

$2 \times k=16$, $k=8$

즉, $y=\frac{a}{x}$의 그래프가 점 P(-2, 8)을 지나므로

$8=\frac{a}{-2}$

$\therefore a=-16$

08 $y=\frac{3}{4}x$의 그래프와 $y=\frac{a}{x}$의 그래프가 x좌표가 8인 점 A에서 만나므로 $y=\frac{3}{4}x$에 $x=8$을 대입하면

$y=\frac{3}{4} \times 8=6$

따라서 $y=\frac{a}{x}$에 $x=8$, $y=6$을 대입하면

$6=\frac{a}{8}$ $\therefore a=48$

09 (1) 1분 동안 인쇄할 수 있는 용지의 수가 250장이므로 x분 동안 인쇄할 수 있는 용지의 수는 $250x$이다.

따라서 x와 y 사이의 관계를 식으로 나타내면

$y=250x$

(2) $y=2000$을 $y=250x$에 대입하면

$2000=250x$, $x=8$

따라서 용지 2000장을 인쇄할 때 걸리는 시간은 8분이다.

10 (1) 호수의 자전거 도로를 한 바퀴 돌 때의 거리는

$400\times5=2000(\text{m})$

즉, $xy=2000$이므로

x와 y 사이의 관계를 식으로 나타내면

$y=\dfrac{2000}{x}$

(2) 호수를 2바퀴 도는 데 8분이 걸렸으므로 호수를 1바퀴 돌 때에는 4분이 걸린다.

$y=\dfrac{2000}{x}$에 $y=4$를 대입하면

$4=\dfrac{1200}{x}$, $4x=2000$

$\therefore x=500$

따라서 정효는 분속 500 m로 달렸다.

11 (1) 센터에서 하루에 상담하는 학생 수는

$12\times10=120(\text{명})$

이므로 선생님 x명이 학생을 각각 y명씩 상담한다고 하면

$xy=120$

따라서 x와 y 사이의 관계를 식으로 나타내면

$y=\dfrac{120}{x}$

(2) $y=\dfrac{120}{x}$에 $y=15$를 대입하면

$15=\dfrac{120}{x}$

$15x=120$ $\therefore x=8$

따라서 선생님 8명이 필요하다.

12 x시간 동안 주문량을 모두 만들어내기 위해 y대의 기계가 필요하다면 하는 일의 양은 일정하므로

$12\times8=x\times y$, $y=\dfrac{96}{x}$

같은 주문량을 6시간 만에 만들어야 하므로 $y=\dfrac{96}{x}$에 $x=6$을 대입하면

$y=\dfrac{96}{6}=16$

따라서 현재 12대의 기계가 있으므로 기계가 $16-12=4(\text{대})$ 더 필요하다.

13 A는 6분 동안 2 km를 달리므로 A의 속력은 분속 $\dfrac{1}{3}$ km이고, 달린 시간 x분과 달린 거리 y km 사이의 관계식은 $y=\dfrac{1}{3}x$이다.

B는 8분 동안 2 km를 달리므로 B의 속력은 분속 $\dfrac{1}{4}$ km이고, 달린 시간 x분과 달린 거리 y km 사이의 관계식은 $y=\dfrac{1}{4}x$이다.

두 사람이 달린 거리의 차는 $\dfrac{1}{3}x-\dfrac{1}{4}x=\dfrac{1}{12}x$이므로

$\dfrac{1}{12}x=2$, $x=24$

따라서 두 사람 사이의 거리가 2 km가 되는 데 걸리는 시간은 24분이다.

14 형은 1분에 180 m, 동생은 1분에 60 m를 이동하므로 형과 동생이 x분 후 이동한 거리 y m 사이의 관계를 각각 식으로 나타내면

$y=180x$, $y=60x$

형이 서점에 도착하는 데 걸린 시간은

$3000=180x$, $x=\dfrac{50}{3}$

동생이 서점에 도착하는 데 걸린 시간은

$3000=60x$, $x=50$

따라서 형이 서점에 도착해서 $50-\dfrac{50}{3}=\dfrac{100}{3}(\text{분})$을 기다리면 동생이 도착한다.

15 (1) 주어진 그래프는 점 $(20, 30)$을 지나고 정비례 관계의 그래프이므로 $y=ax$에 $x=20$, $y=30$을 대입하면

$30=a\times20$, $a=\dfrac{3}{2}$

따라서 x와 y 사이의 관계를 식으로 나타내면

$y=\dfrac{3}{2}x$

(2) 2시간은 120분이므로 $y=\dfrac{3}{2}x$에 $x=120$을 대입하면

$y=\dfrac{3}{2}\times120=180$

즉, 이 차로 2시간 동안 이동하는 거리는 180 km이다.

휘발유 2 L로 36 km를 달리는 자동차가 1 km를 이동하는 데 사용되는 휘발유의 양은 $\dfrac{2}{36}=\dfrac{1}{18}$ (L)이다.

따라서 이 차로 180 km를 이동하는 데 사용되는 휘발유의 양은

$\dfrac{1}{18}\times180=10(\text{L})$

16 그래프가 지나는 세 점 $(10, 24)$, $(20, 12)$, $(30, 8)$에 대하여 x좌표와 y좌표의 곱은 $10 \times 24 = 20 \times 12 = 30 \times 8 = 240$이므로 일정하다.

즉, x와 y는 반비례하므로 $xy = 240$에서

$y = \dfrac{240}{x}$이다.

$y = \dfrac{240}{x}$에 $x = 18$을 대입하면

$y = \dfrac{240}{18} = \dfrac{40}{3}$

따라서 자동차가 240 km를 가는 데 필요한 연료의 양은 $\dfrac{40}{3}$ L 이다.

> **함정 피하기**
> 주어진 그래프를 보고 x와 y 사이의 관계를 식으로 나타내고 문제를 해결할 수 있다.

Level ②   본문 110~113쪽

01 (1) $y = 20x$ (2) 16초 후

02 (1) 제2사분면과 제4사분면   (2) 제1사분면과 제3사분면

03 ④   **04** ③   **05** ②   **06** A$(-3, 2)$ **07** ①

08 D$(3, 3)$ **09** ⑤   **10** -48 **11** a **12** ①   **13** 28

14 ③   **15** ④   **16** (1) $y = \dfrac{24}{x}$ (2) 6

---

01 (1) 삼각형 ABP의 넓이는

$\dfrac{1}{2} \times x \times 40 = 20x$ (cm²)

따라서 x와 y 사이의 관계를 식으로 나타내면

$y = 20x$

(2) 삼각형 ABP의 넓이가 480 cm²이므로

$y = 20x$에 $y = 480$을 대입하면

$480 = 20x$, $x = 24$

따라서 선분 AP의 길이는 24 cm이고 점 P가 1초에 1.5 cm 씩 움직이므로 점 P가 점 A를 출발한 지 $\dfrac{24}{1.5} = 16$(초) 후에 삼각형 ABP의 넓이가 480 cm²가 된다.

02 $ab < 0$이므로 a와 b의 부호는 다르고 $b < a$이므로 $a > 0$, $b < 0$이다.

(1) $\dfrac{b}{a} < 0$이므로 $y = \dfrac{b}{a}x$의 그래프는 제2사분면과 제4사분면을 지난다.

(2) $a - b > 0$이므로 $y = \dfrac{a-b}{x}$의 그래프는 제1사분면과 제3사분면을 지난다.

03 삼각형 AOB의 넓이는

$\dfrac{1}{2} \times 6 \times 8 = 24$

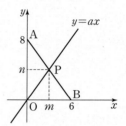

$y = ax$의 그래프와 변 AB가 만나는 점을 P(m, n)이라 하면 삼각형 AOP의 넓이는 12이므로

$\dfrac{1}{2} \times 8 \times m = 12$에서 $m = 3$

또, 삼각형 POB의 넓이는 12이므로

$\dfrac{1}{2} \times 6 \times n = 12$에서 $n = 4$

따라서 $y = ax$의 그래프가 점 P$(3, 4)$를 지나므로

$y = ax$에 $x = 3$, $y = 4$를 대입하면

$4 = a \times 3$ $\therefore a = \dfrac{4}{3}$

> **함정 피하기**
> 삼각형 AOB의 넓이를 이등분하는 점 P의 좌표를 구하고 $y = ax$에 대입하여 상수 a의 값을 구한다.

04 $y = \dfrac{3}{8}x$에 $x = 16$을 대입하면

$y = \dfrac{3}{8} \times 16 = 6$

즉, 점 B의 좌표는 $(16, 6)$

삼각형 OAB의 넓이는

$\dfrac{1}{2} \times ($선분 AB의 길이$) \times 16 = 64$이므로

(선분 AB의 길이)$= 8$

점 A의 y좌표는 $6 + 8 = 14$

$y = ax$의 그래프가 점 A$(16, 14)$를 지나므로

$14 = 16a$ $\therefore a = \dfrac{7}{8}$

05 두 점 A, B를 지나는 그래프의 식을 $y=mx$라 하고
$y=mx$에 점 A$(-3, 4)$의 좌표를 대입하면

$4=-3m$, $m=-\dfrac{4}{3}$

이므로 두 점 A, B를 지나는 그래프의 식은

$y=-\dfrac{4}{3}x$

$y=-\dfrac{4}{3}x$에 점 B$(a, -5)$의 좌표를 대입하면

$-5=-\dfrac{4}{3}a$, $a=\dfrac{15}{4}$

이므로 점 B의 좌표는 $\left(\dfrac{15}{4}, -5\right)$

두 점 C, D를 지나는 그래프의 식을 $y=nx$라 하고
$y=nx$에 점 D$\left(4, \dfrac{20}{3}\right)$의 좌표를 대입하면

$\dfrac{20}{3}=4n$, $n=\dfrac{5}{3}$

이므로 두 점 C, D를 지나는 그래프의 식은

$y=\dfrac{5}{3}x$

$y=\dfrac{5}{3}x$에 점 C$(-3, b)$의 좌표를 대입하면

$b=\dfrac{5}{3}\times(-3)$, $b=-5$

이므로 점 C의 좌표는 $(-3, -5)$
따라서 삼각형 OCB의 넓이는

$\dfrac{1}{2}\times\left(\dfrac{15}{4}+3\right)\times5=\dfrac{1}{2}\times\dfrac{27}{4}\times5=\dfrac{135}{8}$

06 두 점 A, D의 y좌표가 같으므로 y좌표를 a라 하면

점 A의 x좌표는 $a=-\dfrac{2}{3}x$, $x=-\dfrac{3}{2}a$

점 D의 x좌표는 $a=\dfrac{1}{3}x$, $x=3a$

선분 AD의 길이가 9이므로

$3a-\left(-\dfrac{3}{2}a\right)=9$

$3a+\dfrac{3}{2}a=9$, $\dfrac{9}{2}a=9$

$\therefore a=2$

따라서 점 A의 좌표는 $\left(-\dfrac{3}{2}a, a\right)$이므로 $(-3, 2)$이다.

07 점 A와 점 D의 y좌표가 각각 0, 8이므로 변 AD의 길이는 8이
되어 정사각형 ABCD의 한 변의 길이는 8이다.
따라서 점 B의 좌표는 $(9, 0)$이다.

$y=ax$의 그래프가 변 AD, BC와 만나는 점을 각각 E, F라 하
면 E$(1, a)$, F$(9, 9a)$이다.

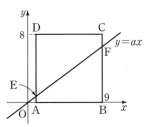

사각형 EABF는 사다리꼴이고 그 넓이는 정사각형 ABCD의

넓이의 $\dfrac{1}{2}$이므로

$\dfrac{1}{2}\times(a+9a)\times8=\dfrac{1}{2}\times8^2$

$40a=32$

$\therefore a=\dfrac{4}{5}$

함정 피하기

$y=ax$의 그래프가 정사각형 ABCD의 넓이를 이등분하기 위한 조건을
구해 상수 a의 값을 구한다.

08 점 A의 x좌표를 $a(a>0)$라 하면 점 A의 좌표는 A$\left(a, \dfrac{3}{2}a\right)$
이고, 정사각형 ABCD는 한 변의 길이가 1이므로 점 C의 좌표
는 C$\left(a+1, \dfrac{3}{2}a-1\right)$이다.

이때 점 C는 $y=\dfrac{2}{3}x$의 그래프 위에 있으므로

$y=\dfrac{2}{3}x$에 $x=a+1$, $y=\dfrac{3}{2}a-1$을 대입하면

$\dfrac{3}{2}a-1=\dfrac{2}{3}(a+1)$

$9a-6=4a+4$, $5a=10$, $a=2$

따라서 점 D의 좌표는 D$\left(a+1, \dfrac{3}{2}a\right)$이므로 D$(3, 3)$이다.

실수하기 쉬운 부분 짚어보기

점 A의 x좌표를 $a(a>0)$라 하면 점 A의 좌표는 A$\left(a, \dfrac{3}{2}a\right)$이고 사각형
ABCD는 한 변의 길이가 1인 정사각형이므로
B$\left(a, \dfrac{3}{2}a-1\right)$, C$\left(a+1, \dfrac{3}{2}a-1\right)$, D$\left(a+1, \dfrac{3}{2}a\right)$

09 $y=\dfrac{a}{x}$의 그래프가 점 $\left(8, \dfrac{15}{4}\right)$를 지나므로

$\dfrac{15}{4}=\dfrac{a}{8}$, $a=\dfrac{15}{4}\times8=30$

따라서 x좌표와 y좌표가 모두 정수인 점의 좌표는

$(1, 30)$, $(2, 15)$, $(3, 10)$, $(5, 6)$, $(6, 5)$, $(10, 3)$,

$(15, 2)$, $(30, 1)$, $(-1, -30)$, $(-2, -15)$,

$(-3, -10)$, $(-5, -6)$, $(-6, -5)$, $(-10, -3)$,

$(-15, -2)$, $(-30, -1)$

이므로 구하는 점의 개수는 16이다.

함정 피하기

반비례 관계 $y=\dfrac{a}{x}$의 식에서 a의 값을 구하고 x, y의 값이 모두 정수인 점을 찾는다.

10 두 점 A, C는 $y=\dfrac{a}{x}$의 그래프 위에 있고 사각형 ABCD는 직사각형이므로 네 점의 좌표는

$A\left(-8, -\dfrac{a}{8}\right)$, $B\left(-8, \dfrac{a}{8}\right)$, $C\left(8, \dfrac{a}{8}\right)$, $D\left(8, -\dfrac{a}{8}\right)$

이때 직사각형 ABCD의 가로, 세로의 길이는 각각 16, $-\dfrac{a}{4}$이고 넓이는 192이므로

$16 \times \left(-\dfrac{a}{4}\right) = 192$, $-4a = 192$

$\therefore a = -48$

11 점 P의 x좌표를 b라 하면 y좌표는 $\dfrac{a}{b}$이므로 사각형 OAPB의 가로의 길이는 b, 세로의 길이는 $\dfrac{a}{b}$이다.

따라서 사각형 OAPB의 넓이는

$b \times \dfrac{a}{b} = a$

함정 피하기

점 P가 $y=\dfrac{a}{x}$의 그래프 위의 점임을 이용하여 사각형 OAPB의 넓이를 구한다.

12 점 P의 x좌표를 b라 하면 y좌표는 $\dfrac{a}{b}$이므로 직사각형 AOBP의 넓이는 $b \times \dfrac{a}{b} = a$

점 Q의 x좌표가 1, y좌표가 2이므로

사각형 COBQ의 넓이는 $1 \times 2 = 2$

(직사각형 ACQP의 넓이)

=(직사각형 AOBP의 넓이)-(직사각형 COBQ의 넓이)

$= a - 2 = 2$

$\therefore a = 4$

13 $y = \dfrac{35}{x}$에서 $xy = 35$

따라서 두 점 P, Q의 x좌표와 y좌표의 곱이 35이므로 두 직사각형 AODP와 BOEQ의 넓이는 모두 35이다.

$\therefore$ (직사각형 CDEQ의 넓이)

=(직사각형 BOEQ의 넓이)-(직사각형 BODC의 넓이)

=(직사각형 AODP의 넓이)-(직사각형 BODC의 넓이)

=(직사각형 ABCP의 넓이)

$= 28$

함정 피하기

반비례 관계의 그래프 위의 점의 좌표의 성질을 이용하여 문제를 해결한다.

14 점 A의 y좌표가 5이므로 $y=5$를 $y=\dfrac{5}{2}x$에 대입하면

$5 = \dfrac{5}{2}x$, $x = 2$

즉, $A(2, 5)$

정사각형 ABCD의 한 변의 길이가 5이므로

점 B의 좌표는 $B(2, 0)$

점 C의 좌표는 $C(7, 0)$

점 D의 좌표는 $D(7, 5)$

따라서 점 D는 $y=\dfrac{a}{x}$의 그래프 위에 있으므로

$x=7$, $y=5$를 $y=\dfrac{a}{x}$에 대입하면

$5 = \dfrac{a}{7}$ $\therefore a = 35$

함정 피하기

점 A의 y좌표를 이용하여 점 D의 좌표를 구한 후 상수 a의 값을 구한다.

15 점 A가 $y=\dfrac{12}{x}$의 그래프 위의 점이고 y좌표가 2이므로

$y=2$를 $y=\dfrac{12}{x}$에 대입하면 $2 = \dfrac{12}{x}$, $x = 6$

즉, $A(6, 2)$이고 $B(6, 0)$이다.

또한 점 A는 $y=ax$의 그래프 위의 점이므로

$y=ax$에 $x=6$, $y=2$를 대입하면

$2 = 6a$, $a = \dfrac{1}{3}$

점 C가 $y=\dfrac{1}{3}x$의 그래프 위의 점이고 y좌표가 -3이므로

$y=\dfrac{1}{3}x$에 $y=-3$을 대입하면

$-3 = \dfrac{1}{3}x$, $x = -9$

즉, C$(-9, -3)$

따라서 삼각형 ABC의 넓이는

$\frac{1}{2} \times 2 \times (6+9) = 15$

삼각형 ABC에서 밑변을 선분 AB라 생각하면 높이는 점 C와 직선 AB 사이의 거리이므로 점 C와 점 A(또는 점 B)의 x좌표의 차와 같다.

16 (1) 톱니바퀴 A의 톱니는 24개이므로 1번 회전할 동안 톱니바퀴 B와 24번 맞물리게 된다. 또 톱니바퀴 B의 톱니는 x개이고, 톱니바퀴 A가 1번 회전하는 동안 y번 회전하므로

$24 \times 1 = x \times y$

따라서 x와 y 사이의 관계를 식으로 나타내면

$y = \frac{24}{x}$

(2) 톱니바퀴 A가 1번 회전하는 동안 톱니바퀴 B는 4번 회전하므로 $y = \frac{24}{x}$에 $y = 4$를 대입하면

$4 = \frac{24}{x}$, $x = 6$

따라서 톱니바퀴 B의 톱니의 개수는 6이다.

톱니바퀴가 두 개 맞물려 돌아갈 때, 톱니의 개수와 회전 수는 반비례 관계임을 파악하고 이를 활용하여 문제를 해결한다.

Level ③ 본문 114~115쪽

01 $\frac{3}{2}$ **02** $\frac{8}{9}$ **03** $\frac{3}{5}$ **04** 45   **05** 1   **06** $\frac{6}{5}$

07 오후 12시 20분   **08** (1) $y = 32x$ (2) 115.2 km

01 점 P의 좌표를 (m, am)이라 하자.

삼각형 OAP의 밑변을 선분 OA라 하면 높이는 점 P의 x좌표인 m이고 삼각형 OBP의 밑변을 선분 OB라 하면 높이는 점 P의 y좌표인 am이다.

두 삼각형 OAP, OBP의 넓이가 같으므로

$\frac{1}{2} \times 12 \times m = \frac{1}{2} \times 8 \times am$

$6m = 4am$

양변을 $4m$으로 나누면

$a = \frac{3}{2}$

02 (오각형 OABCD의 넓이)

$= \frac{1}{2} \times 9 \times (15-9) + 9 \times 9$

$= 27 + 81 = 108$

(삼각형 ODE의 넓이)

$= \frac{1}{2} \times 9 \times (\text{선분 DE의 길이})$

$= 108 \times \frac{1}{3} = 36$

(선분 DE의 길이) $= 8$

즉, 점 E의 y좌표는 8이므로 E$(9, 8)$

한편 점 E는 $y = ax$의 그래프 위의 점이므로

$y = ax$에 $x = 9$, $y = 8$을 대입하면

$8 = 9a$ ∴ $a = \frac{8}{9}$

오각형 OABCD의 넓이는 삼각형 BAC의 넓이와 사각형 AODC의 넓이를 합한 것과 같다.

03 삼각형 AOB의 넓이는 $\frac{1}{2} \times 5 \times 2 = 5$

$y = ax$의 그래프 위의 점 P의 좌표를 (m, am)이라 할 때, 삼각형 AOP와 삼각형 BOP의 넓이의 비가 2 : 3이므로

삼각형 AOP의 넓이는 $5 \times \frac{2}{5} = 2$이다. 즉,

$\frac{1}{2} \times 2 \times m = 2$, $m = 2$

또 삼각형 BOP의 넓이는 $5 \times \frac{3}{5} = 3$이므로

$\frac{1}{2} \times 5 \times am = 3$이고 $m = 2$를 대입하면

$\frac{1}{2} \times 5 \times 2a = 3$ ∴ $a = \frac{3}{5}$

04 점 A는 정비례 관계 $y = -x$의 그래프 위의 점이고 x좌표가 -2이므로

$y = -(-2) = 2$, 즉 A$(-2, 2)$

점 B는 정비례 관계 $y = \frac{3}{2}x$의 그래프 위의 점이고 x좌표가 -2이므로

$y = \frac{3}{2} \times (-2) = -3$, 즉 B$(-2, -3)$

점 C는 정비례 관계 $y = -x$의 그래프 위의 점이고 x좌표가 4이므로

$y = -4$, 즉 C$(4, -4)$

점 D는 정비례 관계 $y=\dfrac{3}{2}x$의 그래프 위의 점이고 x좌표가 4이므로

$y=\dfrac{3}{2}\times4=6$, 즉 D$(4,\,6)$

이때 사각형 ABCD는 사다리꼴이다.

두 점 A, B 사이의 거리는 $2-(-3)=5$이고 두 점 C, D 사이의 거리는 $6-(-4)=10$이며 사다리꼴 ABCD의 높이는 $4-(-2)=6$

따라서 사각형 ABCD의 넓이는

$\dfrac{1}{2}\times(5+10)\times6=45$

05 점 A의 x좌표를 m이라 하면 점 A$(m,\,15)$가 정비례 관계 $y=3x$의 그래프 위에 있으므로

$15=3m$, $m=5$

즉, 점 A의 좌표는 A$(5,\,15)$이고 정사각형 ABCD의 한 변의 길이가 5이므로 점 C의 좌표는 $(5+5,\,15-5)$, 즉 $(10,\,10)$이다.

이때 점 C$(10,\,10)$이 정비례 관계 $y=ax$의 그래프 위에 있으므로 $y=ax$에 $x=10$, $y=10$을 대입하면

$10=10a$

$\therefore a=1$

함정 피하기
정사각형의 네 변의 길이는 모두 같음을 이용하여 문제를 해결한다.

06 점 A의 x좌표를 m이라 하면 $y=4m$에서 A$(m,\,4m)$

점 C의 x좌표는 $m+7$이므로 $y=\dfrac{m+7}{2}$에서

C$\left(m+7,\,\dfrac{m+7}{2}\right)$

점 D의 x좌표는 점 C의 x좌표와 같고, 점 D의 y좌표는 점 A의 y좌표와 같으므로 D$(m+7,\,4m)$

이때 선분 CD의 길이가 7이므로

$4m-\dfrac{m+7}{2}=7$

$8m-m-7=14$, $7m=21$

$\therefore m=3$

따라서 점 D의 좌표는 $(10,\,12)$이고 $y=ax$의 그래프 위에 있으므로

$12=10a$

$\therefore a=\dfrac{6}{5}$

07 분속 x km의 일정한 속력으로 21 km를 달리는 데 걸리는 시간을 y분이라 하면 $y=\dfrac{21}{x}$

재은이의 속력은 분속 0.12 km이므로

$x=0.12$를 $y=\dfrac{21}{x}$에 대입하면

$y=\dfrac{21}{0.12}=175$

즉, 재은이가 결승점에 도착하는 데 걸린 시간은 175분이다.

유정이의 속력은 분속 0.15 km이므로

$x=0.15$를 $y=\dfrac{21}{x}$에 대입하면

$y=\dfrac{21}{0.15}=140$

즉, 유정이가 결승점에 도착하는 데 걸린 시간은 140분이다.

재은이가 오후 12시 55분에 도착하였고 두 사람의 걸린 시간의 차가 $175-140=35$(분)으로 유정이가 35분 먼저 도착하였으므로 유정이가 도착한 시각은 오후 12시 20분이다.

08 (1) 기차의 길이를 a m라 하면

길이가 1200 m인 터널에 진입해서 완전히 빠져나가는 데 50초가 걸리므로 기차의 속력은 초속 $\dfrac{1200+a}{50}$ m

길이가 3120 m인 터널에 진입해서 완전히 빠져나가는 데 110초가 걸리므로 기차의 속력은 초속 $\dfrac{3120+a}{110}$ m

기차의 속력은 일정하므로

$\dfrac{1200+a}{50}=\dfrac{3120+a}{110}$

양변에 550을 곱하면

$11(1200+a)=5(3120+a)$

$13200+11a=15600+5a$

$11a-5a=15600-13200$

$6a=2400$, $a=400$

기차의 속력은

$\dfrac{1200+400}{50}=\dfrac{3120+400}{110}=32$, 즉 초속 32 m이므로

이 기차가 x초 동안 이동한 거리 y m 사이의 관계를 식으로 나타내면

$y=32x$

(2) 1시간은 $1\times60\times60=3600$(초)이므로

$y=32x$에 $x=3600$을 대입하면

$y=32\times3600=115200$

따라서 이 기차가 1시간 동안 이동한 거리는 115.2 km이다.

01 -5, $-\dfrac{1}{5}$ **02** 7 **03** $\dfrac{6}{5}$ **04** $\dfrac{20}{3}$ **05** 9 **06** 9

07 $E\left(5, \dfrac{6}{5}\right)$ **08** (1) $y=\dfrac{5}{24}x$ (2) 3일

---

01 〔풀이전략〕 점 (a, b)가 제2사분면 위의 점이면 $a<0$, $b>0$임을 이용하여 문제를 해결한다.

점 A의 좌표를 (m, n)이라 하면
점 $A(m, n)$은 제2사분면 위의 점이므로
$m<0$, $n>0$
점 B의 좌표는 $(-m, n)$이고 제1사분면 위의 점이다.
점 C의 좌표는 $(m, -n)$이고 제3사분면 위의 점이다.

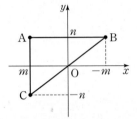

삼각형 ABC의 밑변을 선분 AB라 하면 선분 AB의 길이는 $-2m$, 높이를 선분 AC라 하면 선분 AC의 길이는 $2n$이다.
이때 삼각형 ABC의 넓이는
$\dfrac{1}{2}\times(-2m)\times 2n=10$
$mn=-5$
점 A의 x좌표와 y좌표가 모두 정수이고
$m<0$, $n>0$이므로
$m=-1$, $n=5$ 또는 $m=-5$, $n=1$이다.
한편, 삼각형 ABC의 넓이는
$\dfrac{1}{2}\times(-2m)\times 2n=-2mn$

삼각형 OAB의 넓이는 $\dfrac{1}{2}\times(-2m)\times n=-mn$

삼각형 OAC의 넓이는 $\dfrac{1}{2}\times 2n\times(-m)=-mn$

(삼각형 OAB의 넓이)
$=$(삼각형 OAC의 넓이)
$=\dfrac{1}{2}\times$(삼각형 ABC의 넓이)이므로
정비례 관계 $y=ax$의 그래프가 점 A를 지날 때 삼각형 ABC의 넓이가 이등분된다.
$y=ax$에 $x=-1$, $y=5$를 대입하면
$a=-5$

$y=ax$에 $x=-5$, $y=1$을 대입하면
$a=-\dfrac{1}{5}$

따라서 가능한 상수 a의 값을 모두 구하면 -5, $-\dfrac{1}{5}$이다.

02 〔풀이전략〕 사다리꼴의 넓이는
$\dfrac{1}{2}\{($윗변의 길이$)+($아랫변의 길이$)\}\times($높이$)$
이다.
$y=-2x$에 $x=-2$를 대입하면 $y=4$이므로
$A(-2, 4)$
$y=\dfrac{1}{3}x$에 $x=3$을 대입하면 $y=1$이므로
$B(3, 1)$
점 A, B를 각각 지나는 직선이 x축과 수직으로 만날 때 생기는 점을 C, D라 하면

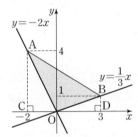

(삼각형 OAB의 넓이)
$=$(사다리꼴 ABCD의 넓이)$-$(삼각형 OAC의 넓이)
$\qquad\qquad\qquad\qquad\qquad -$(삼각형 OBD의 넓이)
$=\dfrac{1}{2}\times(4+1)\times(3+2)-\dfrac{1}{2}\times 2\times 4-\dfrac{1}{2}\times 3\times 1$
$=\dfrac{25}{2}-4-\dfrac{3}{2}$
$=7$

03 〔풀이전략〕 사다리꼴 AEFD의 넓이는 $\dfrac{1}{3}\times$(직사각형 ABCD의 넓이)임을 이용하여 상수 a의 값을 구한다.
(직사각형 ABCD의 넓이)$=2\times 6=12$
$y=ax$의 그래프로 만들어진 사다리꼴 AEFD의 넓이가 직사각형 ABCD의 넓이의 $\dfrac{1}{3}$이므로
(사다리꼴 AEFD의 넓이)$=12\times\dfrac{1}{3}=4$
한편 두 점 E, F는 $y=ax$의 그래프 위의 점이므로
$E(4, 4a)$, $F(6, 6a)$
선분 AE의 길이는 $8-4a$
선분 DF의 길이는 $8-6a$

따라서 사다리꼴 AEFD의 넓이는

$\frac{1}{2} \times (8-4a+8-6a) \times 2 = 4$

$16-10a=4, \ -10a=-12$

$\therefore a=\frac{6}{5}$

04 풀이전략 점 A의 x좌표를 a라 하면 점 B의 x좌표는 $3a$이고 두 점 A, B는 $y=\frac{5}{x}$의 그래프 위에 있다는 것을 이용한다.

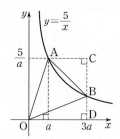

점 A의 x좌표를 a라 하면

$A\left(a, \frac{5}{a}\right)$, $B\left(3a, \frac{5}{3a}\right)$

점 A를 지나고 x축과 평행한 직선과 점 B를 지나고 y축과 평행한 직선이 만나는 점을 C, 직선 BC가 x축과 만나는 점을 D라 하면

(삼각형 OAB의 넓이)

= (사각형 OACD의 넓이) - (삼각형 ABC의 넓이)

$\qquad\qquad$ - (삼각형 BOD의 넓이)

$= \frac{1}{2} \times (2a+3a) \times \frac{5}{a} - \frac{1}{2} \times 2a \times \left(\frac{5}{a} - \frac{5}{3a}\right)$

$\qquad\qquad\qquad\qquad - \frac{1}{2} \times 3a \times \frac{5}{3a}$

$= \frac{25}{2} - \frac{10}{3} - \frac{5}{2}$

$= \frac{20}{3}$

실수하기 쉬운 부분 짚어보기

x좌표가 같은 두 점을 잇는 선분의 길이는 y좌표의 값의 차이고, y좌표가 같은 두 점을 잇는 선분의 길이는 x좌표의 값의 차로 구할 수 있다.

05 풀이전략 두 점 A, B는 $y=\frac{a}{x}$의 그래프 위의 점이므로 $A(1, a)$, $B\left(3, \frac{a}{3}\right)$임을 이용하여 삼각형 OAB의 넓이를 구한다.

점 A, B를 각각 지나는 직선이 x축과 수직으로 만날 때 생기는 점을 C, D라 하면

$A(1, a)$, $B\left(3, \frac{a}{3}\right)$, $C(1, 0)$, $D(3, 0)$

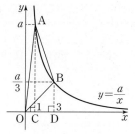

(삼각형 OAB의 넓이)

= (사각형 ACDB의 넓이) + (삼각형 OAC의 넓이)

$\qquad\qquad\qquad\qquad$ - (삼각형 OBD의 넓이)

이고

(사각형 ACDB의 넓이) $= \frac{1}{2} \times \left(a + \frac{a}{3}\right) \times 2 = \frac{4}{3}a$

(삼각형 OAC의 넓이) $= \frac{1}{2} \times 1 \times a = \frac{1}{2}a$

(삼각형 OBD의 넓이) $= \frac{1}{2} \times 3 \times \frac{a}{3} = \frac{1}{2}a$

이므로

(삼각형 OAB의 넓이) $= \frac{4}{3}a + \frac{1}{2}a - \frac{1}{2}a = 12$

$\frac{4}{3}a = 12 \qquad \therefore a=9$

06 풀이전략 두 점 A와 B는 y좌표가 같고 두 점 A와 C는 x좌표가 같다.

점 A의 좌표가 $(1, 2)$이므로 점 B의 y좌표는 2이고 점 C의 x좌표는 1이다.

이때 두 점 B, C는 $y=\frac{a}{x}$의 그래프 위의 점이므로

$B\left(\frac{a}{2}, 2\right)$, $C(1, a)$

변 AB의 길이는 $\frac{a}{2}-1$, 변 AC의 길이는 $a-2$이므로

$\left(\frac{a}{2}-1\right) + (a-2) = 9$

$\frac{3}{2}a-3 = 9$

$\frac{3}{2}a = 12, \ a=8$

따라서 $B(4, 2)$, $C(1, 8)$이므로 삼각형 ABC의 넓이는

$\frac{1}{2} \times (4-1) \times (8-2) = \frac{1}{2} \times 3 \times 6 = 9$

07 풀이전략 점 (p, q)가 반비례 관계 $y=\frac{a}{x}(a \neq 0)$의 그래프 위에 있을 때 $y=\frac{a}{x}(a \neq 0)$에 $x=p$, $y=q$를 대입하여 a의 값을 구할 수 있다.

점 P의 좌표가 $(-2, -3)$이므로 점 A의 좌표는 $(2, 3)$

점 B의 좌표가 $(2, 0)$이므로 변 AB의 길이는 3이다. 즉,

정사각형 ABCD의 한 변의 길이는 3이다.

점 C의 좌표는 $(2+3,\ 0)$, 즉 $(5,\ 0)$이므로

점 E의 x좌표도 5이다.

한편 점 A는 $y=\dfrac{b}{x}$의 그래프 위의 점이므로

$y=\dfrac{b}{x}$에 $x=2,\ y=3$을 대입하면

$3=\dfrac{b}{2},\ b=6$

점 E의 좌표를 $(5,\ m)$이라 하면

점 E는 $y=\dfrac{6}{x}$의 그래프 위의 점이므로

$x=5,\ y=m$을 대입하면

$m=\dfrac{6}{5}$

따라서 점 E의 좌표는 $\left(5,\ \dfrac{6}{5}\right)$이다.

함정 피하기

정비례 관계 $y=ax$의 그래프와 반비례 관계 $y=\dfrac{b}{x}$의 그래프가 만나는 두 점 중 한 점의 좌표가 $(p,\ q)$이면 다른 한 점의 좌표는 $(-p,\ -q)$이다.

08 **풀이전략** 전체 일의 양을 1로 생각하고 단위 시간(1일, 1시간, 1분 등) 동안 한 일의 양을 구하여 식을 세울 수 있다.

⑴ 직원 A, B가 하루 동안 한 일의 양은 각각 $\dfrac{1}{8},\ \dfrac{1}{12}$이다.

직원 A, B가 x일 동안 함께 일한 양은

$\left(\dfrac{1}{8}+\dfrac{1}{12}\right)\times x=\dfrac{5}{24}x$이므로

$y=\dfrac{5}{24}x$

⑵ 직원 A가 3일 동안 혼자 한 일의 양은

$\dfrac{1}{8}\times 3=\dfrac{3}{8}$

직원 A, B가 함께 일한 양은

$y=\dfrac{5}{24}x$에서 $y=\dfrac{5}{8}$를 대입하면

$\dfrac{5}{8}=\dfrac{5}{24}\times x,\ x=\dfrac{5}{8}\times\dfrac{24}{5}=3$

따라서 직원 A, B는 3일 동안 함께 일했다.

01 $\dfrac{3}{2}a+\dfrac{3}{2}b$ **02** ① **03** ③ **04** ④ **05** ② **06** ④

07 18 **08** ① **09** $a=2,\ b=12$

01 ⑴ $a<b$일 때

세 점 A, B, C를 좌표평면 위에 나타내면 다음 그림과 같다.

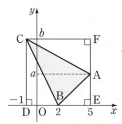

직사각형 CDEF의 넓이는

$(5+1)\times b=6b$

삼각형 ABC의 넓이는 사각형 CDEF의 넓이에서 세 삼각형 CDB, ABE, AFC의 넓이를 빼면 되므로

$6b-\dfrac{1}{2}\times(2+1)\times b-\dfrac{1}{2}\times 3\times a-\dfrac{1}{2}\times(5+1)\times(b-a)$

$=6b-\dfrac{3}{2}b-\dfrac{3}{2}a-3b+3a$

$=\dfrac{3}{2}a+\dfrac{3}{2}b$

⑵ $a>b$일 때

세 점 A, B, C를 좌표평면 위에 나타내면 다음 그림과 같다.

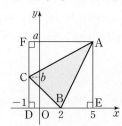

직사각형 AFDE의 넓이는 $(5+1)\times a=6a$

삼각형 ABC의 넓이는 사각형 AFDE의 넓이에서 세 삼각형 CDB, ABE, AFC의 넓이를 빼면 되므로

$6a-\dfrac{1}{2}\times(2+1)\times b-\dfrac{1}{2}\times 3\times a-\dfrac{1}{2}\times(5+1)\times(a-b)$

$=6a-\dfrac{3}{2}b-\dfrac{3}{2}a-3a+3b$

$=\dfrac{3}{2}a+\dfrac{3}{2}b$

⑴, ⑵에서 삼각형 ABC의 넓이는

$\dfrac{3}{2}a+\dfrac{3}{2}b$

$a<b$일 때와 $a>b$일 때로 나누어 세 점 A, B, C를 좌표평면에 나타낸 후 삼각형 ABC의 넓이를 구한다.

삼각형 ABC의 넓이는 사다리꼴 CDEA의 넓이에서 두 삼각형 CDB와 ABE의 넓이를 빼서 구할 수도 있다.

02 $\dfrac{a}{b}<0$에서 $a>0$, $b<0$ 또는 $a<0$, $b>0$

이때 $a<b$이므로 $a<0$, $b>0$이다.

따라서 $-ab>0$, $b-a>0$이므로 점 $(-ab,\ b-a)$는 제1사분면 위의 점이다.

03 원기둥 모양의 그릇에 물을 일정하게 넣을 때, 원기둥의 밑넓이가 넓을수록 물의 높이가 천천히 일정하게 증가한다. x와 y 사이의 관계를 나타내는 그래프는 먼저 y의 값이 천천히 일정하게 증가하다가 y의 값이 빠르고 일정하게 증가하는 ③이다.

04 정민이의 그래프는 15초 이후로 그려지고 있으므로 정민이는 민수가 출발한 지 15초 후에 출발하였다. 즉, $a=15$

두 그래프는 점 $(40,\ 150)$에서 만나므로 민수와 정민이는 민수가 출발한 지 40초 이후에 처음으로 만난다. 이때 정민이는 민수가 출발한 지 15초 후에 출발하므로 두 사람이 처음 만나는 시간은 정민이가 출발한 지 $40-15=25$(초) 후이다. 즉, $b=25$

$\therefore a-b=15-25=-10$

한 좌표평면 위에 동시에 그려진 두 그래프를 바르게 비교하여 문제를 해결한다.

05 15분 동안 A 호스만을 이용하는 그래프를 살펴보면 A 호스는 15분 동안 30 L, 즉 1분 동안 2 L를 채운다.

두 호스 A, B로는 15분부터 45분까지 30분 동안 $180-30=150$(L)를 채우므로 두 호스 A, B로 1분 동안 5 L를 채우고 B 호스만을 사용하면 1분 동안 $5-2=3$(L)를 채운다.

따라서 B 호스만을 사용하여 빈 물탱크를 가득 채울 때 걸리는 시간은 $\dfrac{180}{3}=60$(분)이다.

06 $y=\dfrac{a}{x}$에 $x=4$, $y=-3$을 각각 대입하면

$-3=\dfrac{a}{4}$, $a=-12$

따라서 $y=-\dfrac{12}{x}$이므로 이 그래프 위에 있는 점 중에서 x좌표와 y좌표가 모두 정수인 점은

$(1,\ -12)$, $(2,\ -6)$, $(3,\ -4)$, $(4,\ -3)$, $(6,\ -2)$, $(12,\ -1)$, $(-1,\ 12)$, $(-2,\ 6)$, $(-3,\ 4)$, $(-4,\ 3)$, $(-6,\ 2)$, $(-12,\ 1)$

의 12개이다.

반비례 관계 $y=\dfrac{a}{x}$(단, $a\neq0$)의 그래프의 성질을 이해하여 이 그래프가 지나는 다른 점들의 좌표를 구한다.

07 두 점 B, D의 x좌표가 각각 -6, 2이고 두 점은 $y=\dfrac{a}{x}$의 그래프 위에 있으므로

$B\left(-6,\ -\dfrac{a}{6}\right)$, $D\left(2,\ \dfrac{a}{2}\right)$

점 A의 y좌표는 점 D의 y좌표와 같고, 점 C의 y좌표는 점 B의 y좌표와 같으므로

$A\left(-6,\ \dfrac{a}{2}\right)$, $C\left(2,\ -\dfrac{a}{6}\right)$

반비례 관계 $y=\dfrac{a}{x}$(단, $a\neq0$)의 그래프가 제1사분면, 제3사분면을 지나므로 $a>0$이고 직사각형 ABCD의 가로의 길이는 8, 세로의 길이는 $\dfrac{a}{2}-\left(-\dfrac{a}{6}\right)=\dfrac{2}{3}a$이다.

이때 직사각형 ABCD의 넓이가 96이므로

$8\times\dfrac{2}{3}a=96$

$\dfrac{16}{3}a=96$ $\therefore a=18$

08 60명이 12일 동안 해야 하는 일을 x일 동안 y명이 한다고 할 때, x와 y 사이의 관계식을 구하면

$60\times12=x\times y$, $y=\dfrac{720}{x}$

이 일을 8일 만에 끝내려면 위 식에 $x=8$을 대입하면

$y=\dfrac{720}{8}=90$이므로 90명이 필요하다.

따라서 이 일을 8일 만에 끝내려면 $90-60=30$(명)이 더 필요하다.

09 점 C의 x좌표가 9이고 점 C는 $y=\dfrac{1}{3}x$의 그래프 위에 있으므로

$y=\dfrac{1}{3}x$에 $x=9$를 대입하면

$y=\dfrac{1}{3}\times 9=3$

즉, 점 C의 좌표는 $(9,\,3)$이고

정사각형 ABCD는 한 변의 길이가 5이므로

A$(4,\,8)$, B$(4,\,3)$, D$(9,\,8)$

점 A$(4,\,8)$은 $y=ax$의 그래프 위에 있으므로

$8=4\times a$, $a=2$

점 B$(4,\,3)$은 $y=\dfrac{b}{x}$의 그래프 위에 있으므로

$3=\dfrac{b}{4}$, $b=12$

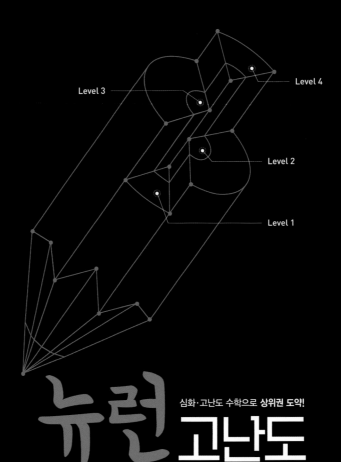

심화·고난도 수학으로 상위권 도약!

뉴런 고난도

수학 1(상)

정답과 풀이

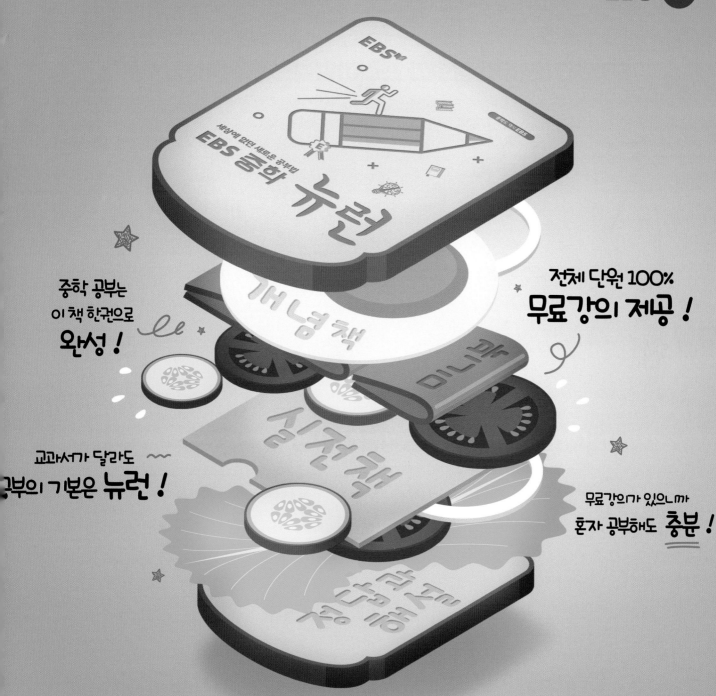

중학 공부는
이 책 한권으로
완성 !

전체 단원 100%
무료강의 제공 !

교과서가 달라도 ~
공부의 기본은 뉴런 !

무료강의가 있으니까
혼자 공부해도 충분 !

세상에 없던 새로운 공부법
EBS 중학 뉴런

국어 3　영어 3　수학 3(상)　과학 3　사회②　역사②

중학도 EBS!

EBS중학의 무료강좌와 프리미엄강좌로 완벽 내신대비!

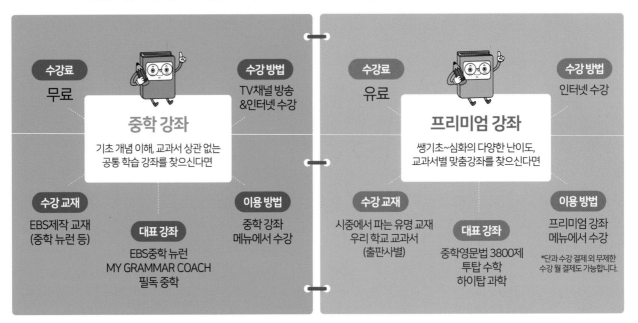

중학 강좌
기초 개념 이해, 교과서 상관 없는
공통 학습 강좌를 찾으신다면

- **수강료** 무료
- **수강 방법** TV채널 방송 &인터넷 수강
- **수강 교재** EBS제작 교재 (중학 뉴런 등)
- **대표 강좌** EBS중학 뉴런 MY GRAMMAR COACH 필독 중학
- **이용 방법** 중학 강좌 메뉴에서 수강

프리미엄 강좌
쌩기초~심화의 다양한 난이도,
교과서별 맞춤강좌를 찾으신다면

- **수강료** 유료
- **수강 방법** 인터넷 수강
- **수강 교재** 시중에서 파는 유명 교재 우리 학교 교과서 (출판사별)
- **대표 강좌** 중학영문법 3800제 투탑 수학 하이탑 과학
- **이용 방법** 프리미엄 강좌 메뉴에서 수강 *단과 수강 결제 외 무제한 수강 월 결제도 가능합니다.

프리패스 하나면 EBS중학프리미엄 전 강좌 무제한 수강

내신 대비 진도 강좌

- ☑ 국어/영어: 출판사별 국어7종/영어9종 우리학교 교과서 맞춤강좌
- ☑ 수학/과학: 시중 유명 교재 강좌 모든 출판사 내신 공통 강좌
- ☑ 사회/역사: 개념 및 핵심 강좌 자유학기제 대비 강좌

영어 수학 수준별 강좌

- ☑ 영어: 영역별 다양한 레벨의 강좌 문법 5종/독해 1종/듣기 1종 어휘 3종/회화 3종/쓰기 1종
- ☑ 수학: 실력에 딱 맞춘 수준별 강좌 기초개념 3종/ 문제적용 4종 유형훈련 3종/ 최고심화 3종

시험 대비 / 예비 강좌

- · 중간, 기말고사 대비 특강
- · 서술형 대비 특강
- · 수행평가 대비 특강
- · 반배치 고사 대비 강좌
- · 예비 중1 선행 강좌
- · 예비 고1 선행 강좌

왜 EBS중학프리미엄 프리패스를 선택해야 할까요?

현직 교사들이 직접 참여하는 강의

타사 대비 60% 수준의 합리적 수강료

60%

프리패스 회원만을 위한 특별한 혜택

자세한 내용은 EBS중학 > 프리미엄 강좌 > 무한수강 프리패스(http://mid.ebs.co.kr/premium/middle/index) 에서 확인할 수 있습니다.
*사정상 개설강좌, 가격정책은 변경될 수 있습니다.

중학도 EBS! 최고의 강의, 합리적인 가격
프리패스 구매 문의 : 1588-1580 / 연중무휴 EBS중학프리미엄